РУССКИЙ БЕСТСЕЛЛЕР

Татьяна УСТИНОВА

ОДНА ТЕНЬ НА ДВОИХ

ЭКСМО

МОСКВА 2003

УДК 882
ББК 84(2Рос-Рус)6-4
    У 80

Серийное оформление художников
С. Курбатова и *А. Старикова*

Серия основана в 1994 г.

У 80
    Устинова Т. В.
        Одна тень на двоих: Роман. — М.: Изд-во
    Эксмо, 2003. — 352 с. (Серия «Русский бест-
    селлер»).

        ISBN 5-04-010498-7

    Когда Данилов приехал домой, его жена уже умерла...
Гаишник, задержавший Данилова на дороге, «спас» его от
тюрьмы, создав неопровержимое алиби. Однако несчастья
продолжали подстерегать архитектора. Обезображен особняк, который Данилов вот-вот должен был сдать богатому
заказчику, в офисе убит сотрудник его фирмы. Кто-то упорно
хочет бросить тень на несостоявшегося музыканта, сына известных родителей, который не оправдал их надежд, а потому презираем... Но Данилов так никогда бы и не принял
этот вызов, если бы рядом не оказалась Марта — женщина,
которая любила его всю жизнь. И теперь, когда за его спиной
стоит не пугающая тень, а лучший человек на свете, Данилову все по плечу...

                                УДК 882
                                ББК 84(2Рос-Рус)6-4

Мне день и ночь покоя не дает
Мой черный человек.

Александр Пушкин
«Моцарт и Сальери»

Когда Данилов приехал домой, его жена уже умерла.

Он не понял, что она умерла.

Он пытался ее оживить.

Он совал к мертвым сизым губам стакан с водой. Вода лилась по щекам и закинутой шее, размывала кровавые пятна на очень белой блузке. Почему-то потом ему вспоминались не пятна, а именно эта, очень белая, неправдоподобно белая блузка.

Он пытался посадить ее, а она заваливалась набок, рука падала ему на шею, и он был уверен, что она живая, эта рука, мертвая не может так падать. Рука умоляла его — я жива, я здесь, спаси меня.

Он лупил ее по щекам, чтобы она очнулась. Он по-дилетантски делал ей искусственное дыхание — он не умел его делать и все-таки делал. Он тряс ее за плечи — голова болталась, как у клоуна Пафнутьича, которого маленькому Данилову подарили на день рождения, и он сразу оторвал ему голову. Спереди из головы торчали белые нитки, а сзади она осталась приделанной к туловищу и с тех пор качалась. Так, как у его жены, когда она умерла.

Потом он все-таки понял, что она мертва. Вернее, разрешил себе понять. И тогда он стал звонить по телефону, по всем известным с детства номерам — 03, 02, 01, плохо соображая, что делает, и надеясь, что это как-то ее спасет. Трубка липла к ладони, и он не сразу осознал, что она липнет, потому что на его ладони высыхает кровь.

Кровь его жены.

Он звонил и держал ее, не давая упасть назад, на диванные подушки. Он думал, что, если она упадет, будет еще хуже. Хотя куда уж тут хуже!

Вскоре кто-то приехал. Не зря же он звонил по всесильным номерам.

Его жену подняли и сунули на носилки, как будто она была вещь. Никому не нужная, ни к чему больше не пригодная сломанная вещь, с которой, однако, приходится возиться, прежде чем отправить ее на помойку. И как только ее положили на носилки, Данилов сразу понял — то, что лежит на сером потрескавшемся дерматине, не его жена. Не может быть его женой. Зря он так старался оживить ее. Нечего было оживлять. Осталось просто тело, когда-то принадлежавшее его жене, — это он понял очень отчетливо.

Он не верил ни в загробную жизнь, ни в переселение душ, ни в бога, ни в черта. Он верил в молекулы, элементарные частицы и химические процессы.

То, что жена ушла и оставила ему собственное тело, скрюченное и залитое кровью, не имело отношения к химическим процессам. Но это было так очевидно, что Данилов долго не мог сообразить, чего от него хотят приехавшие вслед за «Скорой» усталые мужики в милицейской форме. Им было наплевать на Данилова, они не понимали, что от него только что ушла жена, и называли ее «потерпевшая», и рассматривали кровавые пятна на ослепительно белой блузке, и ползали по ковру, и искали какие-то гильзы, и мерили расстояние строительной рулеткой, и звали соседей, которые толпились в дверях, жадно глазели и стыдились того, что глазеют так жадно.

Данилова о чем-то спрашивали, он отвечал или не отвечал, он так и не мог вспомнить, и, наверное, тут ему и пришел бы конец, потому что мужики в форме

6

были почему-то уверены, что Данилов сам застрелил свою жену.

Его спас гаишник.

Гаишник, которого Данилов ненавидел целых полчаса. Он остановил Данилова на Садовом кольце и долго вертел в толстых от коричневых перчаток пальцах его права, а потом потребовал отцепить от ветрового стекла талон техосмотра и его тоже долго вертел. Потом велел Данилову открыть капот, и светил в него, и елозил животом по грязному боку машины, рассматривая что-то внутри капота, и в конце концов обнаружил, что у «девятки» оторван правый брызговик, и пошел в свою машину, унизительно поманив Данилова за собой, и долго писал что-то, и отказывался от денег, которые Данилов совал ему.

Данилов замерз, устал, ему очень хотелось домой — снять отсыревшие за день ледяные ботинки, влезть в ванну и съесть наконец супу, о котором он мечтал с обеда. Гаишника он ненавидел горячо и остро, и этот гаишник спас его.

Оказалось, что Данилов никак не мог застрелить жену именно потому, что валандался на Садовом кольце с бдительным гаишником, который подтвердил — да, валандался.

И все. Все.

Никого, конечно, не нашли. А может, и не искали. Для Данилова это не имело никакого значения.

«Ты, ты убил ее! — кричала на похоронах мать его жены и плевала в него. — Ты во всем виноват, убийца, иуда!» Ее оттаскивали от Данилова за рукава, но она рвалась из шубы и наконец вырвалась, побежала, ее снова перехватили, а она все кидалась, превращая похороны в потасовку.

Ему было все равно. Он смотрел на снег и думал — куда-то она ушла? Вечная ее манера — пропадать, исчезать, заставлять волноваться о себе! Теперь ее искать не надо. Теперь она ушла навсегда.

С тех пор всегда, когда шел снег, Данилов чувствовал беспокойство сродни тому, когда нужно бежать, а куда, зачем — не вспомнить. Снег шел, а он все вспоминал, нервничал и уговаривал себя не нервничать, потому что его мозг понимал, что бежать некуда, но в душе была тревога.

Так было до тех пор, пока однажды Данилов не получил длинный белый конверт.

Конверт принесли вместе с почтой. Почта называлась утренней, но почему-то ее приносили Данилову в середине дня. В конверте оказалась четвертушка бумаги с одним-единственным предложением: «Убийца должен быть наказан, пощады не будет».

Данилов прочитал, сморщился, скатал из четвертушки плотный шарик и метнул его в корзину. Шарик пролетел мимо и неслышно приземлился на ковер. Некоторое время Данилов смотрел в окно, потом подобрал шарик и сунул его в стол.

Не переставая шел снег.

Он открыл дверь в свою квартиру и сразу, еще не войдя, нашарил на правой стене выключатель и зажег свет. Сердце колотилось, мешая дышать, взмокли ладони и спина.

Он ненавидел этот момент — когда нужно войти в квартиру. Иногда он даже курил на лестнице, просто потому, что не мог себя заставить сделать последний шаг.

Вставить ключ, повернуть, распахнуть дверь, зажечь свет, войти и оглядеться.

Прошло много лет. Квартира давно не та, и дверь не та, и жизнь не та, но худшим моментом в его жизни осталось возвращение домой. Ничего хуже он не мог себе представить.

Свет зажегся сразу везде. Данилов специально сделал выключатель у входной двери так, чтобы свет зажигался сразу во всей квартире, кроме спальни, которая от входа не видна, но и это не слишком помогало. Он еще помаялся на пороге, переложил из руки в руку портфель и наконец вошел, сделал этот проклятый последний шаг. И закрыл за собой дверь.

Что-то не так. Что-то случилось.

Шее стало тесно в воротнике рубахи от того, что сердце метнулось к горлу, и замерло в нем, и разбухло так, что воздуху было не прорваться. Пот потек по виску.

Запах. Странный, посторонний.

В мозгу возникла яркая картина: ослепительно белая ткань и неровные, очень красные пятна, как хищные тропические цветы.

Данилов попытался вздохнуть и не смог.

— Ну что ты там стоишь? — спросили из комнаты недовольно. — Ты что, умер?

Сердце в горле еще раз ударило и разорвалось на мелкие клочки. Оказалось, что это было никакое не сердце.

Данилов судорожно вздохнул и вытер висок. На перчатке остался мокрый след — след его позорной паники.

— Я просил тебя звонить, когда ты собираешься приехать, — сказал он чужим от недавней паники голосом. Постоял и стал снимать ботинки. — Почему ты не позвонила?

Марта показалась в дверях. Она моргала, как будто ослепленная светом сова, одна щека у нее была краснее другой, а сзади по полу волочился плед.

— Я звонила. — Она зевнула и прикрыла рот пледом. — Сначала ты уехал, потом еще не приехал, а потом совсем уехал. Это терминология твоей секретарши. По-моему, ее нужно уволить.

— Уволю, — пообещал Данилов, — пойдешь на ее место?

— Что я, с ума сошла? — спросила Марта обиженно. — Кстати, у моей подруги дочка университет закончила, возьми ее на работу. А, Данилов? Она девочка сообразительная, хорошенькая, по-английски понимает.

— Как собачка, — уточнил Данилов, еще не отошедший от давешнего потрясения, — все понимает, только сказать не может?

Марта подошла к нему, подобрав плед, как английская королева шлейф во время парада гвардейцев перед Букингемским дворцом. Неизвестно почему, Марта часто напоминала Данилову английскую королеву.

— Ну прости, — сказала она, рассматривая его лицо, — я не хотела тебя пугать. Я ждала, ждала, ужин приготовила, а потом уснула. Что-то я устала сегодня.

— Ничего, — вежливо ответил Данилов, — все в порядке.

Он всегда старался быть вежливым. Мать считала, что самое главное — это умение себя вести, что бы ни происходило в жизни.

Умение себя вести и самоконтроль. Ежеминутный. Жесточайший. И так с трех лет.

Он улыбнулся Марте, подобрал с пола портфель и пошел в спальню.

— Ты будешь ужинать? — в спину ему спросила Марта.

— А если бы я с Лидой приехал? — Он оглянулся от двери в спальню.

Хоть бы раз, подумала Марта, хоть бы раз он снял пиджак по дороге, а не за закрытой дверью. Или галстук развязал, что ли. Нет, никогда.

— Объяснил бы ей, что я твоя сестра, о существовании которой ты ничего не знал. Как в сериале. Она смотрит сериалы?

— Наверное, смотрит, — подумав, ответил Данилов. — Извини, мне нужно переодеться.

— Какой Версаль, — пробормотала Марта. Швырнула свой плед в ближайшее кресло и побрела на кухню.

Данилов всегда так разговаривал, и время от времени ее это раздражало. Сегодня особенно, потому что она нервничала и не знала, как скажет ему об этом.

Как?!

Он приехал такой усталый, такой обыкновенный, такой всегдашний Данилов, которого она знала уже пятнадцать лет, и вся ее решимость лопнула как мыльный пузырь.

Может, не говорить?

Она думала всю ночь и еще весь день, сидя на работе и сосредоточенно глядя в компьютер.

«Работаете? — игриво поинтересовался шеф, проходя мимо. — Это правильно. Работайте много, и вам воздастся».

Ему самому давно «возлалось» — «БМВ» был самой последней модели, и жена со чадами и домочадцами проживала в мирном городе Лондоне, не мешая отцу и супругу в его многотрудном деле добычи денег. Марта работала много, но ей почему-то до «БМВ» и города Лондона было далеко. Видимо, все-таки не всем воздается одинаково.

Или сказать?

Хуже всего то, что она даже представить себе не могла, как отреагирует Данилов на ее сногсшибательное сообщение. Скорее всего скажет в своей обычной манере: «Очень хорошо», и ей придется после этого повеситься.

Повздыхав, Марта зачем-то передвинула кастрюли на сверкающей эмали плиты. У Данилова было две кастрюли — красная и белая. Когда Марте приходило в голову поразить его воображение каким-нибудь кулинарным шедевром, приходилось изобретать совершенно дикие технологии. Технологии — это было его слово.

Например, в прошлый раз она запекала мясо в

керамической миске, поскольку обе кастрюли, и белая, и красная, оказались заняты. Миска почему-то не треснула и не сгорела, а мясо получилось превосходным, и Марта решила, что придумала совершенно новый способ приготовления свинины.

— Данилов, ты ужинать будешь? — крикнула она, задрав вверх голову, и прислушалась. Из спальни не долетало ни звука. — А, Данилов?

— Да, спасибо, — сказал он совсем близко, и Марта вздрогнула. — Ты остаешься ночевать?

Она пожала плечами, глядя, как разгорается огонь под красной кастрюлей.

— Если остаешься, я открою вино.

— Я вполне могу тяпнуть и поехать.

— Нет, — сказал Данилов твердо, — не можешь. Снег, дороги очень плохие.

— Наплевать на дороги, — пробурчала Марта. — Давай свое вино, Данилов.

— Значит, остаешься, — подытожил он. — Что у нас? Мясо или рыба?

К рыбе полагалось белое вино, а к мясу красное. И никогда наоборот.

Правила есть правила. Запивать шампанским картошку — преступление. Локти на столе — ни в коем случае, даже дома. Пиво из горла — отвратительно.

— У нас рыба, — проинформировала Марта, — я с ней возилась целый час. Постарайся выразить что-то вроде восхищения.

— Постараюсь, — пообещал Данилов. Подумал и добавил: — Я всегда очень благодарен тебе за твои усилия. Спасибо.

— Пожалуйста.

Он осторожно вытащил пробку и посмотрел на Марту.

— Что с тобой? Ты чем-то расстроена?

— Ничем я не расстроена.

— Работа? Или... Петя? Он в Москве?

— Улетел, — сообщила Марта, — на три дня. Скоро прибудет. Просил не скучать.

— А ты скучаешь? — спросил Данилов рассеянно. Ну как с ним разговаривать? Как?!

Марта сердито уселась за стол, немедленно поставила на него локти и залпом выпила полбокала. Вернее, не бокала, а того количества вина, что Данилов налил ей.

Данилов молча смотрел на нее.

— Я беременна, — выпалила она и допила вино. — Наливай еще.

Данилов ничего не понял.

— Ты... что?

— Я ничего, — ответила Марта злобно, — со мной все отлично. Я в интересном положении. Жду ребенка. С женщинами время от времени такое случается.

Данилов подлил ей вина. И себе подлил тоже.

— Я поздравляю тебя, — сказал он растерянно, — это хорошо. Это хорошо, да?

Хорошего было мало.

Ему не нравился ее Петя, не нравился его образ жизни, не нравилось его отношение к Марте. Ничего не нравилось.

Петя любил сало, жареную картошку и, подвыпив, заставлял всех петь хором «на тот большак, за перекресток». Кроме того, он писал стихи и декламировал их при каждом удобном и неудобном случае. В особо патетических местах голос у него дрожал и срывался — «от чувств-с», как говорил дед Данилова, когда рассказывал про очередную защиту очередной докторской, на которой ему приходилось присутствовать. Марту Петя интимно прижимал к своему боку, слегка трепал по коротким волосам и говорил задушевно, что ему «никогда не везло с женским фактором и вот наконец-то повезло».

Впервые увидев Петю, Данилов весь вечер молчал, а на следующий день спросил у Марты, откуда она взяла этого орангутанга.

Марта раскричалась и разобиделась.

«Мне надоели аристократы со следами вырождения на физиономиях, — кричала она, — мне надоели игры в высший свет! Я недавно была на одной вечеринке, там все были из «Маккензи» и «Андерсен Консалтинг»! Я думала, что сдохну от их чванливых постных морд и рассуждений о карьере! Бизнес требует, бизнес пошел, бизнес не пошел!.. Сопляки в дорогих галстуках, клерки, а морды, а речи — как будто они воротилы с Уолл-стрит! Вилки научились держать и уверены, что лучше всех!»

«А Петя? — спросил Данилов. — Он вилку не умеет держать и этим чрезвычайно горд, верно?»

После этого они не разговаривали, наверное, недели две, что случилось с ними первый раз в жизни. Потом Данилов не выдержал, позвонил и помирился.

А теперь вот оказывается, что она беременна.

Конечная станция. Дальше рельсов нет, господа пассажиры. Покорнейше просим выйти.

Марты Черниковской в жизни Данилова больше не будет.

— Когда ты об этом узнала? — спросил он сосредоточенно, как будто это имело значение.

— Вчера.

— А... Петя знает?

— Петя не знает. Давай я положу тебе рыбу, Данилов.

— Спасибо.

Некоторое время они вежливо жевали, стараясь не встречаться глазами. Потом Данилов подлил вина и вдруг спохватился:

— А тебе можно?

— Что? — спросила Марта и перестала жевать.

— Вино.

— Данилов, мне нельзя напиваться в стельку каждый день. Не в стельку и не каждый день — можно. Ты что? Теперь станешь обо мне заботиться?

Данилов пожал плечами:

— Стану.

— Ты и так зануда, Данилов, — пробормотала Марта. — А уж если начнешь проявлять заботу, я от твоего занудства погибну.

Странное дело. Необыкновенная, купленная в супермаркете форель, на которую Марта потратила чертову уйму времени, не имела никакого вкуса, как вываренная в супе капуста.

Может, у нее в организме уже начались необратимые изменения из-за беременности? Вчера, когда она не знала об этом, никаких изменений не наблюдалось.

Все дело в Данилове. В его вежливости, занудстве, сдержанности и правиле ни о чем не расспрашивать.

Если бы Марта узнала, что он беременный, она бы от него не отстала. Она бы выведала все, во всех подробностях.

К несчастью, все было наоборот. Марта фыркнула и закашлялась. Данилов — ясное дело! — немедленно вскочил, готовый в любую секунду прийти на помощь.

— «Скорую» пока не вызывай, — кашляя, попросила Марта, — может, еще рассосется.

Он сел с той же готовностью, с какой только что вскочил. Марта перестала кашлять и посмотрела на него печально.

За пятнадцать лет дружбы она так и не смогла понять — то ли он патологически равнодушен к людям и к ней в том числе, то ли умеет слишком хорошо скрывать свои чувства и заметить их со стороны вряд ли вообще возможно, то ли трусит так, что строительство оборонительных сооружений стало главной целью его жизни.

Все получилось именно так, как она и предполагала, и, видимо, ей все-таки придется сегодня повеситься.

Данилов аккуратно положил на тарелку приборы, оценил и переложил как-то еще более аккуратно.

— Ну и что, — спросил он, — вы теперь поженитесь?

— Мы — это кто? — уточнила Марта.

Данилов посмотрел на нее. Глаза у него были очень черные. Почему-то раньше она была уверена, что черные глаза — это признак темперамента, горячего, страстного, южного.

Ошиблась.

— Вы — это ты и твой Петя.

— Не знаю, — сказала Марта. Она и вправду не знала. — Вообще-то я уже большая девочка. Можно и замуж сходить.

— Сходи, — согласился Данилов.

Вот это разговор. Всем разговорам разговор. Пойди сходи — и все тут.

— И пойду, — ответила Марта упрямо.

Теперь ей захотелось плакать. Так сильно, что она не успела ничего с собой сделать, чтобы позорно не зареветь. Глаза моментально налились слезами.

Нельзя, чтобы Данилов заметил. Никак нельзя.

Она выскочила из-за стола, оставив его недоумевать, промчалась по коридору и немного постояла у входной двери, сильно и часто моргая. Ей было очень жалко себя и еще больше — ребенка. Неизвестно, почему ей было его жалко, вроде ничего такого не происходило, но тем не менее ей было жалко именно его, такого маленького и непонятного, о существовании которого она еще три дня назад и не подозревала.

Конечно, Данилов не пошел за ней. Он ни за что не поставил бы ее в неудобное положение.

Кретин.

Марта загнала обратно слезы, посмотрелась в высокое узкое зеркало, которое она недавно купила и заставила Данилова повесить, и вернулась в кухню.

— Мне показалось, что у меня сотовый зазвонил, — сказала она Данилову. — Как тебе рыба?

— Очень вкусно, спасибо. — Данилов не любил рыбу, но всегда считал своим долгом всех хвалить и благодарить. На столе перед ним лежала пачка сигарет и одна сигарета — отдельно.

— Можно я закурю? — спросил Данилов. Или тебе это неприятно?

— Мне приятно, — уверила его Марта, — самое большое счастье в моей жизни, когда ты куришь в моем присутствии.

— Я только хотел узнать, — пробормотал Данилов, — не вредно ли это. Для ребенка...

— Полезно! — бодро откликнулась Марта. — Если мы будем его постепенно приучать, может, он даже родится с бычком во рту.

Он посмотрел на ее узкую прямую спину.

Марта шуровала у плиты, со звоном кидала вилки в посудомоечную машину. Чайник уже вовсю посапывал — когда только она успела его поставить?

Данилову было так грустно, что жить не хотелось.

Почему-то ему никогда не приходило в голову, что рано или поздно так все и случится — очередной Петя, которых на глазах у Данилова сменился десяток, решит, что «женский фактор» в лице Марты ему очень подходит, а Марта решит, что ждать больше нечего, и все закончится.

Она перестанет звонить ему на работу — «просто так».

«Я звоню просто так», — всегда говорила она, когда он спрашивал, какое у нее к нему дело. Перестанет заезжать по вечерам без предупреждения, чего он терпеть не мог. Вернет ему ключи, заберет со стойки свои компакт-диски с блюзами, Леонардом Коэном и полоумным Гариком Сукачевым — Данилов не любил ни блюзов, ни Коэна, что уж говорить о Сукачеве! Перестанет поражать его воображение кулинарными изысками — «Данилов, это греческий салат, но брынзы не было, и я сунула в него пармезан». Перестанет задумчиво клацать длинными ногтями по клавиатуре его компьютера по субботам — «Данилов, у меня экзамены на носу, так что сегодня ты готовишь». Она то и дело сдавала какие-то экзамены.

«Чистая дружба», продолжавшаяся пятнадцать лет, закончилась.

Конечно, некоторое время они будут продолжать созваниваться, и она станет рассказывать ему об очередных Петиных бизнес-затеях, одна другой хуже, потом родится ребенок, похожий на папочку, и Марта будет его растить, а это дело небыстрое, насколько Данилов мог судить, и постепенно все исчезнет само собой.

Изменить ничего нельзя.

Диалектика, закон природы, как формулировал преподаватель истории Ефим Эммануилович по прозвищу Фима Собак.

— Тебе чай или кофе?

Он посмотрел на нее. У него были очень черные, очень печальные, недоумевающие глаза, как у неожиданно заболевшей собаки.

— Кофе, спасибо. Ты бы присела, Мартышка. Я вполне в состоянии сам налить себе кофе.

— А мне? — спросила Марта. — Мне ты в состоянии налить?

Он называл ее Мартышкой примерно раз в пять лет.

Он варил кофе, молчал и один раз так громко вздохнул, что Марта посмотрела на него с удивлением.

Он был в мягком черном джемпере и серых брюках со стрелками — в собственной квартире в девять часов вечера! Темные волосы, синяя от дневной щетины щека — Марта видела только одну его щеку, — длинные ресницы, чистая кожа.

Аристократ. Белая кость, голубая кровь. Или наоборот, что ли? Голубая кость и белая кровь?

Впервые увидев его родителей, Марта моментально почувствовала себя замарашкой, с разгону влетевшей в герцогские покои в погоне за поросенком, сбежавшим с кухни.

«А где вы живете, милая?» — спрашивала его мать, и Марта готова была сгореть со стыда. Следовало отвечать, что она живет в Беверли-Хиллз или, на худой конец, на Монмартре, но так ответить Марта не могла, поскольку жила в Кратове и, когда ленилась ехать, оставалась у Данилова ночевать. «А где вы служите, милая?» — продолжала мать, и страдания Марты росли пропорционально изменению тона — с вежливого на холодный, с холодного на ледяной.

Марта никоим образом не подходила Данилову, а объяснить королеве-матери, что она не претендует на кронпринца, Марта не могла. Не скажешь же просто так — вы знаете, я иногда живу у вашего сына, но это не то, что вы думаете. У нас пионерско-братская привязанность друг к другу, основанная на взаимоуважении, сходном чувстве юмора и «полном отсутствии всякого присутствия», как это называла Марта.

Никакого секса. Никакого кокетства ни с одной, ни с другой стороны. Никаких претензий друг к другу. Никаких обязательств и вопросов, что делать и кто виноват.

Когда-то ей хотелось, чтобы все сложилось по-другому, а потом перестало хотеться.

Он был трудный человек. От одних его правил можно сойти с ума. Его молчание могло означать все, что угодно, а он только и делал, что молчал. В его присутствии хотелось выпрямить спину, немедленно убрать со стола локти, проверить, чисто ли вымыты руки, и, проделав все это, моментально смыться.

Никто не хохотал, не говорил громко, не чавкал, не пел, не болтал, не стучал вилкой по стакану, не задавал глупых вопросов, не гонял по компьютерному полю супермена, выкрикивая «давай-давай!», не надувал пузыри из жвачки, не матерился, не разваливался в кресле, не рассказывал анекдотов, пока в поле зрения был Данилов.

Как будто это был не Данилов, а гроб с покойником.

— Может быть, хочешь чаю? — спросил он, заботливо наклоняясь над ней, и Марта очнулась. — У меня есть какой-то чай из трав.

— Не какой-то чай из трав, — поправила она, — а успокоительный сбор, Данилов. Я его привезла две недели назад. И я не хочу чай из трав. Я хочу кофе.

— Тебе точно можно?

— Господи, — в сердцах проговорила Марта, — как это жена жила с тобой столько лет!

И перепугалась. Они никогда не вспоминали о его покойной жене.

— Всего три года, — поправил ее Данилов и улыбнулся, — не пугайся, пожалуйста. Я не стану бледным и мрачным от одного упоминания о ней и не стану курить сигареты одну от другой. Я же не герой сериала!

«Ты не герой сериала, — подумала Марта быстро, — но я видела твое лицо, когда ее хоронили».

Он был совершенно один, хотя толпа была огромной. Его родители из Америки прислали соболезнования и элегантный веночек, а друзей у него не было никогда. Шел снег, такой же, как сейчас, но Данилов был в темных очках. Он снял очки, когда сел к ней в машину, и Марта увидела его лицо.

Прошло пять лет, а Марте иногда казалось, что пять дней.

Когда он женился, ему было тридцать. Когда спустя три года ее хоронили, Данилову стало шестьдесят.

— Тебе не нужна помощь? — спросил Данилов,

аккуратно глотнув кофе. — Я имею в виду деньги. Или врачи?

— Я беременная, а не тяжелобольная, — буркнула Марта, — а денег у меня своих навалом.

Это была неправда, но она никогда не брала у него деньги, даже в самые трудные времена. Лучшая подруга Инка фыркала и плевалась.

«Ты просто ненормальная, — говорила она, — с паршивой овцы хоть шерсти клок. Раз уж он на тебе не женится, пусть деньги дает».

Природа их «высоких отношений» практичной Инке была недоступна. Впрочем, не ей одной.

— Как хочешь, — сказал Данилов, — просто на всякий случай знай, что я всегда готов тебе помочь. Чем угодно.

— Я тебя найму сидеть с ребеночком, — пообещала Марта.

— Боюсь, что дорого тебе обойдусь. — Он улыбнулся. Вернее, улыбнулись его губы, а сам Данилов и не думал улыбаться. — Ты все-таки подумай про врачей и позвони мне. Хорошо?

— Хорошо, — согласилась Марта, зная, что ни про каких врачей думать не станет. Ей и без врачей есть о чем подумать. — Ты убираешь посуду, — добавила она поспешно, — ты убираешь посуду, а я буду валяться на полу и смотреть кинематографические фильмы.

— Там есть немного новых кинематографических фильмов, — он кивнул на стойку с кассетами и подтянул кашемировые рукава, чтобы удобнее было мыть посуду.

— Данилов, ты особенно-то не усердствуй, — сказала Марта, — посуду в этом доме моет посудомоечная машина. Ты что-нибудь об этом знаешь?

Она сидела на полу, на круглом тибетском ковре, который отец подарил Данилову на день рождения. Родители любили дарить ему что-нибудь в этом духе.

Статуэтку Будды, искусно вырезанную из слоновой кости. Шелковое покрывало из Кайруана. Нефритового дракона с оскаленной остекленевшей пастью. Глиняный кувшин ручной работы. В год по одному подарку. Раньше было по два — еще один на годовщину свадьбы.

На одном из подарков теперь сидела Марта, скрестив длинные ноги в безупречных черных колготках. Платье тоже было черным и безупречным, немножко измятым, потому что она заснула в нем, дожидаясь Данилова. Он видел ее спину — прямую и тонкую, и прямые плечи, и сильные руки, обтянутые плотными рукавами платья.

Он давно привык считать все это — своим. Несмотря ни на что. Несмотря на Петю и его предшественников. Несмотря на пятнадцать лет, в которых чего только не уместилось. Несмотря на его женитьбу. Несмотря на Лиду.

Как раз Лиду он никогда не считал своей.

Марта Черниковская — чужая жена! Мать какого-то непонятного ребенка.

Она больше не будет спать у него на диване и клацать по клавиатуре компьютера. Просто ей станет некогда, и в ее жизни появятся вещи гораздо более важные, чем Данилов. Все правильно. Не могло же это вечно продолжаться.

Но он-то думал, что будет продолжаться. Вернее, он об этом вообще не думал.

Загрузив машину, которая тут же бодро загудела, Данилов вытер руки льняным полотенчиком и бросил его в специальную корзину для полотенчиков. И улыбнулся. Марта поставила «Звездные войны», какой-то там эпизод. Он купил эти «Войны» специально для нее. Сам он предпочитал Гринуэя и Кустурицу.

Телефон выдал переливчатую руладу, и Марта, не оборачиваясь, сделала звук потише.

— Данюсик, — позвала из трубки Лида, — это я.

Как ты там, без меня? Мама передает тебе привет. Это я сразу говорю, чтобы потом не забыть.

— Спасибо, — сказал Данилов, — ей тоже.

— Как дела, Данюсик? Слушай, ты не помнишь, кто в этом году выиграл «Ю-ЭС Оупн»?

— Пит Сампрас.

— Да. Точно. Я целый день не могла вспомнить.

Данилов вежливо молчал.

— Я звонила, но тебя не было дома. Я думала, ты заедешь.

— Мы же не договаривались.

— Ну и что? Я за приятные сюрпризы.

Данилов вовсе не был уверен, что может быть приятным сюрпризом.

— Данюсик, а завтра ты что делаешь?

— Собираюсь съездить в дом, который проектировал. Там завтра никого не будет, мне нужно посмотреть кое-что. Это не надолго, часа на два. К вечеру освобожусь.

— Тогда пойдем вечером в Кремль! Начинается конкурс бальных танцев. Закрытый просмотр, все будут. Давай посмотрим немножко, а потом поедем куда-нибудь ужинать. Хорошо?

— Хорошо, — согласился Данилов. Ему, собственно, было все равно — танцы так танцы, ресторан так ресторан, «Ю-ЭС Оупн» так «Ю-ЭС Оупн».

— Я так устала, — пожаловалась Лида, — мама меня опять таскала в «Мариотт». У папы юбилей, ты же знаешь. Мы сто залов пересмотрели. Маме больше всего нравится «Мариотт», а мне «Гостиный двор». А тебе?

Данилов честно попытался поддержать беседу. В конце концов, вежливость — прежде всего.

— Я никогда ничего не отмечал ни там, ни там, поэтому трудно сказать.

— Ну вот, тебе даже сказать трудно, а я все это пересмотрела! И непонятно, зачем. Все равно мама сделает так, как ей больше нравится. Когда у тебя будет юбилей, я тоже сделаю все, как мне нравится. — И она засмеялась.

— Ну конечно, — согласился Данилов. Почему бы ему не согласиться?

— Светлана Сергеевна звонила маме, — сообщила Лида. Светланой Сергеевной звали мать Данилова. — Сказала, что она тебя неделями не видит, что ты все время на работе, а Михаил Петрович опять какую-то премию получил в Париже. Ты знаешь?

— Знаю.

— А почему ты не был на вручении?

Его мать сообщила ее матери, что он отсутствовал, когда вручали премию его отцу. Данилову стало противно.

— Меня не приглашали, Лида, — произнес он холодно, — кроме того, до Парижа далеко, а у меня полно работы.

— Да ладно тебе, Данюсик, что за комплексы, — у нее был такой тон, что Данилов поморщился, — ты же не маленький. Ты не можешь обижаться на то, что твой отец — знаменитость.

— Лида, прости, пожалуйста, — быстро сказал Данилов, — у меня мобильный звонит. Во сколько завтра нам нужно быть в Кремле?

Он положил трубку, подумал и вылил остатки вина в чистый стакан.

— Бальные танцы? — спросила Марта, по-прежнему не оборачиваясь.

Он улыбнулся.

— Откуда ты знаешь?

— Весь Интернет в этих танцах. Завтра в Кремле большой бомонд. Поедешь?

— Поеду.

— Молодец, — непонятно похвалила Марта. — Оказывается, этот ужасный, который сопит в шлеме, отец того, который летает на космическом истребителе.

Данилов посмотрел на экран и пристроился рядом с Мартой, подтянув безупречные складки на брюках.

— Это еще не все, — сказал он, — на самом деле он не ужасный, а добрый и хороший. Светлая сторона силы возьмет верх.

— Ясное дело, — согласилась Марта и хлебнула из его стакана. — А когда выяснится, что он хороший?

— В самом конце.

— Он совершит героический поступок и соберет килограмм макулатуры?

Данилов засмеялся и допил вино.

— Ну конечно.

— Ты что, смотрел без меня?

— Смотрел, — признался Данилов, — мне нечем было заняться, и я посмотрел.

— Ты вполне можешь не оправдываться, — сказала Марта негромко, — этот фильм смотрит все население земного шара в возрасте от десяти до восьмидесяти.

— Моему отцу дали какую-то премию, — Данилов посмотрел на ее шею с завитками оставленных волос. Почему-то ее шея его успокаивала, — а я даже не знал. Я сказал Лиде, что знаю, а на самом деле не знал.

Они помолчали. Данилов молчал просто так, а Марта сочувственно. Его отношений с родителями она никогда не понимала.

— Данилов, принеси мне мою сумку, — попросила она, не отрываясь от экрана, на котором эскадра космических истребителей затеяла галактическую войну, — а еще лучше достань из нее очки.

Данилов с готовностью поднялся.

— Где ты ее бросила?

Марта махнула рукой:

— Там где-то. Далеко. У входной двери.

Он вернулся через минуту и положил что-то на стол.

— Ну? — спросила Марта нетерпеливо. Эскадра дралась уже из последних сил. — Что, не нашел? Сумку? Или дверь?

Данилов молчал, и она оглянулась. На столе лежали ее очки, а у него в руках был длинный конверт.

— Что это такое?

— Где?

— Вот. Что это за конверт?

У него был странный, очень напряженный голос, и Марта встревожилась.

— Не знаю. Это я сегодня получила. Там какая-то ерунда написана. Я хотела выбросить и забыла. А что?

Данилов уже видел сегодня такой конверт.

Этот был неаккуратно разорван. Свой Данилов разрезал ножницами.

Ему не хотелось заглядывать внутрь, но он заглянул и, помедлив, вытянул четвертушку листа.

«Убийца должен быть наказан, пощады не будет».

— Ну вот, — сказала Марта поспешно, — это какой-то ненормальный прислал. Да что с тобой, Данилов?!

Он был уверен, что совсем не спал, но телефон зазвонил и разбудил его. Выходит, все-таки спал.

Прежде чем взять трубку, он посмотрел на часы и сразу понял, кто звонит.

— Доброе утро, мама.

— Доброе утро, — откликнулась мать после паузы. — Откуда ты знаешь, что это я?

Данилов вежливо промолчал.

В Москве восемь утра субботы. В Париже — шесть. Мать всегда встает в шесть, чтобы до завтрака успеть в тренажерный зал и вернуться к отцу, который терпеть не может пить кофе в одиночестве. Данилов помнил себя с трех лет, и тогда все было точно так же. Кроме Парижа. Парижа тогда не было.

— Андрей, я хотела сообщить тебе, что твой отец получил премию французской литературной академии. Это серьезная награда.

— Я в этом не сомневаюсь, — пробормотал Данилов. Отец никогда не получал несерьезных наград.

— Я ставлю тебя в известность, что на будущую среду назначен прием в честь отца. Ты должен на нем присутствовать.

Данилов вдруг осознал, что встал с кровати и даже успел нацепить брюки, как будто мать могла его видеть.

— Мама, я вряд ли смогу прилететь в Париж. У меня много работы, и я ничего не планировал на будущую неделю.

— Ты и не должен ничего планировать, — почти перебила его мать, что с ней случалось крайне редко, — прием в Москве, в особняке в Воротниковском. Я все время забываю, как он называется.

Данилов понятия не имел, как называется особняк в Воротниковском, и моментально почувствовал себя тем, кем был на самом деле, — плохим сыном.

— Среда на будущей неделе, — повторила мать медленно, как будто Данилов был недоумком. — Запиши, пожалуйста, Андрей. Мы прилетим во вторник, и я не успею ничего проконтролировать, но прием организует Ольга, потому все должно пройти хорошо.

— Я постараюсь прийти.

— Нет. Ты не постараешься, а придешь. В конце концов, это просто неприлично.

— Что неприлично, мама?

— Неприлично, что ты так долго и так старательно игнорируешь свои обязанности, Андрей. На это уже обращают внимание.

— Кто обращает?

Мать промолчала. Она отлично умела не слышать того, что, по ее мнению, не нужно слышать.

— Лиду я пригласила, — проинформировала мать, — попросила ее освободить для нас вечер. Она вчера тебе не говорила?

Данилову вдруг показалось, что ему не около сорока, а одиннадцать. Он даже почувствовал запах — тот, который окружал его, когда ему было одиннадцать: полироли, ковров, дорогих французских духов и синтетической шерсти многочисленных зверей, которыми была уставлена его комната. Ему все время дарили игрушки, а он в них не играл. Не любил.

В тот день ему исполнилось четырнадцать. Он вернулся из школы и обнаружил, что в его комнате больше нет никаких игрушек. Он долго стоял посреди огромного почти пустого зала, в который превратилась комната, и не понимал, что могло приключиться с его зверями, — и сообразил наконец. Мать дала ему понять, что детство кончилось.

Таким образом, Данилов знал совершенно точно, когда кончилось его детство — в промежутке между половиной девятого утра и двумя часами дня, когда ему исполнилось четырнадцать лет.

— Спасибо, мама, — поблагодарил Данилов, — я мог бы пригласить ее сам, но все равно спасибо.

— Да, — согласилась мать. — Мне так спокойнее. Я никогда не знаю, чего от тебя ждать, поэтому мне проще все сделать самой.

«Например, пригласить мою любовницу проводить меня на светский раут, — подумал Данилов, — чтобы мне не пришло в голову потеряться по дороге».

— И не забудь поздравить отца, — непререкаемым тоном, который так хорошо знал Данилов, напомнила мать. — Не обязательно лишний раз демонстрировать ему, что тебя не интересуют его успехи. Хорошего тебе дня, Андрей.

— Спасибо. До свидания, мама.

Кто сказал, что семья — это такое место, где все друг друга любят, жалеют, утешают и принимают такими, как есть? Семья — это худшее из испытаний, потому что получить по физиономии от чужих вовсе не так ужасно, как от близких. Чужие далеко, а близкие — рядом и точно знают, как ударить больнее, и занимают самые выгодные наблюдательные посты, чтобы выискать слабое место в обороне близкого и прорвать ее неожиданным стремительным ударом, после которого поверженному остается только хватать ртом воздух, таращить бессмысленные глаза и до трех часов ночи придумывать «достойные ответы».

Данилов сел на край постели и потер руками лицо. Щеки кололись, а в глазах после бессонной ночи было как-то слишком сухо, хотя он позволил себе только три сигареты.

Только три сигареты за всю ночь.

Осторожно, стараясь не топать, чтобы не разбудить Марту, он прокрался в ванную и долго стоял под душем, а потом старательно брился и чистил зубы.

Кто прислал записку? Данилов рассматривал в зеркале свое отражение, как будто чье-то чужое, и думал.

Почему ее прислали еще и Марте? Зачем? Прошло много лет, и Данилов сто раз давал себе обещание больше ни о чем не вспоминать.

Дня не проходило, чтобы он не вспоминал.

Нет. Он не вспоминал. Он просто не забывал.

Кому понадобилось напоминать ему таким способом? В отличие от Марты, он сразу понял, что записки прислал вовсе не сумасшедший.

«Ты убил ее! Ты во всем виноват, убийца, иуда!»

За пять лет он почти не встречался с родственниками жены. Кто-то из них решил наконец напомнить ему о себе таким способом? Ну ладно ему, а Марте? Марта при чем?!

Никакие родственники его жены, даже те, с которыми он встречался, ничего не могли знать о Марте.

Если только не следили за его жизнью с пристальным вниманием.

Или следили?

Зачем?

Хуже всего было то, что Данилов чувствовал ненависть, которой дымились корявые буквы. Записки — и его, и та, что он вчера вытащил у Марты, — как будто дышали на него ненавистью: и буквы, и бумага.

И угрозу он чувствовал, и злобу. Или он просто нервничает от того, что идет снег?

Ему было шестнадцать лет, когда выяснилось, что у него есть нервы и именно из-за них он никогда не станет великим пианистом.

Он боялся зала. Боялся так, что не мог заставить себя выйти на сцену, даже если в зале никого не было. Он боялся сцены, боялся пустого пространства, боялся света, звука собственного рояля — всего на свете.

Знаменитый пианист приехал из Лондона и утешал его мать, у которой как будто кончилась жизнь, когда выяснилось, что Данилов не может играть. Приезжали профессора, не менее знаменитые, чем пианист, и говорили, что виноваты нервы. Оказалось, что шестнадцатилетний Данилов никуда не годится.

Все утешали его мать, объясняли ей, что она ни в чем не виновата. Виноват Данилов и его нервы.

На него никто не обращал никакого внимания. Он был просто организмом, субстанцией, на которую тратились силы, время и деньги, возлагались надежды, а потом оказалось, что субстанция устроена как-то неправильно и исправить ее невозможно.

Поначалу мать все-таки пыталась его исправить, но он начинал трястись, едва увидев пустую сцену и на этой сцене рояль и стул. Крышка рояля была поднята, стул слегка отодвинут — все готово для того, чтобы принять сломавшегося от неправильного употребления Данилова. Принять и убить его.

По ночам ему снилось, как он умирает за роялем,

один в пустом зале. Он играл и видел свои руки в ослепительных манжетах концертной рубашки, пальцы летали по клавишам, но не было звука, и там, во сне, в этом было все дело. Данилову казалось, что если он услышит звук, то не умрет, и он начинал лупить по клавишам так, что болью заходились расплющенные от ежедневных репетиций подушечки пальцев, а звука все не было, рояль не пускал звуки наружу, и он не мог снять руки с клавиатуры, его засасывало в черно-белую глубину, и у него больше не было пальцев, и на том месте, где они были, надувались кровавые пузыри, из которых медленно, капля за каплей, вытекала кровь, разбавляя черно-белые цвета красным.

Таким красным, каким только может быть кровавое пятно на очень белой блузке.

Он понял, что не спит, только когда увидел свое отражение в зеркале. Он не спал.

Он был в ванной, старался не шуметь, чтобы не разбудить Марту, думал о записках, которые исходили ненавистью, о матери и о том, как подвел ее. Он подвел не только ее. Он подвел всех на свете.

Он стоял перед зеркалом, взявшись обеими руками за края раковины, и смотрел себе в лицо.

За его спиной, за закрытой дверью что-то с грохотом упало, и Марта спросила приглушенно:

— Данилов, ты там досыпаешь?

— Нет, — сквозь зубы проговорил Данилов.

— Что? — раздалось из-за двери. — Освободи помещение, иди досыпай в постель!

Он поспешно умылся очень холодной водой, вытер лицо и открыл дверь.

— Доброе утро, — сказал он Марте, которая маялась под дверью, — прошу прощения, что разбудил.

— Меня разбудил не ты, а телефон, — пробурчала Марта, протискиваясь мимо него в ванную. — Надо было мне его вчера выключить, а я забыла.

— Это я забыл, — повинился Данилов. — Вернее, не сообразил.

— Что делать, Данилов, — проговорила она из ванной, — что делать, если ты такой тупой.

Он улыбнулся. Она всегда разговаривала с ним как-то так, что ему хотелось улыбаться, даже по утрам после разговора с матерью.

На полированном черном прилавке, заменявшем кухонный рабочий стол, лежали часы, браслет и два золотых кольца. Одно из них Марта привезла два года назад из Бахрейна и невыносимо хвасталась и кольцом, и Бахрейном.

Он знал, что завтракать она не будет. «Ты с ума сошел, Данилов, какой завтрак в полдевятого утра!» Он знал, что она станет долго пить чай, а потом кофе и в одиннадцать захочет есть. Он знал, что она выйдет из ванной в плотных голубых джинсах и обтягивающей маечке, довольно свежая, но недовольная. Он знал, что по утрам она всегда бывает свежей и немного сердитой.

Чего он только про нее не знал!

«Не знал, что она беременная», — сказал он себе мрачно.

— Кто звонил?

— Моя мать. В среду прием, и она уже пригласила Лиду. Завтракать будешь?

— Ты с ума сошел, Данилов, — сказала она недовольно, — какой завтрак в полдевятого утра! Что ты смеешься?

— Я не смеюсь. Сейчас будет чай.

— Что за прием?

— В честь премии, которую получил мой отец. Или в честь отца, который получил премию.

— Это что? — спросила она. — Ирония?

— Нет.

— А где прием? В Париже? Или в Нью-Йорке?

— В Москве. Самое интересное, что сначала пригласили Лиду, а потом уж меня.

— Теперь тебе придется на ней жениться, — сообщила Марта, — как честному человеку.

— Я ни на ком не собираюсь жениться! — сказал Данилов с досадой. Он достал из холодильника йогурт, сыр и тонкие пластинки сухих хлебцев, которые тоже почему-то держал в холодильнике. «Завтрак джентльмена» называла этот набор Марта. Он никогда не менялся.

— Какие у тебя планы? — спросил Данилов, когда она отхлебнула первый глоток чая и замерла, как японец на чайной церемонии.

— Никаких.

— Что, и экзаменов никаких?

— Ну тебя, Данилов. Я только что сдала третью категорию тестов. Осталось еще две. Перед Новым годом вторая, а весной первая. Сдам, и мне дадут повышение.

Данилов посмотрел на нее.

— Повышение?

— Повышение, а что?

— А ребенок?

Марта еще глотнула чаю и поэтому ответила не сразу.

— И ребенок, и повышение, Данилов. Мне надо семью кормить, а чтобы кормить, надо повышение получить, а чтобы получить, надо экзамены сдать.

— А Петя, — спросил Данилов, — он не собирается семью кормить?

Марта пожала плечами:

— Наверное, собирается. Я пока точно не знаю.

Данилов пришел в раздражение. Зачем он спрашивает? Какое ему дело до Пети и его планов? Ему и до Марты теперь не должно быть дела! По крайней мере, нужно постепенно приучать себя к этому. Он был специалистом экстра-класса в постепенном приучении себя к чему-нибудь.

— Снег идет, — сказала Марта.

— Если тебе нужны будут деньги, — начал он, раздражаясь все сильнее, — ты можешь взять у меня. Я зарабатываю больше, чем трачу. Вряд ли ты сможешь работать в полную силу, когда... когда ребенок родится. Ты только не подумай, что я хочу поставить тебя в неловкое положение. — Данилов посмотрел на нее и спросил недовольно: — Что ты смеешься?

— Я не смеюсь, — возразила Марта. — От твоего джентльменства можно ума лишиться, Данилов. Если мне понадобятся деньги, я возьму у тебя и попаду в самое неловкое из всех известных мне положений. О'кей?

— Откуда взялась вчерашняя записка?

— Что-о?

— Записка. Откуда она?

— Что значит — откуда? Из почты. Мне приходят всякие газеты, и конверт принесли вместе с газетами. А что это за записка? Там написана какая-то ерунда, не знаю, почему я ее не выбросила.

— Мне вчера пришла точно такая же. — Данилов поднялся из-за стола, чтобы налить себе кофе. — Ты все еще пьешь чай? Или переходишь к кофе?

— Какая — такая же?

— «Убийца должен быть наказан, пощады не будет», — монотонно процитировал Данилов. — Я не понимаю, какое это отношение имеет к тебе.

— А к тебе какое? — Марта заволновалась, и Данилов пожалел, что заговорил об этом. Что-то он слышал о том, что беременным женщинам нельзя волноваться.

— Я думаю, что речь идет о смерти моей жены, — сказал он и посмотрел на снег за окнами.

Машину теперь придется откапывать лопатой. На Кутузовском проспекте, где жили его родители, у дворника была шикарная алюминиевая лопата. Дворник стерег ее, как будто она бриллиантовая. Когда

Данилов был маленький, он мечтал, что станет дворником. Ему казалось, что нет на свете ничего лучше, чем целыми днями грести на улице снег алюминиевой лопатой. И нс сидеть за роялем по шесть часов.

— При чем здесь твоя жена? — тихо спросила Марта. — Или имеется в виду, что убийца — это ты?

Данилов ничего не ответил. Он также был специалистом экстра-класса в умении не отвечать на вопросы.

— Андрей, прошло пять лет. — Марта никогда не называла Данилова Андреем. — Даже тогда всем было ясно, что ты ее не убивал. Неужели ты думаешь, что записка как-то связана с твоей женой?

— Марта, совершенно очевидно, что записка как-то связана с моей женой, — Данилов ополоснул её кружку и налил кофе. — Прости, что я тебя расстроил.

— Пошел к черту, — пробормотала Марта. — Там написано «пощады не будет». Это означает, что тебе «пощады не будет»?

— Я не знаю.

— Но это... угроза?

— Я не знаю, — повторил Данилов с досадой, — и обсуждать это бессмысленно. Я только хотел узнать, как эта записка попала к тебе.

— Так и попала. С почтой.

— Я уже понял, спасибо, — вежливо ответил Данилов. — Если у тебя нет никаких планов, может, поедем кататься?

— Так снег валит, Данилов, — развеселившись, сказала Марта.

— У меня шипованные колеса. Никаких проблем.

У них было такое почти семейное развлечение. Время от времени они ездили кататься. Просто так, куда глаза глядят, по любому шоссе. Чем дальше, тем лучше. Однажды таким образом они приехали в Ярославль. Ехали-ехали и приехали. Им было очень весело, пока не выяснилось, что до Москвы двести с чем-то километров и нужно или где-то ночевать, или возвращаться. Волга была под боком, широкая, неторопливая, пахнущая свежей водой. От ухоженной набережной поднимались подстриженные газоны, в саду играл духовой оркестр — ухали сверкавшие на солнце трубы. Город был просторный и чистый, на площади перед театром туристы кормили толстых голубей, и Марта с Даниловым решили остаться.

Зря они тогда решили остаться, но вспоминать об этом нельзя.

— А куда мы поедем, ты уже придумал?

— Я хочу показать тебе дом.

— С привидениями?

— Что?

— Какой дом, Данилов?

— Мне его заказал Тимофей Кольцов. Слышала о таком?

— Ты даешь, Данилов, — пробормотала Марта, — каждый человек хоть раз в жизни слышал о Тимофее Кольцове.

Тимофей Ильич Кольцов был знаменит, богат и даже — дело неслыханное! — отчасти уважаем. В отличие от всех остальных, обремененных несметными богатствами страдальцев, он не качал деньги из нефтяной трубы и даже не приватизировал ни одно месторождение газа. У него были заводы, строившие тяжелые океанские корабли, рыболовецкая флотилия в городе Калининграде, где Тимофей Ильич губернаторствовал, на заднем плане еще болтались «Уралмаш», пара-тройка непотопляемых банков, газета «Время, вперед!» и несколько предприятий поменьше и понезаметнее. Заводы Тимофея Ильича никогда не стояли, даже в худшие, самые темные времена на них исправно платили зарплату, рыба ловилась, конфетная фабричка лепила конфеты, дороги в области за пять лет стали не хуже немецких, наркобизнес со своей территории Тимофей Ильич ловко выжил, что для портового города было чудом из чудес. «Равноудаление» олигархов прошло для Тимофея Ильича безболезненно, поскольку он никогда «равно-не-приближался». Он производил неприятное впечатление, был громоздок и тяжеловесен, говорил медленно, смотрел хмуро, журналистов не любил и даже не давал себе труда скрывать это. Однако для того, чтобы попасть на его завод, самые обычные работяги выстаивали очереди и проходили многотрудные собеседования. Он все держал в руках, контролировал каждую мелочь, за один-единственный прогул с заводов увольняли, за пьянку увольняли с «волчьим билетом», но он так хорошо платил, что слухи об этом распространялись быстрее, чем журналистские повизгивания о том, что он «чудовище новой России, танк в лондонском костюме, черная дыра, засасывающая деньги, людей и сам воздух», и им верили больше.

Марта понятия не имела, что Данилов строит дом для Тимофея Ильича Кольцова.

— А зачем ему дом, — спросила она, вспомнив все это, — или в Швейцарии земли не хватает?

Данилов пожал плечами.

— Я никогда его не видел. То есть, конечно, видел по телевизору, — тут же уточнил он, и Марта усмехнулась, — несколько раз приезжала его жена. Очень приятная. Сказала, что у них двое маленьких детей, они с ними видятся только вечером, а на Минском шоссе такие пробки, что не проехать. У них сейчас дача в Назарьеве.

— Было бы странно, если бы у них была дача в деревне Анискино, — заметила Марта. — Или в селе Хлобыстино.

— Мне нравится этот дом. — Данилов улыбнулся. — У меня получился отличный дом, Мартышка. У меня давно не получалось ничего подобного.

— Данилов, ты отличный архитектор, — сказала Марта с раздражением, — то, что ты не великий писатель, как твой отец, совершенно не означает, что ты ничего собой не представляешь.

Она сказала ему то же самое, что Лида накануне по телефону, но почему-то у него не возникло немедленного желания выскочить из комнаты, сославшись на то, что ему срочно нужно принять душ или сходить в булочную. Или он просто привык к тому, что Марта всегда говорит то, что отвечает его самым трудным и тайным мыслям, но как-то так, что он не пугается до полусмерти?

— Я просто хочу показать тебе этот дом, — повторил он с некоторым нажимом, чтобы она поняла: углубляться в обсуждение темы отцов и детей не стоит. — Это по Рижскому шоссе. Пятьдесят третий километр. Поедем?

— Кофе брать? — осведомилась Марта.

— Ты же через полтора часа оголодаешь, — сказал Данилов, — так что бери.

— Можно подумать, что ты не оголодаешь, — фыркнула Марта.

Она налила в чайник воды, рассеянно сунула свою кружку в раковину и ушла в коридор.

— Данилов! — закричала она оттуда. — Можно я надену твою дубленку?

— Да! — крикнул в ответ Данилов.

Она вернулась и оттеснила его от кофейника.

— Я сама заварю. Иди собирайся.

Когда он вернулся — в другом кашемировом свитере и других брюках со стрелками, — она уже аккуратно поставила в рюкзак изящный серебряный термос, коробку с бутербродами, а сверху положила два яблока.

— Еще салфетки, — распорядился Данилов. — И яблоки сунь в пакет.

— И так сойдет, — пробормотала Марта, но все-таки положила салфетки, прикрыв ими яблоки. — Хоть бы раз в жизни ты воздержался от замечаний!

Данилов промолчал. Он был уверен, что никаких замечаний и не делал. Просто он любил, чтобы все было как следует. По правилам. Если постоянно следовать определенным правилам, можно в конце концов убедить себя, что живешь не зря.

— Данилов, купил бы ты себе солдатские башмаки в «Экко», — сказала Марта, глядя, как он обувается. — Ты что, в этих штиблетах в песок полезешь?

— Нет там никакого песка. Все уже построено, остались только отделочные работы. Ты сейчас все увидишь.

— А как это получилось, что тебе проект заказал Тимофей Кольцов?

Данилов распрямился, посмотрел на Марту и слегка улыбнулся.

— Я отличный архитектор. Да? Или нет?

— Д-да, — согласилась Марта с запинкой.

— Я профессионал и давно работаю. Его помощник позвонил мне, приехал и посмотрел мои дома. А потом перезвонила его жена. Катерина.

— Катерина? — переспросила Марта. — Что-то больно фамильярно, Данилов, особенно для тебя. Ты поосторожней, а то нежный муж закатает тебя в бетон и сбросит с Бруклинского моста.

— До Бруклина лететь далеко, — пробормотал Данилов.

— Ну, с Крымского.

На это Данилов ничего не ответил. Завязать с ним дискуссию было невозможно. Поругаться — никогда. Он или замолкал, или отвечал с тихим и твердым терпением идиота.

Марта вздохнула. Его дубленка была ей не по росту и слишком широка, зато внутри она приятно пахла Даниловым — одеколоном, сигаретами и машиной.

Может, все-таки стоило вчера повеситься? Впрочем, сегодня тоже еще не поздно.

Снег все летел. В сыром и остром воздухе летела мелкая жесткая крупа, секла крыши машин, рассыпалась крохотными белыми шариками.

— Люблю ноябрь, — по дороге к машине сказала Марта, отчетливо клацая зубами, — лучше ничего не придумаешь. А, Данилов?

— Что?

— Ты любишь ноябрь?

Данилов подумал.

— Не особенно.

— А я — особенно! — объявила Марта и сунула замерзшую руку в его карман. В кармане было тепло и сухо, и совсем рядом было бедро Данилова. — Нет ничего лучше, чем двадцать четыре часа в сутки снег, холод и тьма.

Из сугроба, в который превратилась машина Данилова, выглядывали только колеса и два бампера — передний и задний.

— А где лопата, — спросила Марта и заглянула Данилову за спину, как будто в надежде увидеть там лопату, — или чем мы ее откапывать будем?

Данилов нажал кнопку на брелоке — сквозь снег желтым мигнули фары — и полез к водительской двери.

— Подожди, — велел он Марте, — постой там.

Через некоторое время из-под снега раздалось негромкое, но бодрое урчание двигателя, откуда-то из района заднего бампера вырвалось облачко белого дыма, дернулись «дворники», обрушив снежные пласты с лобового стекла, и вдруг показались фары, как будто открылись глаза, и заднее стекло обнаружилось — машина старательно отряхивалась, как попавшая в лужу собака.

Марта полезла через сугроб, зачерпывая снег ботинками.

— Я бы выехал, — сказал Данилов недовольно, когда она плюхнулась на сиденье, — я же просил тебя подождать!

— Я замерзла.

Данилов моментально включил отопитель. Марта закатила глаза.

— Данилов, я не желаю, чтобы ты поминутно проявлял чудеса человечности и заботы. — Марта постучала ботинками по порожку, подтащила ноги и захлопнула дверь. — Я начинаю чувствовать себя инвалидом.

Он ничего не ответил, нашарил на полу элегантную немецкую щеточку, предназначенную для элегантного стряхивания с машины элегантного немецкого снега, вылез и стал разгребать ею утренний русский сугроб.

— Хочешь, я дам тебе чайную ложку? — предложила Марта, опустив стекло. — В рюкзаке есть, я захватила.

Данилов улыбнулся и покачал головой.

Ну конечно. Ей ни за что не удастся вывести его из себя, раз уж он решил из себя не выходить.

На морозе он казался очень смуглым и темноволосым. И почти столь же элегантным, как немецкая щеточка. Марта вполне понимала, почему помощник Тимофея Кольцова выбрал именно его — он выглядел так, как должен выглядеть процветающий первоклассный архитектор из модного московского журнала «Английский помещик». Непременный портрет в интерьере — Данилову больше всего подошел бы камин, сложенный из речного камня, неяркий ковер на плиточном полу, белая стена, широкое кресло, а ниже статейка под названием «Линии вашего дома — линии вашей судьбы».

Увидав такую статейку, Данилов бы точно повесился. От стыда.

Марта улыбнулась.

— Хватит, — в окошко сказала она Данилову, который тщательно скреб щеточкой по капоту, — сейчас на ходу все стряхнется. А что не стряхнется, то растает.

— А что не растает и не стряхнется?

— На то, значит, наплевать.

Данилов засмеялся, перестал скрести и сел в машину.

— Правда, холодно что-то сегодня. Зима скоро.

— Ты отстал от жизни, Данилов. Скоро лето, а зима уже сейчас. Слушай, а мы успеем вернуться до твоих бальных танцев?

— Начало в восемь, — сообщил Данилов, заставляя машину осторожно перевалить через сугроб, — конечно, успеем.

Он выбрался на дорогу, примерившись, поправил боковое зеркало и спросил, не глядя на Марту:

— Ты сегодня уедешь или опять останешься?

— Как я могу остаться, Данилов, если у тебя вечером романтическое свидание! Конечно, я уеду, ты не беспокойся.

— Я особенно не беспокоюсь, — заявил он холодно, — просто мне хотелось заранее знать о твоих планах.

— А нельзя словами сказать — уезжай, ты сегодня вечером будешь мне мешать?

— Ты никогда мне не мешаешь, но...

— Но тебе хотелось заранее знать о моих планах.

Что такое? Она вскипела, как турка с кофе, забытая на огне, — гнев мгновенно поднялся, перевалил через край, залил все вокруг, хотя ничего такого не произошло.

Она никогда не ревновала Данилова — ничего глупее, чем ревновать его, придумать было нельзя.

Марте было шестнадцать лет, когда в доме отдыха под Ригой она впервые увидела Данилова и, естественно, немедленно в него влюбилась. Он был с ней очень мил, несколько раз поиграл в теннис, угостил кофе в модной кондитерской в самом центре старой Риги. Однажды его барышня почему-то не явилась на свидание, и он сводил Марту на концерт в Домский собор — очевидно, больше пригласить было совсем уж некого. Вместе с барышней он уехал в Москву на несколько дней раньше, чем Марта с родителями, и оставшиеся дни она уныло бродила по берегу, тосковала, уединялась, на сочувственные вопросы не отвечала и была уверена, что в ее жизни больше никогда не будет счастья — то есть Данилова. В Москве она ему позвонила — он великодушно оставил ей телефон — и, трясясь от стыда и страха, пригласила его на свидание. Почему-то он пришел, и это было странное свидание. Не дав Марте и рта раскрыть, он вдруг стал рассказывать ей про свою дипломную работу — он проектировал «загородный дом для отдыха», а его научный руководитель настойчиво предлагал переделать «загородный дом» в пионерский лагерь или «усадьбу колхозника». Данилов не желал ничего переделывать, и научный руководитель намекнул на мелкобуржуазность даниловского подхода к архитектуре. Марта слушала, кивала, не соглашалась, спрашивала, высказывала мнение, сочувствовала и негодовала.

Вернувшись домой, она некоторое время ликовала от того, что оказалась такой умной и необыкновенной — он разговаривал с ней три часа подряд, и нисколько не устал, и даже пообещал позвонить, и даже проводил ее до электрички, и даже рукой помахал, когда она вошла в вагон! Ликовала она дня два, а потом пригорюнилась.

На том первом свидании их отношения определились раз и навсегда, и это было совершенно ясно, только Марта по молодости лет не сразу поняла. Миновав все прочие стадии, она с ходу заняла в жизни Данилова совершенно определенное место, над которым, как в зоопарке, висела табличка «Старый друг».

Место с табличкой «Дама сердца» бывало то занято, то свободно, барышни то воцарялись там с комфортом, то заглядывали всего на несколько дней, только «старый друг» ни при каких обстоятельствах не мог покинуть отведенного ему места, как собака, прикованная к будке звенящей прочной цепью.

Старый друг лучше новых двух, это уж как пить дать.

Те времена, когда ей больше всего на свете хотелось, чтобы он перевел ее в «дамы сердца», давно прошли.

Правда. Нет, нет, совершенно точно — правда.

На сегодняшний момент «дамой сердца» была красавица Лида, которую Марта видела всего один раз в жизни.

Приехала по своему обыкновению без предупреждения и у подъезда увидела их — Данилова и красавицу. Данилов придерживал ей дверь, как всегда придерживал Марте, а она была так сказочно, неправдоподобно, удивительно хороша, что Марта совсем приуныла, прячась в своей чумазой «Ниве». Они давно уехали, а она все сидела в машине, растравляя свои раны и вспоминая, как она несла себя по мокрому асфальту, как поворачивала голову на длинной шее, как поджидала, пока Данилов откроет ей дверь, как сверкали зубы и бриллиантовые капельки в ушах, как летела на холодном ветру светлая ласковая шуба, как легкомысленно и радостно цокали каблучки — как будто фильм шел про другую, счастливую, беззаботную и красивую, жизнь.

Потом вдруг позвонил Данилов.

«Говорил я тебе, — спросил он очень близко, — чтобы ты мне звонила, прежде чем приезжать? Говорил?»

«Говорил, — согласилась Марта, — но это даже хорошо, что я не позвонила. Зато увидала, кто у нас муж».

«Муж?» — переспросил Данилов.

«Это из кино, балда, — сказала Марта сердито. — А где она? В смысле, муж? Почему ты звонишь?»

«Я приеду часа через два. Один. Если хочешь, можешь подняться».

«Премного вам благодарен, — Марта даже поклонилась, чуть не стукнувшись лбом о переднюю панель своей машины, хотя Данилов никак не мог ее видеть, — мы уж как нибудь в другой раз. Вы уж извиняйте нас, дураков деревенских».

Ревновать Данилова не было никакого смысла. Так всегда было и так всегда будет, и она отлично жила с шестнадцати лет и никогда его не ревновала.

Ну... почти никогда.

— Что ты молчишь? Я тебя чем-то обидел?

— Я все равно должна ехать домой, Данилов, — громко сказала Марта, — так что не беспокойся. Все-таки сегодня суббота, и я маме обещала, что вечером обязательно приеду.

— Передавай ей привет, — произнес Данилов задумчиво.

— И поцелуй, — подсказала Марта.

— И поцелуй, — согласился было Данилов. — Какой поцелуй?

— А дом большой? — торопливо спросила Марта. — Тот, который ты строишь?

— Я его не строю. Я его спроектировал.

— Он большой?

— Нет. Не очень. Средний.

— Немножко больше Зимнего дворца, но зато немножко меньше собора Святого Петра в Риме?

Данилов ничего не ответил, но рука в черной перчатке решительно взяла Марту за подбородок и повернула ее лицом к нему.

— Ты сердишься на меня?

Марта мотнула головой и оттолкнула руку.

— Данилов, смотри, куда едешь, и не приставай

ко мне. Все беременные женщины подвержены частым сменам настроения. Ясно тебе?

— Ясно. Я все время забываю об этом, — добавил он совершенно серьезно, — о том, что ты... о твоей беременности.

— Ай-яй-яй, — пробормотала Марта, — как можно?..

Они уже выбирались из Москвы, машины пошли пореже, снег лепил в стекла, «дворники» мерно постукивали, приемник взахлеб пел про то, «как в сказке придет Новый год, миллионы огней на елках зажжет...».

— Данилов, как ты будешь встречать Новый год?

— Я еще точно не знаю. Лида хотела куда-то в Юго-Восточную Азию, но пока мы ничего толком не решили. А ты?

— Я скорее всего останусь где-нибудь в Кратове, хотя пока толком еще...

— А Петя? — неожиданно перебил ее Данилов.

— Петя? — удивилась Марта. — Петя, наверное, поедет в город Гомель к мамочке. А при чем тут он?

— Марта, я не понимаю. У тебя же будет ребенок.

— Будет, — согласилась Марта.

— А... свадьба? Будет?

— Ты вчера у меня уже спрашивал, Данилов. Может, и будет. Даже скорее всего. Петя — человек решительный.

— А почему тогда он на Новый год поедет... в Гомель?

— Я не знаю, — сказала Марта, — вполне возможно, что он поедет не в Гомель, а в Мелитополь, к примеру. А что? Ты хочешь поехать с ним?

— Ужас какой-то, — серьезно заявил Данилов, — сегодня с тобой невозможно разговаривать.

— Со мной всегда трудно разговаривать. Я вся такая... внезапная, Данилов. — Ей не хотелось больше говорить о Пете. — Смотри, что это там такое? —

С преувеличенным любопытством она привстала на сиденье и вытянулась в сторону, почти перегнувшись через Данилова и оказавшись вдруг очень близко к нему.

Данилов глянул влево, но ничего особенного там не увидел, зато неожиданно обнаружил, что от нее пахнет чем-то свежим и легким, похожим на Симфонию соль-минор Моцарта. Иногда по старой памяти в голове у Данилова сначала появлялась музыка, а уже потом — человеческие мысли. Эту музыку в своей голове Данилов ненавидел. Она мешала ему стать таким, как все. Нормальным.

— Что это такое?

— Что?

— Ну вон! Шатер в чистом поле, а к нему очередь. Ты что? Не видишь? Ты ж здесь каждый день ездишь!..

Данилов наконец понял, о чем речь.

— Это не шатер в чистом поле, — сказал он, — это пирамида. Она гармонизирует пространство.

— Что? — с изумлением переспросила Марта и плюхнулась обратно на сиденье. — Что она делает?

— Гармонизирует пространство, — объяснил Данилов очень серьезно, — ее пропорции таковы, что вся космическая — или тантрическая, я точно не запомнил — энергия концентрируется у нее внутри, а снаружи достигается полная и стабильная гармония. Кабачки растут, вирусы гибнут, вода в мороз не замерзает, ножи сами затачиваются. На обратной дороге можем подъехать и зарядиться. Хочешь?

— Немного тантрической энергии мне бы не помешало, — сказала Марта, оглядываясь на диковинное сооружение посреди белого поля и вереницу припаркованных на обочине машин. — А ты уже заряжался?

Данилов только посмотрел на нее и ничего не ответил.

— Прелесть какая! — Марта снова оглянулась. Сооружение все еще виднелось сзади. — А откуда ты знаешь про энергию и про гармонизацию пространства?

— В Интернете прочитал, когда в первый раз увидел. Ты что? Не слышала?

— Нет. И еще я не поняла, ты сам заряжался?

— Я против ханжества и мракобесия! — объявил Данилов. — Конечно, здесь значительно меньше машин, чем на Минке. Хотя пятьдесят третий километр — далековато.

Он думал о своем доме, и ему наплевать было на гармонизацию пространства посредством водружения в чистом поле картонных пирамид и на тантрическую — или какую там? — энергию наплевать тоже. Он вез Марту, чтобы показать ей свою работу, которой гордился, и думал только об этом.

Марта улыбнулась, глядя в окно на белое поле, неподвижно лежавшее до синей кромки дальнего леса.

Она знает его всего — вдоль и поперек, сверху донизу и еще немного наискосок. С тех пор, как он угощал ее пирожными и кофе в крошечном темном кафе в центре старой Риги, прошло пятнадцать лет — вполне достаточно для того, чтобы научиться не строить себе никаких иллюзий.

Ну и что?

Ничего.

Она знает, как он думает, как молчит, как отчетливо выговаривает слова, когда сердится, какие предпочитает галстуки и что ест на завтрак, и это нисколько — даже чуточку! — не приближает их друг к другу.

Да что с ней такое, на самом-то деле! Что она выдумала?! Зачем ей к нему приближаться?! Она уж и так приблизилась настолько, что ночует у него в квартире, и готовит ему ужин, и утешает его, когда после разговоров с родителями ему непременно требуется утешение, и мчится к нему по первому зову, и проводит с ним куда больше времени, чем с самым любимым из своих любовников!

Зря она решилась сказать ему, что беременна. Это не касается никого, кроме нее, а его внимание действует на нее плохо. Так плохо, что вот теперь ей зачем-то понадобилось к нему приближаться, как будто до этого она не знала, что сидит в будке, над которой закреплена табличка с надписью «Старый друг».

Аккуратно притормозив, Данилов перестроился в правый ряд и свернул на узкую дорогу, которая сразу пошла между деревьями в засыпанном снегом, как будто рождественском, лесу.

— Он что, среди леса живет, твой Кольцов? Разве ему не полагается периметр с вооруженной до зубов личной королевской охраной?

— Я его никогда не видел, — терпеливо сказал Данилов, — наверное, полагается. Охраняемой территории вокруг нет. Я думаю, что у него будет своя охрана, на участке.

— А эта дорога куда?

Данилов глянул влево:

— Там, чуть подальше, старые песчаные разработки. Их сто лет назад забросили, только подъездные пути остались. Ничего интересного, просто яма среди леса. Дорога обрывается, и — яма. Я туда пару раз ездил, когда готовил проект. Просто так, чтобы посмотреть. Но из дома котлована не видно. И оттуда дом тоже не виден.

В боковом зеркале что-то мелькнуло, и Марта оглянулась. Темная машина вырулила с боковой дороги, мигнули красные тормозные огни, взметнулся снег, и машина стала быстро удаляться в сторону шоссе.

Эта темная машина странно встревожила Марту. Что там такое с перепадами настроения у беременных женщин?

— Смотри, выехал кто-то...

— Где?

— Сзади.

Данилов посмотрел.

— Ну и что?

— Что он там делал, в лесу?

Данилов пожал плечами:

— Почему это должно нас интересовать?

— Не должно, но интересует, — пробормотала Марта и опять оглянулась. Машину уже было почти не видно.

— Может, он с девушкой приезжал... погулять. По лесу.

Марта развеселилась:

— Как ты прав, Данилов! А мне даже в голову не пришло. Про девушку-то!..

— Я вовсе не имел в виду...

— Имел-имел, — перебила Марта, — именно это ты и имел в виду. — Она посмотрела на Данилова и добавила: — Шалун!

Он улыбнулся так, как умел улыбаться только он, — ничего не означающей, сухой улыбкой, которая лучше всяких слов говорила ей, что пора остановиться. Все его улыбки были ей известны наперечет.

Заснеженная шоссейка сделала крутой поворот, елки стали редеть, черно-белые, хрестоматийно печальные березы, наоборот, придвинулись, и открылся бесконечный забор, уходивший вправо и влево — далеко.

— Ух ты! — прошептала Марта, и Данилов радостно посмотрел на нее. — Слушай, Данилов, дальше вполне можно не ехать. Это тоже ты придумал?

— Ну конечно.

Это был самый изумительный забор из всех, которые Марта Черниковская видела в своей жизни. Он был высокий и глухой, но, несмотря на это, почему-то не напоминал задний план из репортажа о жизни заключенных в Бутырской тюрьме. Основу его со-

ставляли камни разных цветов и размеров, наваленные в каком-то необыкновенном гармоничном бес-
порядке, а выше были доски, тоже уложенные странно, под углом. Почему-то это напоминало юг и детские
книжки о гасиендах и плантаторах, и казалось, что за
досками невиданного забора нет никакой зимы, что
там жарко и солнечно, и подол белого платья летит по
плиточному полу, и плавится полуденный воздух, и
закрыты ставни на андалузских окнах, и куст неправдоподобно алых роз взбирается по выбеленной жаркой стене.

— Данилов, ты гений. Правда. Остановись, я
выйду посмотреть.

Данилов засмеялся нормальным человеческим
смехом.

— Выйдешь, когда доедем.

— Как это тебе в голову пришло? Среди леса
такой... такое... такая сказка.

— Катерина сказала, что им не хотелось никаких
дворцов. Она сказала, что мужу наплевать, а ей проект типового дворца не подходит. Она... своеобразная
женщина.

Катерина? Какая Катерина?

Ах, да. Жена олигарха, промышленника, полити-
ка, губернатора, члена Совета Федерации, — кто он
там еще? — для которого Данилов строит дом с не-
обыкновенным забором.

— Молодая? — спросила Марта безразлично.

— Да, наверное. А дом еще интересней, ты сейчас
увидишь. Я очень долго думал над ним, потому что
здесь все-таки очень специфическая природа, и многое
из того, что я придумал, не подошло именно потому,
что кругом лес, и я понял, что не втисну ландшафт ни
в какой готовый стиль, и мне пришлось...

Он вдруг затормозил, Марта клюнула носом и
обеими руками схватилась за щиток.

— Ты что?! С ума сошел?!

— Почему они открыты? — пробормотал Данилов. — Всегда бывают закрыты, а сейчас...

— Кто открыты-закрыты? — Марта проследила за его взглядом — прямо перед ними забор был разделен распахнутыми настежь воротами. За воротами открывался обширный двор, присыпанный снегом и разъезженный колесами автомобилей. Вывороченная земля была грязно-белой, в коричневых комьях, как будто припудренных крупитчатым снегом.

— А говорил, что тебе солдатские ботинки не нужны, — пробормотала Марта, рассматривая комья, — как же не нужны, когда тут грязь такая!..

— Может, кто-то приехал? — сам у себя спросил Данилов. — Иначе зачем ворота открытыми держать?

— Вот мы приехали. Или это не в счет?

Он и сам не понимал, почему так взволновался.

В доме всегда дежурила охрана. Кроме того, Тимофей Ильич Кольцов был фигурой слишком серьезной и слишком известной, чтобы его строящуюся дачу просто так, ни с того ни с сего, могли навестить лихие люди местно-поселкового разлива в надежде поживиться вагоночкой или дрелью. Однако ни разу, с тех пор как Данилов впервые приехал на этот участок, тогда еще обнесенный нестругаными сосновыми досками, он не видел, чтобы ворота были открыты. Даже когда завозили стройматериалы, охранник закрывал отсыревшие створки за каждой машиной.

Почему же теперь-то они открыты?

Данилов осторожно прокатился по разъезженному песку, повернул и затормозил.

— Приехали. Вылезай и начинай восхищаться.

— Можно громко?

— Можно.

Дом стоял как-то странно, как будто чуть боком к воротам, впрочем, Марта не сразу поняла, где у него бок, а где фасад. Дом был коричневый и белый, асимметричный, с невысокой башенкой и фундаментом все из того же, обожаемого Даниловым, речного камня. Из машины дом было видно плохо. Задрав голову, Марта на ощупь открыла дверь и почти вывалилась в прихваченную морозом грязь.

— Красота какая! — Как зачарованная она не могла оторвать от дома глаз. — Данилов, я ошиблась. Ты не просто гений. Ты самый настоящий гений!

И он за ее спиной опять разразился счастливым смехом.

Темные рамы, белые стены, все окна разной формы. Остроконечная башенка, крытая черепицей. Кот в сапогах на вершине башенки держит уверенной лапой флагшток — флюгер. Какая-то невесомая галерея на уровне второго этажа.

И почему Марта поначалу решила, что это должно быть похоже на гасиенду? Ничуть не похоже. Это — гораздо лучше, гораздо уместнее и вовсе не напоминало «типовой дворец», как выразился Данилов. Или так выразилась жена олигарха?..

— А где... вход?

— С любой стороны. К главному я тебя сейчас подведу. Есть еще два — со стороны леса и участка. А наверху, видишь, где перила? Там отдельные выходы из детских. Можно через дом выйти, а можно снаружи, чтоб веселее было. Потом пристроим еще подвесные лестницы.

Сухо щелкнула зажигалка. Дым даниловской сигареты потеснил запах снега и леса.

— А они оттуда не свалятся?

— Лестницы?

— Да дети!

Данилов за ее спиной осторожно хмыкнул:

— Нет. Двери сделаны так, что их легко не откроешь.

— А они маленькие?

— Кто?

Марта вздохнула.

— Какой ты тупой, Данилов. Дети этого твоего Кольцова. Маленькие?

— Мальчику лет пять, а девочке около трех. Его жена однажды с ними приезжала. А почему ты спрашиваешь?

Марта спрашивала потому, что со вчерашнего, нет, уже с позавчерашнего, дня любые дети стали вызывать у нее жгучий интерес. По дороге на работу, а потом к Данилову она даже поймала себя на том, что внимательно смотрит из своей машины именно на детей. Она представления не имела, какие они бывают. Раньше они ее мало интересовали.

На первый взгляд разобраться было трудно. Совсем мелких везли в колясках, видно ничего не было, кроме разноцветных кульков. Те, которые покрупнее, шли сами, некоторые бодро и деловито, другие, наоборот, вразвалку и нога за ногу, да еще везли за собой пластмассовые грузовики или какие-то непонятные яркие штуковины.

Как с ними следует обращаться? Что нужно делать? Как растить? У Марты не было даже никакого захудалого племянника, которого можно было бы изучить вблизи и понять, как он устроен.

Марта усмехнулась, поглубже засовывая руки в карманы.

«Сначала мне нужно разобраться, как это устроено», — так обычно говорил Данилов, когда чего-то не понимал.

Она даже думать начала его словами, вот до чего дошло. Плохо ее дело. Придется на обратной дороге зарядиться тантрической энергией из картонной пирамиды. И посадить весной кабачки. Интересно, до весны одного заряда хватит, или придется еще приезжать?

Весной у нее родится ребенок, и ей будет не до кабачков.

Ее собственный ребенок. Она станет возить его в

коляске в чем-то похожем на яркий кулек. Они пойдут по улице, залитой весенним солнцем и талой водой, и никто на свете не будет им нужен.

Опять, как накануне, навернулись проклятые слезы. Может, все-таки необратимые изменения, связанные с беременностью, уже начались?..

— Главный вход с той стороны. Катерина не хотела, чтобы от ворот сразу был виден весь дом. Я его, видишь, повернул немного. Так даже красивее получилось. Ты что-нибудь слышала о привязке к местности?

Марта шмыгнула носом.

— Ну конечно. Все свои дома я первым делом привязываю к местности магазинным шпагатом.

— Почему ты говоришь в нос? Ты что, простыла?

— Нет.

— Замерзла?

— Нет.

— Я же тебе говорил, чтобы ты не лезла в снег! Ты никогда меня не слушаешься, а потом...

— Нет.

— Что — нет? — удивился Данилов.

— Все — нет. Остановись. Ты меня утомляешь. Рассказывай лучше про дом. Мы остановились на привязке к местности.

Данилов посмотрел на нее как-то странно.

— Когда дом развернут, это как-то... гармоничнее. По крайней мере, мне так показалось.

— Тебе бы пирамиды строить, Данилов, — пробормотала Марта. — А там что? Лес?

— Участок очень большой. Чуть подальше будут два корта, летний и крытый, но отсюда не видно. Их еще нет, только место под них размечено. Детская площадка, лужайка для семейных праздников...

— Ого!

— И еще домик садовника. Но он совсем далеко.

— А конюшня? — спросила Марта. Совершенно

неожиданно масштабы строительства начали ее раздражать. Как представителя масс. — Где конюшня с чистокровными текинскими жеребцами?

— Нет здесь никакой конюшни, — пробормотал Данилов сердито.

— Как же так?! — поразилась Марта. — Разве лошади Тимофея Кольцова не должны участвовать в Зимнем кубке в Челтенхеме? Цвета жокея — желтый и черный. Владелец лошади получает кубок, тренер — портсигар, а наездник — кукиш с маслом! Как это они не догадались, твои Кольцовы?! Скаковые лошади сейчас — самое престижное дело. И очень, о-о-очень модное. Ты бы им подсказал. — Тут она замолчала в надежде, что все-таки вывела его из себя.

Не тут-то было.

— Парк будет планировать ландшафтный дизайнер, я только сказал Катерине, что тут хорошо бы посадить две шаровидных сосны, — продолжил Данилов как ни в чем не бывало, — вот прямо тут, — он потопал ногой в щегольском ботинке по мерзлой земле, — именно с этой стороны, чтобы не было никакой симметрии. Как ты думаешь?

— Здорово, — искренне сказала Марта, — правда здорово, Данилов, ты не обращай на меня внимания.

— Я и не обращаю. Двери стеклянные. Я их заказал в Гусь-Хрустальном, там делают отличное стекло, между прочим, даже лучше, чем в Венеции. Собирались оттуда везти, а я договорился с Евгением Васильевичем...

И он замолчал, так и не рассказав Марте про неизвестного Евгения Васильевича.

— Что? Что такое, Данилов?!

Одна дверь из очень толстого, бронебойного, как почему-то подумалось Марте, стекла была приоткрыта. Из-за толщины стекла было не разглядеть, что за ней происходит, но, очевидно, Данилов разглядел.

— Подожди здесь.

— Что случилось?!

— Подожди здесь, — повторил он, — я посмотрю.

Он потянул на себя толстую дверь, еще не отмытую от многочисленных пальцев и какой-то строительной дряни. Дверь открылась легко и беззвучно, как будто вовсе и не была тяжелой. Марта вытянула шею, пытаясь рассмотреть, что происходит внутри. Плечо Данилова загораживало ей обзор, она оттолкнула его рукой и все-таки увидела.

Голове стало холодно, и волосы будто зашевелились на затылке.

— Господи боже мой, — пробормотала Марта.

За толстой стеклянной дверью, беззвучно и легко повернувшейся на металлических шарнирах, царил хаос. Как будто смерч прошел. Марта никогда раньше не видела такого полного и первобытного хаоса и не знала, что бывают смерчи, которые хозяйничают в домах.

— Не ходи за мной, — приказал Данилов, — стой там!

Как же!.. Будет она стоять!..

Какие-то доски были кучей навалены на плиточном полу, залитом вязкими языками разноцветной краски. Языки затекали друг на друга, ползли по полу, поглощали плитку и алмазные россыпи битого стекла. Осколков было так много, что казалось, будто когда-то весь дом сплошь состоял из стекла. Отдельно были свалены двери в разорванной целлофановой пленке и тоже залиты чем-то похожим то ли на бетон, то ли на известь. Искромсанная гобеленовая обивка свисала отвратительными клочьями. Белые стены сплошь были в артиллерийских выбоинах и нагло ухмыляющихся кляксах краски. Полированное дерево лестницы, которой особенно гордился Данилов, было процарапано, вспахано, как будто граблями, неровные белые борозды шли с самого верха.

И еще запах краски. Густой и тяжелый, он как будто со всей силы обрушился Марте на голову.

— Что это такое? — Она спрятала нос в рукав, испугавшись, что ее вырвет. — Что здесь было, Данилов?

Он оглянулся, как будто забыл о ней и внезапно вспомнил.

— На кухне целый склад растворителей, — сказал он сквозь зубы, — я должен посмотреть. Пожара бы не было.

— Что? — переспросила Марта испуганно.

Звук, который оба услышали одновременно, был очень тихим и странным, как будто засипела в трубе вода. Засипела и смолкла. Это был непонятный звук, но Марте вдруг стало так страшно, что она схватила Данилова за рукав.

— Давай вызовем милицию. Прямо сейчас. Не ходи никуда. Давай я позвоню.

Данилов дернул руку и вытащил у нее рукав.

Звук повторился, Марта сильно вздрогнула, оглянулась и посмотрела на Данилова испуганно.

— Ты слышал, Андрей? Что это?

— Не знаю. Я должен посмотреть. Не ходи за мной, слышишь? Стой тут!

Обходя битое стекло и масляные разноцветные языки краски, уже почти доползшие до его ботинок, Данилов вдоль стены двинулся в сторону кухни.

По сторонам он старался не смотреть. Он не знал, что с ним будет, если он увидит свой драгоценный дом изуродованным, грязным, источающим тяжкую химическую вонь, в царапинах, язвах и клочьях изрезанного гобелена, который привезли из Англии и только три дня назад закончили прибивать и потом со всех сторон закрывали пленкой — чтобы не испачкать случайно!

На кухне было совсем плохо.

Кухня была полностью отделана, и мебель, которую Данилов нарисовал вместе со стенами и полом, — по его идее, неотделимая именно от этого места, — давно смонтировали, расставили и так же тщательно укрыли мягкой тканью и пленкой.

Теперь ткань была сорвана, изрезана, словно в припадке истерического буйства, и безобразными кучами валялась на полу. Дверцы оторваны с мясом и сложены шалашиком, как будто приготовлены к костру. Светлое дерево выжжено растворителями. Едкие капли падали на пол, в осколки бутылок и куски выбитой мозаики. Шкафы зияли пустыми внутренностями, как выпотрошенные трупы.

Данилову стало трудно дышать. Как когда-то на сцене перед пустым зрительным залом.

Истерик. Тряпка.

Под ногами хрустело стекло, которое он давил.

Тот звук больше не повторялся, и он остановился, прислушиваясь.

— Данилов, что там?! — издалека крикнула Марта. Голос у нее был испуганный.

Он должен отправить ее домой. Здесь оставаться нельзя.

— Пока ничего. Не ходи сюда. — Данилов посмотрел себе под ноги и присел. Что-то красное заметил на полу. Красное и явно не химическое. Не снимая перчаток, Данилов поднял с пола осколок, измазанный красным, и в ту же секунду понял, что это кровь.

Именно кровь, а не элемент периодической таблицы Менделеева.

Данилов швырнул зазвеневший осколок и вскочил, оглядываясь. Дверь направо — в кладовую. Из кладовой на улицу. Дверь налево — в гостиную, где сейчас боится Марта. Прямо — французское окно с выходом на террасу.

Все это он придумал сам. И террасу, и французское окно, и сводчатый переход в гостиную, и камин с медным колпаком. Он ориентировался в этом доме лучше, чем в собственной квартире, и куда больше его любил.

Теперь мозаичный пол был залит едкой отравой и человеческой кровью.

Кто это сделал?! Зачем?!

Данилов рванул с шеи шарф и швырнул его в кучу тряпок на полу. По виску проползла капля. Отвратительно теплая и стыдная капля пота.

Он трус и неврастеник. Впрочем, это всем давно известно.

По красному следу, стараясь не наступать в него, он добрался до двери в кладовую и распахнул ее.

Тело лежало лицом вниз, и под ним была огромная красная лужа.

Хищный тропический цветок, готовый проглотить жертву.

Жив? Или уже нет?

Данилов наклонился. Почему-то запах крови был сильнее запаха химической дряни. Лучше бы пахло краской и растворителями.

Обеими руками Данилов кое-как перевернул тело. Голова глухо стукнулась о пол. Данилов зажмурился.

— Господи!..

Это Марта, устав бояться одна, все-таки пробралась следом.

— Помоги мне, — скомандовал Данилов, — я не понимаю, жив он или...

— Кто это? — спросила Марта с ужасом, как будто это имело хоть какое-то значение.

— Охранник. Помоги мне, Марта! Найди тряпку, намочи и дай мне! Вода в баллоне с правой стороны. И не смотри на него, если не можешь!

— Он... жив?

— Я не знаю!

Марта все-таки посмотрела и покачнулась, схватившись за стену.

Почему-то в лихих детективных киношках, которые она так любила, никогда не показывали, как из черного кровавого фарша, в который превращается человеческий череп от удара, вылезают белые кости.

— Марта, шевелись! Отвернись от него! Ты слышишь меня?! Ну!

На негнущихся ногах, спотыкаясь обо что-то, она доковыляла до баллона и нашарила в кармане носовой платок. Вода лилась ей на ботинки.

— На.

— Мне нужна большая тряпка! Эта не годится, Марта! — Не отрывая глаз, она смотрела, как белый носовой платок у него в руке мгновенно становится красным, словно в кислоту сунули лакмусовую бумажку.

— Вроде бы дышит, но я не знаю, как ему помочь.

— Давай «Скорую» вызовем, — просипела Марта, — они помогут...

— «Скорая» из Москвы будет ехать два часа! Ты нашла тряпку? И аптечку принеси из машины!

При мысли о том, что она сможет хоть ненадолго вырваться из этого пространства, заполненного запахами химикатов и крови, выйти на улицу, где сыплет снег и кричат галки, Марте стало чуть-чуть полегче.

— Я сейчас, — выговорила она, стыдясь своего малодушия, — я сейчас вернусь.

Дыша в рукав, обходя кровавые лужи, она стала пробираться к двери, но выйти не успела.

Дверь сама собой распахнулась ей навстречу, и показались какие-то люди — довольно много.

Ахнув, Марта отступила, нога подвернулась, и она чуть не упала, сильно ударившись локтем.

Данилов оглянулся. Он стоял на коленях, руки у него были в крови.

— Никому не двигаться! — скомандовал первый из вошедших, остальные плотной группой стояли у него за спиной. — Руки на голову! И вы тоже! Быстро! — И он ткнул в Марту пистолетом.

Как зачарованная глядя в пистолетный зрачок, Марта медленно подняла руки, ставшие вдруг очень тяжелыми и будто чужими.

Из-за первой кожаной спины вынырнули остальные и моментально рассыпались по комнате, в центре которой в луже крови на коленях стоял Данилов. Это было похоже на фильм, который недавно не к месту вспомнился Марте.

— Так. — Голос был низкий и тяжелый. И холодный, как пушечный чугун.

Человек вошел и остановился, не вынимая рук из карманов длинного пальто.

— Я хочу, чтобы кто-нибудь мне объяснил, что здесь происходит.

Марта пискнула, потому что дуло, в которое она смотрела, совершенно отчетливо шевельнулось и, когда она пискнула, человек в пальто повернулся и взглянул на нее.

И в этот момент она его узнала.

Данилов договорил, и некоторое время все молчали, только хрустело стекло под ногами у охранников, хотя казалось, что они стоят совершенно неподвижно.

— Что там с охранником? — наконец спросил Тимофей Кольцов, ни к кому не обращаясь.

— Увезли в Москву, — проинформировала «кожаная спина», до смерти напугавшая Марту своим пистолетом. — Пока жив, Тимофей Ильич.

— Ментов вызвали?

— Вы же не давали такого распоряжения, — после паузы тихо сказала «кожаная спина». По тому, что отвечал все время он, а остальные молчали, Марта поняла, что это скорее всего не просто спина, а спина-начальник.

— Не давал, — согласился Кольцов. — Что на втором этаже?

— Все в порядке, Тимофей Ильич. Туда не добрались. Только лестница вот... попорчена сильно.

— Что за скотство такое! — в сердцах сказала молодая высокая женщина в короткой шубке. Она ходила вдоль стен и рассматривала следы разрушений, словно ни на чем не могла остановиться. Лицо у нее было брезгливым и гневным. — Надо же было влезть, человека чуть до смерти не убить, все тут испортить, переломать, краской залить!..

— Вы никого не видели? — вдруг спросил Кольцов у Данилова.

Данилов покачал головой.

— Почему-то были открыты ворота. Я удивился, но не слишком. Я думал, что Катерина Дмитриевна, может быть, приехала, хоть и не собиралась.

Кольцов неприятно поморщился, как будто Данилов сказал что-то неуместное.

— Катерина Дмитриевна приехала, — сказал Кольцов тяжело, — хоть и не собиралась. Вы ей звонили?

— Нет. — Данилов достал сигареты. Вместе с пачкой из кармана выпал мокрый от крови носовой платок, которым он пытался зажать рану на голове охранника. Данилов посмотрел на платок, быстро поднял и сунул обратно. — Мы виделись на прошлой неделе и обсудили все, что было необходимо.

— Необходимо!.. — фыркнул олигарх, промышленник, политик, губернатор, член, кандидат в президенты и президент каких-то других кандидатов. — Вы позвонили ей, когда мы выезжали из дома, и сказали, что у вас какие-то вопросы и вы ждете нас на даче. Зачем вы звонили?

— Я не звонил, — сказал Данилов, — мне незачем было звонить.

Тимофей перевел тяжелый взгляд на начальника своей охраны, и тот, очевидно, что-то такое понял из этого взгляда, что было непонятно остальным, так как спросил у Данилова холодно:

— Вы сюда во сколько приехали?

— В начале одиннадцатого. Наверное, минут десять. — Он посмотрел на Марту. —Ты не помнишь?

— Нет, — сказала Марта.

— А откуда ехали?

— Что?

— Откуда вы ехали?

— Из дома, — ответил Данилов растерянно, — я живу на Сретенке, в Последнем переулке.

— Девушку где забирали?

— Нигде не забирал. — Тон у Данилова изменился, стал ледяным и сухим, как корка на вчерашней луже. — Мы вместе поехали из моей квартиры.

— Звонили в половине одиннадцатого, — доверительно сообщил главный охранник Данилову, — вы в это время уже из Москвы выехали. Следовательно, могли звонить только с мобильного. Позвольте ваш телефончик. И ваш тоже, — добавил он в сторону Марты.

— Мой телефон в машине, — хрипло сказала Марта, — в сумке. Я его не вытаскивала.

Охранник качнул головой, и кто-то из подручных, хрустя разбитым стеклом, вышел за дверь.

— Сейчас посмотрим.

Даниловский телефон у него в руке по-мышиному пискнул, потом еще и еще раз.

— С этого телефона не звонили, — заключил охранник безразлично, — сейчас посмотрим второй.

Марта перевела дыхание.

Про свой телефон она все знала совершенно точно. Ее телефон Тимофею Кольцову не звонил.

— Здесь тоже чисто, Тимофей Ильич. Не было звонка.

— Может, просто запись удалили? — поинтересовался олигарх, ни на кого не глядя, и Марта снова напряглась так, что застучало в висках, хотя знала —

знала совершенно точно! — что ни Данилов, ни она сама Тимофею Кольцову с утра пораньше не звонили.

— Нет, Тимофей Ильич. Ни с того, ни с этого телефона сегодня утром вообще никуда не звонили. У этого последний звонок вчера в восемнадцать пятьдесят, а у того в девятнадцать тридцать четыре. Кому вы давали номер Катерины Дмитриевны, господин Данилов?

Сухой лед на луже стал еще крепче, как будто ударил мороз.

— Никому не давал. С вашего разрешения я закурю.

— Ваши сигареты нужно выбросить, — вдруг сказала жена олигарха и подошла поближе, — они все в крови. И платок вы в карман сунули напрасно.

Порывшись в длинном и узком ридикюле, она выудила пачку сигарет и протянула ее Данилову.

— А свои выбросьте.

— Спасибо.

Данилов вернул ей пачку, и она тоже прикурила и неожиданно помахала рукой перед носом своего мужа, как бы разгоняя дым. Муж посмотрел на нее недовольно. Марта съежилась.

— Мнения какие будут? — спросил Кольцов и обвел взглядом свою команду, а также Марту с Даниловым. — Что тут такое? Местная братва по пьяни веселилась? Или из сумасшедшего дома кто набежал?

Под его взглядом охрана постно опустила глаза и как будто сдала назад, к измазанным краской стенам, хоть и не двинулась с места.

Как же с ним жена живет, неожиданно подумала Марта, когда на него даже смотреть страшно? С ним же надо за одним столом сидеть. В постели лежать. Детей от него заводить.

Тимофей Ильич усмехнулся змеиной усмешкой, снял очки и стал их рассматривать.

— Почему один человек дежурил? Где его напарник? И что это вообще за лох, которому можно просто так по башке дать?! Это наша служба безопасности таких на работу берет?!

Главарь охранной банды моментально утратил свой начальственный вид и как-то даже в размерах уменьшился, и широкая кожаная спина стала не такой уж широкой и кожаной.

— Тех, которые не в личной охране, Владимир Алексеевич на учебную базу не отправляет...

— Плевать я хотел на базу! — монотонно сказал Кольцов, надел очки и снова посмотрел на свою свору. — Дудникова найти сейчас же. Покажу я ему учебную базу!.. Здесь все осмотреть, сделать как надо. Отпечатки, пальцы, следы — не мне вас учить. Охранника, как только придет в себя, допросить. Рабочих и... остальных, — короткий взгляд в сторону Данилова, — сюда не пускать. В милицию не сообщать. Сами разберемся.

— Подожди, Тим, — вдруг вступила жена олигарха, и все на нее оглянулись.

Она подошла, очень высокая, даже слишком, — может, от каблуков? — в норковой шубке и бриллиантовых серьгах, которые сверкали как-то сами по себе, независимо от серого бессолнечного ноябрьского света. Подошла и взяла своего мужа за руку.

— Вечно у тебя одно и то же, — сказала она ему сердито, — этих допросить, тех посадить, а Дудникову — выговор! Ты что, в самом деле думаешь, что весь этот... — она обвела глазами следы разрушений, — все это дерьмо имеет отношение к тебе?

Марта замерла, стиснув пальцами внутреннюю сторону кармана.

Боже мой!

С этим человеком нельзя так разговаривать! Его жена ошиблась. Она почему-то решила, что он нормальный, что он — как все, что он понимает человеческую речь, что его можно просто так брать за руку и даже не соглашаться с ним! Она посмела не согласиться с ним! С человеком, от одного взгляда которого толпа добрых молодцев — охранников дружно жалась к стене!

«Ну все, — подумала Марта, и ей вдруг стало холодно в теплом доме, — мы пропали. И эта высокая женщина пропала тоже».

Олигарх вздохнул так, что пальто на нем колыхнулось и пошло волнообразными складками, и за руку подтянул жену поближе к себе. Подтянув, он просунул ее руку себе под локоть, сложил ее пальцы в кулачок и накрыл кулачок своей ручищей. На толстом безымянном пальце было обручальное кольцо — очень простое.

— Кать, — сказал олигарх, и в его голосе явственно послышалась слоновья нежность, — вечно ты лезешь во что не надо!..

— Это тебе не надо, — возразила Катя и вытащила кулачок, — а мне надо! Тим, это смешно. Ты от своего величия утратил чувство реальности и не видишь самых простых вещей.

Марта приоткрыла рот.

— Леш, ну хоть ты ему скажи, — как ни чем не бывало продолжила эмансипированная и строптивая супруга, обращаясь к приунывшей «кожаной спине», — никакие это не сумасшедшие и уж точно не местная шпана! Всем вокруг известно, что этот дом — твой. Об этом только на прошлой неделе три раза упоминали по телевизору и раз шесть в газетах. Я точно говорю, потому что в твоей пресс-службе работаю. Не сообщали только, кто архитектор.

— Я знаю, где ты работаешь.

— Вот молодец какой! Вся держава в курсе строительства, не только местный поссовет и окружающее бандитье! Кто это осмелится на твоей территории хулиганить?! Да еще просто так, от нечего делать! Даже если найти главаря всех местных бандитов и предложить ему полмиллиона долларов за разгром твоего дома, я уверена, что он лично негодяя скрутит и приведет на Петровку! Или в твой офис, что еще хуже. — В этом месте Тимофей Ильич сдержанно хмыкнул. — Да они небось этот дом лучше всякой охраны стерегут, только чтоб ты не прогневался. Что они станут делать, если ты прогневаешься?! Массовое самоубийство совершат?

— О чем это все, Кать?

— О том, что дело не в тебе, хоть ты и величайший из смертных, — тут она примерилась и звонко чмокнула олигарха в синеватую выбритую щеку. Охрана потупилась на этот раз стыдливо, и лица, сплошь состоявшие из ледяного бетона, как будто чуть подались и помягчели, — что-то тут совсем другое, Тим.

— Катерина Дмитриевна права, Тимофей Ильич, — подал голос Леша — «кожаная спина», — вряд ли тут ваши враги... резвились.

— А почему тогда никто не высказывался, когда я спрашивал, у кого какие соображения? — спросил Тимофей Ильич ядовито. — Почему все ждали, пока моя жена выскажется?

— Тим, мы все прекрасно понимаем, почему никто не поделился своим мнением, — непочтительно перебила олигарха супруга Катя, — лично я думаю, что все было проделано исключительно для того, чтобы мы приехали и застали Андрея Данилова в разгромленном доме над трупом охранника. Для того мне и звонили. И время подгадали совершенно точно. Ну что? Разве не похоже?

Кольцов искоса взглянул на жену. Охрана застыла в своем ледяном бетоне. Марте стало тошно. Один Данилов остался безучастным. Как всегда.

— Тим, это просто и логично. Подумай сам.

— Я уже подумал. Леша, сегодня же номер Катерининого мобильного сменить.

— Да, Тимофей Ильич.

— Значит, — без всяких эмоций сказал Кольцов в сторону Данилова, — если моя жена права, вы втянули меня в свои проблемы.

— Да, — согласился Данилов, — боюсь, что так.

Марте показалось, что больше нечем дышать.

— Какого рода проблемы, — помолчав, спросил Кольцов, — и почему я должен их решать?

— Я не могу ответить на этот вопрос.

— Почему не можете?

— Потому что я сам пока не знаю. Я должен разобраться, Тимофей Ильич. Если вы позволите, — добавил Данилов, чуть запнувшись.

— У вас часто бывают проблемы?

— В первый раз, — вежливо ответил Данилов, — до этого никто и никогда не громил домов, которые я... проектировал.

— С чего вы взяли, что дом разгромили потому, что он ваш, а не потому, что он мой? Только постарайтесь не повторять слово в слово домыслы моей жены.

— Никто не знал, что сегодня здесь окажетесь вы, Тимофей Ильич, — сказал Данилов негромко. — Вы ни разу не были с начала строительства и могли бы до конца не приезжать. Если бы все это обнаружили рабочие или сменная охрана, до вас скорее всего так ничего и не дошло бы. Кто бы стал вас беспокоить по таким пустякам! Все убрали бы, привели в порядок, восстановили, и никаких следов не осталось бы. А Катерине Дмитриевне специально позвонили, как раз чтобы вам было удобно здесь меня... нас, — тут же поправился он, — застать. Теперь вы должны меня в лучшем случае уволить, — сдержанно продолжал он, — а в худшем посадить под арест. Особенно если окажется, что охранник... не выжил.

Где-то капает вода, поняла Марта. Наверное, я плохо завернула кран на том самом баллоне.

— Я не хочу разбираться в ваших проблемах, —

объявил Кольцов и неприязненно сопнул носом. — Если все это затеяли вы сами, вы об этом пожалеете.

Он замолчал, ожидая реакции Данилова, не дождался и продолжил:

— Если нет, разбирайтесь как можно быстрее.

— Я постараюсь, — вежливо пообещал Данилов, и Тимофей Кольцов вдруг уставился на него во все глаза. Посмотрев недолго, он вдруг почему-то улыбнулся — разжались мрачные губы, и взгляд за стеклами очков повеселел. Как у волка, который наконец-то обнаружил неподалеку мирно щиплющего травку лося.

Поулыбавшись таким образом, Тимофей Ильич приказал:

— Леша, оставь здесь человека и вызови дополнительную охрану. Все осмотреть и к понедельнику привести в порядок. Ему, — кивок головой в сторону Данилова, — не мешать. В понедельник все работы должны идти как обычно. Катерина, мы уходим.

— Не переживайте, Андрей, — сказала жена олигарха, не поведя и ухом, — конечно, это ужасное скотство, но все можно поправить. Если только охранник останется жив, — добавила она мрачно.

— Спасибо, — поблагодарил Данилов.

— Катерина!

— Сейчас, Тим. Я знаю, как вам нравится этот дом. Нам он тоже нравится. — Она улыбнулась и стала похожа на десятиклассницу. — Мы ждем не дождемся, когда он будет готов. И дети ждут.

— У вас десять дней, — объявил Кольцов Данилову, — через десять дней мой начальник службы безопасности доложит мне, что на самом деле здесь случилось. Вам ясно?

— Да.

— Вышли бы вы на улицу, — посоветовала Марте похожая на десятиклассницу супруга олигарха, — вы совсем зеленая, смотреть страшно. Тут же дышать невозможно!

— Катерина, мы уезжаем.

— Я уже слышала. Хотите, мы отвезем вас в Москву?

— Да, — неожиданно ответил Данилов, — поезжай, Марта. Это будет лучше всего. Я пока не могу уехать.

Даже просто мысль о том, что в Москву ее повезет Тимофей Ильич Кольцов, вызвала у Марты панику.

— Нет-нет, спасибо большое! Я хотела бы остаться с Андреем, если вы не возражаете, — забормотала она, вытащила руки из карманов, выпрямилась и уставилась куда-то мимо любезной жены олигарха, и кандидата, и магната, и депутата, и, кажется, даже губернатора. Интересно, почему нельзя сказать «губерната»?

— Точно не поедете? — продолжала приставать жена, а сам олигарх, кандидат и магнат вдруг вздохнул протяжным страдальческим вздохом.

Марта перепугалась не на шутку.

— Спасибо, большое спасибо, я сейчас выйду на улицу, погуляю немного, и мне станет лучше. Просто я переволновалась, а в Москву я не поеду, спасибо, нет...

— Это она тебя боится, — проинформировала мужа Катерина. — Тебя все боятся. Какой-то ужас.

— Поедем, а? — попросил ее муж почти жалобно. — Черт возьми, первый раз за неделю вдвоем, и тут на тебе!.. Хватит, Кать.

— Пока, — попрощалась Катя с Мартой и Даниловым и взяла Тимофея Ильича под руку. — Андрей, я позвоню вам и сообщу свой новый мобильный номер. Сегодня же.

— Спасибо, — сухо поблагодарил ее Данилов.

Два гигантских джипа — «Лендровер» и совсем уж экзотический «Хаммер» — казались по сравнению с машиной Данилова океанскими лайнерами рядом с портовым буксиром. Сыпал мелкий снег, белые шарики отскакивали от полированных крыш. Воздух был холодный и влажный, какой-то острый.

Катерина запахнула шубу и некоторое время постояла, дыша ртом.

— От вони голова заболела, — сказала она негромко и оглянулась на Тимофея. — Надо было столько краски вылить! А полы были сказочные, Тим! Особенно в гостиной. Данилов все нарисовал и собирал эту керамику по кусочку. И лестница. На ней специальное покрытие положили, чтобы Машка не полетела со ступенек. Она же носится, как щенок...

— Носится, — согласился Тимофей Ильич и взглянул на жену внимательно. — Ты что, Кать? Плачешь?!

Охрана отошла от них, чтобы не слышать, о чем они говорят. Тимофей покосился на нарочито безразличные спины и за отвороты шубы притянул жену к себе.

— Ты что? — спросил он, близко глядя в серые несчастные глаза, полные слез.

Нос вздрогнул, покрасневший кончик уткнулся ему в ладонь. Только на одну секунду, но и этого было достаточно, чтобы он вдруг испытал острый, тайный, умильный всплеск любви к ней.

Он все никак не мог привыкнуть к тому, что так ее любит.

— Ты что? — повторил он и встряхнул ее, чтобы это острое и тайное чуть-чуть отпустило его.

Он не умел ни от кого зависеть, всесильный, богатый, умный, бесстрашный, расчетливый, очень хладнокровный, очень успешный, очень занятой человек.

Он теперь зависел от Катерины, знал это и боялся этого.

От Катерины и детей.

Как это получилось, что он так влип?

— Господи, он мне так нравится, этот дом! — заговорила она рядом с его ухом. — Мне все в нем нравится! Я уже придумала, куда мы елку поставим. И это покрытие на лестнице для Машки! Все же было почти готово, Тим! Кем надо быть, что так все... испоганить?!

И она шмыгнула носом.

— Я сегодня же поручу Дудникову, и он к завтрашнему дню скажет тебе, кем надо быть, — предложил Тимофей, — и даже покажет. И ты сама набьешь ему морду. А?

Она улыбнулась, и ему полегчало.

— Тим, с тобой разговаривать невозможно. Ты слишком... однозначный. Конкретный, как это теперь называется.

— Зачем ты так навязывалась со своим участием? Тебе не все равно, поедет она в Москву, эта барышня, или не поедет? И этого... как его?.. утешать кинулась!

— Я не кинулась его утешать. Ему этот дом нравится даже больше, чем мне. Дом разгромили, чтобы выбить из-под ног почву именно у него, у Данилова. Мне, например, это совершенно ясно и понятно. К тебе таким способом не подберешься. Ты вообще мог ни о чем не узнать, это он правильно сказал.

— Ну и что?

— Ну и то. У него есть какой-то враг. И это такой... лютый враг, который не побоялся втянуть в свои дела Тимофея Кольцова. Самого Тимофея Кольцова!

— Ты что, — спросил он подозрительно, — смеешься? Или решила мне польстить?

— Да что тебе льстить, — вздохнула Катерина, достала из сумочки пачку сигарет и быстро закурила, — ты сам все про себя знаешь. В этом как раз твое основное преимущество перед остальными людьми.

— В чем? — спросил он глупо. Спрашивать не следовало бы, но уж больно хотелось послушать про «преимущество».

— В том, что ты все знаешь о себе. Знаешь все свои слабые и сильные стороны. Сильные ты холишь и поощряешь, а слабым вздохнуть не даешь. — Она затянулась, искоса взглянула на дом и продолжила, понизив голос: — Я думаю, что дело серьезное, Тим. Серьезное и неприятное.

— Помогать никому не стану, — тут же сказал он, — можешь не намекать и жалостливо не смотреть. Пусть он сам разбирается... как его...

— Ты давно запомнил, что он Данилов, — начала Катерина язвительно, но муж не принял подачу.

— Это не мои проблемы. И тем более не твои. Достаточно того, что я дал ему десять дней. Если за десять дней он не решит свои проблемы, я уволю его и забуду о нем навсегда. И ты о нем забудешь тоже.

— А если его убьют?

— Значит, убьют, — сказал Тимофей равнодушно. — Еще не хватает мне заниматься такими делами!.. Из-за его личных дел почему-то пострадал мой дом! На его месте я бы немедленно повесился. Кстати, ты обратила внимание, что он совсем не удивился, когда ты сказала, что это скорее всего именно его проблемы?

— Обратила.

— Выходит, он заранее знал или предполагал что-то такое! Все-таки Дудникова я уволю к...! Почему служба безопасности ни черта никого не проверяет?!

— Она проверяет, Тимыч. Андрей Данилов один из лучших архитекторов в Москве. И в России, наверное. Он не очень знаменит, но благонадежен, как английский завтрак. Кстати, он родной сын Михаила Данилова. Что ты смотришь? — подозрительно спросила она. — Не знаешь?!

Он молчал.

— Тим, это даже ты должен знать. Михаил Данилов. Писатель. Господи, его в школе проходят! Ну, про Северный морской путь и моряков-подводников.

Тимофей Ильич решительно не знал никаких подводников.

Раньше — до Катерины — собственная медвежья

74

дремучесть его не смущала, он даже бравировал ею слегка. Когда шесть лет назад он женился, эта самая дремучесть перестала ему нравиться.

Он раздражался, когда теща с тестем — тесть, ясное дело, профессор, теща — доктор наук, — жалостливо смотрели на него или понимающе переглядывались, когда он опять попадал впросак. Есть еще бабушка с манерами вдовствующей императрицы. В этом году ей должно стукнуть девяносто, она пребывала в полном рассудке и ничего ему не спускала, особенно когда была в язвительном настроении.

Он долго не мог взять в толк, что такое «растекаться мысью по древу».

Что за «мысь»? Почему по древу?

Эту «мысь» очень любил поминать тесть Дмитрий Степанович. Чаще всего поминал, когда смотрел Евгения Киселева, занимавшего своей респектабельностью весь телевизионный экран.

«Слово о полку Игореве» проходят в третьем классе церковноприходской школы, мой милый. Вы в какой-нибудь школе случайно не учились?»

Вспомнив про бабушку и про ее надвигающиеся девяносто лет, Тимофей внезапно пришел в хорошее настроение, и ему стало наплевать на незнаменитого сына знаменитого писателя.

Что бы такое ей подарить?

Шубу? Бриллианты? Картину?

Шубу дарить неинтересно. Бриллианты у нее есть. В картинах он ничего не понимает.

«Подарю компьютер, — решил Тимофей неожиданно. — Компьютер и Интернет-карту». Она до смерти любит всякие сплетни, особенно про политику и знаменитостей. Теперь этих сплетен у нее будет навалом, а он сможет сколь угодно язвить, пока она научится пользоваться его подарком.

Ну и отлично.

Тимофей открыл дверь «Лендровера». Охрана

метнулась по местам, побросав бычки, водители пришли в готовность номер один, а Катерина все рассматривала тонированные стекла дома.

— Катька!

— Как же сильно нужно ненавидеть человека, — сказала она задумчиво, — чтобы просто так пойти и разгромить всю его работу!

— Это не только его работа, — буркнул Тимофей, подталкивая ее в салон, — это еще и мой дом. Леш, кто там остался?

— Остался Дима, Тимофей Ильич.

— Пусть вечером доложит. И узнайте, что там в больнице!

Дверь за ним захлопнулась как будто сама собой, Леша вскочил на переднее сиденье. «Лендровер», развернутый тупым рылом к воротам, мягко тронулся и стал выбираться на дорогу.

— Мне все это очень не нравится, Тим, — сказала Катерина после некоторого молчания, — правда не нравится. Ты... видел надпись на стене? На той, где раньше был гобелен?

Он ничего не ответил, и, помедлив, Катерина оглянулась.

Тимофей Ильич смотрел в окно, за которым летел снег и бешено мчались назад темные подмосковные елки.

Марта осторожно пробралась по разгромленной гостиной к выходу и за толстым дверным стеклом увидела Тимофея Кольцова и его жену. Они разговаривали вдвоем, охрана отошла от них, и как она потерлась носом о его ладонь, Марта видела, и как он притянул ее к себе за отвороты щегольской шубенки, и как она оглядывалась на дом, то ли тревожно, то ли печально, а он вроде бы утешал ее, — Марта разглядела все, стоя за темным бронированным стеклом.

Ей стало так грустно, что она опять чуть не заревела, как вчера на кухне у Данилова.

«Бедная я, бедная. Нет у меня ладони, в которую можно ткнуться носом, если пришла беда. Никто не притянет меня к себе за отвороты шубы, чтобы утешить.

Данилов не в счет.

Я сильная, я сама по себе, я принимаю решения не только за себя, но и за маму с тех пор, как не стало отца, и еще у меня будет ребенок, и за него мне тоже придется отвечать и принимать решения. Мне одной».

Вовсе не об этом следовало думать, стоя за толстым дверным стеклом, еще не отмытым от какой-то строительной дряни. Нужно было думать о том, что произошло в этом сказочном доме и почему Данилов решил, что имеет к погрому какое-то отношение, да еще так легкомысленно убедил в этом монстра и динозавра Тимофея Кольцова!

— Зря ты не уехала, — сказал за ее спиной Данилов, — я сейчас не могу тобой заниматься. Совсем.

— Мной не нужно заниматься. — Марта подышала на толстое стекло и старательно протерла рукавом запотевшее место. — Ты бы лучше собой занялся. Зачем ты им сказал, что это твои проблемы? Разве это твои проблемы, Данилов?!

— Когда громят мой дом, это только мои проблемы.

— Дом не твой, а Тимофея Ильича Кольцова.

— Если бы у Тимофея Ильича были проблемы, его бы не пригласили на экономический форум в Давос. Впрочем, я не уверен, что даже это для него проблема. Вылить на полы в его доме несколько ведер краски для его врагов мелковато, Марта.

— Хорошо, а хулиганы? Почему не может быть, чтобы мимо шли какие-нибудь хулиганы и решили, что им нужно немедленно безобразничать? И влезли в первый попавшийся дом.

— Этот дом не первый попавшийся! — возразил Данилов с досадой. — До него три километра по дороге, а кругом лес. Со стороны поселка к нему зимой вообще не подобраться, только на снегоходе. И ворота были открыты. Зачем охранник их открыл? Чтобы хулиганам было удобнее... хулиганить? И еще машина.

— Какая машина? — насторожилась Марта.

— Машина, которая выехала с лесной дороги. Здесь почти никогда никого не бывает. Конечно, может быть, просто кто-то устроил тайное свидание...

— Тайное свидание!.. — фыркнула Марта. Иногда Данилов выражался как-то на редкость старомодно.

— Кроме того, они приехали, потому что кто-то позвонил Катерине на мобильный, сказал, что это я, и попросил их приехать на дачу. Зачем? Она предположила совершенно правильно — чтобы застать здесь меня.

Возразить было нечего, но Марте очень хотелось возразить именно потому, что Данилов был скорее всего прав, а это означало, что пришла беда.

Внезапная, непонятная, неизвестно откуда взявшаяся беда.

Сзади послышался грохот и звон, как будто посыпалась с полок посуда, Марта оглянулась и увидела, что оставленный Кольцовым охранник что-то высматривает, приподнимая доски, наваленные на полу. Вид у него был, как из кино про ментов, вполне профессиональный.

— Выйди подыши, — посоветовал Данилов. — Зря ты не уехала.

— Не зря, — сказала Марта упрямо, хотя запах краски уже был везде, даже в желудке.

Пожалуй, в желудке его было слишком много.

Где-то там, глубоко, спрятался и тихо сидит ее будущий — настоящий! — ребенок. Он тоже нюхает краску, корчится от страха, видел, как белые кости торчали из черного кровавого месива, которое было раньше человеческой головой.

Марта всхлипнула, схватилась за горло и рванула тяжелую дверь. Воздух, которым можно было дышать, а не заталкивать в себя кусками, ринулся навстречу. Снег ударил в лицо, и это было просто замечательно, потому что Марта успела все-таки добежать до деревьев, прежде чем ее вырвало.

Тяжело дыша, она вытерла рот и привалилась боком к стволу. Руки были мерзкие и липкие, и она брезгливо потерла их сначала о кору, а потом об снег.

Хорошо, что так много снега. Его можно есть. Можно вытирать им лицо и руки. Можно смотреть, как, цепляясь за ветки, шатается по лесу метель.

Ядовитый запах уполз, освобождая место холодному воздуху, и нос у Марты замерз, только не было большой ладони, в которую можно было бы уткнуться. Хоть на несколько секунд.

Она еще потопталась, заставляя себя глубоко дышать, а потом повернулась к дому.

Данилова не было за дверью из толстого коричневого стекла.

Он не маячил там, изнывая от сочувствия и волнения. Конечно, нет! Он никогда не поставит ее в дурацкое положение, став свидетелем ее слабости! «Наши маленькие женские слабости», — так говорила мать Данилова про чудовищный насморк, из-за которого нос у Марты был ровно втрое больше нормального человеческого носа, глаза слезились, в ушах невыносимо и подло чесалось, а Данилову хватило ума притащить ее в таком виде к мамочке.

Марта эти «маленькие женские слабости» возненавидела раз и навсегда.

Ну почему он не вышел хотя бы посмотреть, что с ней?! Почему ему нет до нее никакого дела?! В конце концов, именно он притащил ее в этот жуткий дом и втравил во что-то страшное, отвратительно воняющее краской и кровью!

Мороженый норвежский лосось, неизвестно почему подумала Марта. Этот лосось был вчера на ужин. Или форель была?

Еще вчера были записки. Две одинаковые записки — для Данилова и для Марты.

«Убийца должен быть наказан, пощады не будет».

Она его еще жалела, и думала о его покойной жене, и утешала его! Дура.

Убийца...

Убийца должен быть наказан.

Наказан. Наказан...

Марта поскользнулась, чуть не упала и побежала к дому, колышущемуся над холмом в плотной снеговой мгле.

— Данилов! — закричала она, рванув дверь. — Данилов!!

Запах снова навалился на нее, и она закашлялась, хватая себя за свитер на груди, как будто он душил ее.

— Что ты кричишь?

Он был совсем рядом. Может, все-таки смотрел за ней?

Вдалеке показался охранник. Постоял и двинулся к ним.

— Что случилось? Тебе плохо?

— Хорошо. Данилов, помнишь вчерашние записки? Ну, что пощады не будет?

— Да, — сказал Данилов и оглянулся на приближавшегося охранника, — я про них не забывал, Марта. Конечно, это все... о том же.

— Что за записки? — спросил охранник равнодушно. — Вы получили какие-то записки?

— Я покажу. — Марте показалось, что Данилов очень недоволен тем, что она некстати вылезла с записками. — У меня с собой.

— Просто литератор какой-то, — пробормотал охранник и улыбнулся Марте, — пишет и пишет.

— Кто? — не поняла Марта.

— Наш неизвестный разбойник. Прямо тяга у него к перу, можно сказать.

— Почему тяга? — опять не поняла Марта.

— Вам пишет, — охранник присел на корточки, оперся руками и смешно понюхал что-то на полу, — нам пишет...

Марта сжала зубы. Ей показалось, что даже на улице слышно, как они скрипят.

— Что именно и кто вам пишет?

— Вон, — охранник поднялся с пола и отряхнул ладони, — на стене, за гобеленовой... за бывшим гобеленом.

Марта быстро посмотрела. Что-то голубое мелькало среди рваных клочьев обивки. Что-то такое, на что она поначалу не обратила внимания, так как все стены были густо и беспорядочно измазаны краской. Хрустя разбитым стеклом, она подобралась поближе.

Голубые загогулины плясали у нее в глазах, никак не складывались, клочья обивки мешали разобрать.

«Это только начало» — вот что было написано. Наконец-то она разобрала.

— Что это такое? — спросила Марта, ни к кому не обращаясь. — Что — «только начало»?! О чем это?!

Охранник пожал плечами и отошел.

— Приедет Владимир Алексеевич. Это Дудников, наш главный шеф, — пояснил он, опять что-то внимательно рассматривая, на этот раз на стене, — привезет фотографа. Фотограф сфотографирует, а эксперт потом скажет, один человек ваши записки и эту... наскальную роспись сделал или нет.

— Не один? — пробормотала Марта.

— Вышла бы ты на улицу, — негромко посоветовал Данилов, — здесь совершенно нечем дышать.

Хоть бы что-нибудь новое сказал. Например: принеси мне кофе.

Господи, у них же есть кофе! Целый большой термос кофе! И бутерброды, и два яблока, прикрытые салфетками, — кусок нормальной вкусной субботней жизни!

— Данилов, дай мне ключи от машины. У нас в машине термос кофе! Я сейчас принесу. Как вас зовут?

— Меня зовут Дмитрий. Дима, — добавил страж, подумав, как будто сомневался, что Дмитрий — это именно Дима, а не Юра, к примеру. — Сюда лучше не носите. Здесь все равно дышать нечем. Давайте лучше на улицу выйдем.

— Я не пойду, — сказал Данилов и вложил Марте в руку ключи, — я пока посмотрю, может, найду что-нибудь...

— Нет, Андрей Михайлович, — возразил охранник твердо, — мы будем смотреть вместе. Простите, но одного я вас здесь не оставлю.

— Почему? — вмешалась Марта.

Охранник — все-таки Дима, а не Юра, — безмятежно улыбнулся. Данилов улыбнулся ему в ответ.

Как обычно. Губы улыбались, а сам Данилов и не думал.

— Потому что я могу уничтожить какие-нибудь важные детали, — пояснил Данилов Марте, — например, кисть, испачканную голубой краской. В своих целях, понимаешь?

— Кисть тут ни при чем, — сказал охранник рассеянно, — это из баллона рисовали.

— Почему из баллона? — спросила Марта. — Какое это имеет значение, из баллона или кистью?

— Из баллона потому, что краска вокруг летела. Видите, обивка вся в краске. Потому и прочесть так трудно, половина букв на стене, а половина на клочьях получилась.

— Ну и что? — настаивала Марта.

— Да ничего, — Дима пожал плечами и опять лучезарно улыбнулся, — просто наблюдение. У нас теперь самое главное — это наблюдение, сопоставление, поиски улик. Эксперт приедет, пальчики поищет. Только сдается мне, что пальчики — дело гиблое.

— Вы в милиции работаете... Дима?

Он посмотрел на Марту несколько свысока и вздохнул байроновским вздохом. Ему было двадцать пять лет, шеф оставил его «за главного», он чувствовал свое превосходство над Даниловым, за которым он должен был присматривать, и ему нравилась Марта. Просто так. Она была высокой и худощавой, немножко бледненькой, очень симпатичной. Диме нравились все без исключения девушки — и все «просто так».

— Это я раньше в милиции работал. — О том, что он работал там восемь месяцев или даже чуть меньше, Дима умолчал. — Кое-что понимаю.

— Мы не могли бы посмотреть видеозапись? — попросил Данилов вежливо. — Может быть, там что-то осталось?

Дима вдруг покраснел. Марта посмотрела с удивлением — он весь стал розовый, от шеи до волос, и этот розовый младенческий разлив вдруг сделал его совсем мальчишкой.

— Как это я сам не подумал, — пробормотал он себе под нос, — это же в первую очередь надо было...

Марта и Данилов проводили глазами его стремительно удаляющуюся спину. Спина удалялась в сторону кухни.

«Вернее, того помещения, которое вчера было кухней», — подумал Данилов мрачно.

— Куда это он?
— Там камеры наблюдения.
— В кухне?!
— Нет. Не в кухне. Рядом, где мы... где лежал охранник. Марта, я прошу тебя, пойди выпей кофе и посиди в машине. Я боюсь, что тебе вредно...

— Ты лучше ничего такого не бойся, — посоветовала Марта, — давай я тебе чем-нибудь помогу.

— Ты мне ничем помочь не можешь, — сказал Данилов твердо, — было бы очень хорошо, если бы ты мне не мешала.

Марта хотела было вступить в очередную дискуссию, но посмотрела ему в лицо — и не стала.

Ни разу за все пятнадцать лет она не видела, чтобы Данилов выходил из себя. Он бывал подавленным, недовольным, усталым и никогда — взбешенным. Марта подозревала, что такие сильные чувства, как бурное веселье, бешенство или горе, вообще ему незнакомы.

Сейчас он был каким-то странным. У него были красные глаза — очевидно, все от тех же химических испарений, наполнивших дом, как газовую камеру, — и щека возле рта будто мелко дрожала.

— Андрей Михайлович, — позвал охранник, — подойдите, пожалуйста!

— Марта, — Данилов стянул с плеч дубленку и сунул ее Марте в руки, — пожалуйста, отнеси в машину. Мне в ней неудобно и жарко. Я где-то бросил шарф и был бы признателен, если бы ты его нашла. Это... ручная работа, вышивка и что-то еще, — добавил он, как будто смущенный тем, что просит ее о такой глупости, как шарф.

— Мамочкин подарок? — уточнила Марта.

Данилов на нее даже не взглянул.

— Андрей Михайлович!

— Да. Иду.

Наверное, таким будничным и спокойным тоном он разговаривает в своем офисе, когда секретарша сообщает ему, что в очередной раз звонит Марта Черниковская.

Хрупая стеклом, он решительно прошел в сторону кухни, и Марта двинулась за ним, как на поводке, неся в охапке его дубленку. Мех внутри был мягкий, нагретый Даниловым. Марта задышала в этот мех, и жить сразу стало как-то полегче.

— Кассета на месте, — проинформировал охранник, оглянувшись на них. Марта старательно отводила глаза от черной густой лужи на полу. — Только запись на ней...

— Затерта? — спросил Данилов равнодушно.

— Нет, — ответил Дима почти весело, — не затерта, Андрей Михайлович!

Несколько маленьких телевизоров, поставленных друг на друга в два ряда, оказались за низкой кирпичной стенкой, которая как будто отделяла хозяйственное помещение от наблюдательного поста. Там был стол, вращающееся кресло с высокой спинкой, кушеточка, накрытая тощим солдатским одеяльцем, стопка засаленных детективов с вылезающими страницами, пепельница, электрический чайник и две не слишком чистые кружки.

Казарма.

Вот ведь как странно.

Человек моментально создает вокруг себя именно такое пространство, в котором ему комфортно и привычно. Вряд ли служба безопасности Тимофея Ильича Кольцова недополучала средств или не имела возможности как-то украсить быт сотрудников, и вокруг был все же не полигон в Семипалатинске, а некоторым образом дворец и сказочная красота, и тем не менее охранники предпочли устроить себе казарму. Во дворце им было бы неуютно.

Охранник оглянулся, на секунду задержал взгляд на Марте, нажал какие-то кнопки, что-то переключил — маленькие экраны разом вздрогнули, пошли полосами, и появились черно-белые картинки, почти фотографически неподвижные.

— Что это такое? — спросила Марта и еще чуть-чуть приблизилась.

— Это камеры. Их четыре штуки. У ворот, у главного входа, со стороны леса и последняя у забора. Запись идет только с той, которая у входа. Смотрите.

Фотографические картинки вздрогнули, затряслись, побежали белые циферки, откручивая время назад, протянулась серая полоса, и Марта увидела себя — большая голова, короткие ножки, — как будто камера смотрела на нее сверху. Впрочем, она и смотрела сверху. Рядом с Мартой оказался такой же куцый и коротконогий Данилов, они смешно потоптались у входа и вперед спинами бодро двинулись за угол дома. Там они еще потоптались и наконец убрались за угол.

— И все? — спросил Данилов.

— Все, — согласился охранник. — Выходит дело, кроме вас, на участке никого не было.

Данилов мельком взглянул на него.

— Можно все сначала?

— Да сколько хотите.

Снова полосы, циферки, время назад, и опять Марта с Даниловым у порога, похожие на двух пингвинов. Один пингвин побольше, другой поменьше.

«Значит, камера «увидела» только нас. Больше никого не было. А мы — вот они, на пленке. Получается, что дом Тимофея Кольцова разгромили именно мы с Даниловым. Мы?!»

— Послушайте... — Марта потянула охранника за рукав. Она вдруг так заволновалась, что даже перестала прятать нос в спасительную шерсть даниловской дубленки. — Это ничего не значит. Это какая-то ерунда! Когда мы приехали, все уже было так, как сейчас. Вы слышите меня?

— Слышу, — согласился охранник с сожалением, как показалось Марте.

— Кассету можно было затереть, — предположил Данилов хладнокровно.

— Конечно. Только для того, чтобы ее затереть, нужно знать, что запись идет только с одной камеры. Кто мог об этом знать? Кроме наших ребят, которые здесь дежурят, никто. Ну и еще, конечно, кто здесь бывает часто, тоже, наверное, знает.

Данилов выдержал его взгляд совершенно хладнокровно.

— Я знаю, что запись идет только с одной камеры, — сказал он, нажимая на слово «я», — систему видеонаблюдения ставили при мне.

— Данилов, это чушь собачья! При чем здесь ты?! Нас с тобой в восемь утра подняла твоя мать, которая звонила из Парижа. Мы выпили чаю и приехали сюда. Мы не расставались ни на секунду. Если хотите, я могу поклясться на Библии. Хотите?

— Марта, не вмешивайся.

— Да я только!..

— Марта!

Тогда она повернулась и вышла, прижимая к себе его дубленку. Плечи были напряженно расправлены, подбородок задран — ах, как хорошо Данилов знал этот жест, полный судорожного достоинства! — стекло хрупало под подошвами ботинок.

Проводив ее глазами, Данилов и охранник столкнулись взглядами и разом отвели их.

— Можно я еще раз посмотрю кассету?

— Смотрите, конечно.

Однако Данилову показалось, что мальчик напрягся и как-то подвинулся, словно занимая более выгодную позицию на тот случай, если ему придется вступить с Даниловым в рукопашный бой.

Он вынул кассету и повертел ее в руках.

Кассета как кассета. Собственно, он сам не знал, зачем ему понадобилось смотреть ее, как будто на ней могла быть написана фамилия того, кто ее снимал.

«Две минуты сорок шесть секунд, корреспондент такой-то, оператор такой-то» — так пишут на профессиональных телевизионных кассетах. Данилов видел такие кассеты много раз, когда телевизионщики приезжали снимать его отца, а потом присылали кассеты со смонтированным «сюжетом». Мать всегда очень ревностно следила, чтобы ни одно свидетельство отцовской гениальности не было утрачено. «Свидетельства» занимали в их квартире отдельную комнату.

— А мы ее с начала смотрели?

— Вы нет, — пожал плечами охранник, — а я смотрел с самого начала. На скорости, конечно, потому что там все одно и то же — снег и козырек у входа. Ничего интересного. А потом появляетесь вы с... девушкой.

«Появляемся мы с девушкой и начинаем крушить и ломать дом. Резать гобелены. Сдирать покрытия. Потрошить шкафы. Вываливать густую краску на мозаичные теплые полы. Мы бьем по голове охранника так, что раскраиваем ему череп, и тащим его через кухню, и бросаем его истекать кровью, и перешагиваем через него, все еще живого, и продолжаем наше веселое занятие. Все это — мы».

Данилова затошнило.

Нервы, нервы. Все дело в нервах, Светлана Сергеевна. Он не справляется. Вы же видите, как он слаб. Можно попробовать принимать антидепрессанты, но вряд ли это поможет. Да и возраст, сами понимаете, такой критический. Шестнадцать лет, гормональный взрыв, им в этом возрасте никакие антидепрессанты не помогут. Жаль, конечно, очень жаль. Столько сил на него положили! Ну что ж поделаешь... По крайней мере, вы сделали все, что могли.

Ему шестнадцать лет. Он стоит голый, растерянный, ошеломленный, красный от стыда, и чувствует, что слезы вот-вот польются, но нельзя, никак нельзя, чтобы они полились, а врач все говорит, как будто рядом нет никакого голого Данилова. Он стискивает кулаки так, что больно пальцам. Он не должен стискивать кулаки, он должен беречь руки, для пианиста пальцы — самое главное.

Он уже не пианист. Играть он больше не будет.

Оп не справился. Он слаб. Его подвели нервы.

У матери ледяное, замкнутое, гордое лицо. Она не принимает сочувствия. Она не допускает никаких слабостей. Сын — слабак и неврастеник — ее не интересует. И правильно.

— Вы что, Андрей Михайлович?

— Ничего, все в порядке. — Данилов нагнулся и вытащил из-под стола большую коробку с кассетами. — Вы не знаете, это чистые или записанные?

— Не знаю.

Диме казалось странным, что Данилов задает какие-то вопросы, что-то все ищет, рассматривает, сохраняет важный вид. В то, что Данилов виноват, он не очень верил, но был убежден, что хлипкий архитекторишка уж точно разболтал какому-нибудь козлу, что проектирует дом для Тимофея Ильича Кольцова, и где этот дом, небось тоже разболтал, и как проехать к нему, а теперь делает вид, что ни при чем, оправдание себе ищет, преступника ловит!..

Успокойся, дядя. Мы и без тебя поймаем. Наделал дел, сиди и молчи, не вылезай лучше.

Кассеты оказались чистыми. Целая коробка чистых кассет. Интересно, куда деваются записанные? Отправляются «главному шефу» Дудникову, и он просматривает их на сон грядущий?

Данилов закрыл коробку и посмотрел на нее сверху. «BASF» было написано на коробке красивыми иностранными буквами. Видеокассеты «BASF».

Данилов еще посмотрел, а потом быстро перевернул ту, что была у него в руке. Так и есть. На кассете было написано «Sony».

— Эта кассета не из коробки, — сам себе сказал Данилов, — кассету, которая была в магнитофоне, заменили.

Дима приблизился и посмотрел на коробку и на кассету.

— Правда. — Данилову показалось, что голос его стал чуть менее самоуверенным, и удивление в нем было, и некоторая досада. — Зачем нужно было ее менять? Затереть гораздо проще.

— Затирать дольше, — возразил Данилов, — и ненадежно. Забрать ее с собой надежнее. Разрешите, я еще раз посмотрю.

— Пожалуйста, — согласился охранник растерянно.

Магнитофон заглотнул кассету, темный омут телевизора посерел, дернулся, побежали белые цифры. Данилов присел на корточки, почти уткнувшись носом в экран.

Он увидел это и весь взмок, шерсть свитера заколола шею. Он оглянулся на охранника, остановил пленку и перемотал назад.

— Смотрите. Видите?

— Что?

— Следы.

— Какие следы?

— Следы на снегу, — объяснил Данилов терпеливо, — вот мы с Мартой. Нас камера только что увидела. Мы стоим на углу. Она смотрит на дом. А вот следы. — Он остановил пленку и поднялся. Охранник дышал у него за плечом. — Все утро шел снег. Ночью, наверное, тоже шел, я точно не знаю. Человек, который приходил сюда до нас, оставил следы. Вот они. Видите? Прямо под козырьком. Значит, он уехал незадолго до нас, раз снег их не засыпал. Значит, именно его машину мы скорее всего видели в лесу.

— Какую машину?

— Не знаю. Я не рассмотрел. Какая-то темная машина, по-моему, иностранная. Может быть, Марта разглядела.

— Я пойду спрошу, — вдруг засуетился Дима, — она на улице?

Данилов посмотрел ему вслед.

Кажется, хоть одного человека он убедил в том, что здесь действительно кто-то был до них с Мартой. Впрочем, это не имело почти никакого значения. Сам-то он всегда знал, что не устраивал погрома в доме Тимофея Кольцова.

Охранник не возвращался, и Данилов понял, что у него неожиданно появилась возможность поискать среди чудовищного разгрома какие-нибудь вещественные доказательства, как называют их менты.

Данилов понятия не имел, что нужно искать. Можно, конечно, надеяться, что преступник в спешке уронил на пол свой бумажник с паспортом и визитными карточками. Или поставил подпись под бессмысленно-угрожающей фразой на стене. Сидоров Сергей Семеныч, дата и домашний адрес.

Зачем он написал: «Это только начало»? Зачем он вызвал Катерину и ее великого и могучего мужа? Почему не побоялся, что по этому звонку, да еще на мобильный телефон, всесильная охрана мигом отыщет аппарат, с которого звонили, а значит, и его владельца? Может, он украл этот аппарат или взял взаймы? Зачем такие сложности? Зачем он менял кассету, когда достаточно было ее просто вытащить и забрать с собой? Только для того, чтобы оставить на ней Марту с Даниловым? Почему охранник открыл ворота? Или тот человек, как Фантомас, явился в какой-нибудь маске, например, Тимофея Кольцова?

Отлично. Самое главное — правдоподобно.

Данилов ползал по полу, разгребая битое стекло.

Двадцать два стеклопакета, думал он неотвязно. Двадцать два. Временные рамы стояли на всех окнах второго этажа, и предстояло еще стеклить отдельный флигелек, где помещались баня, тренажерный зал и маленький бассейн. Стеклить теперь будет нечем. Придется заказывать все снова, ждать, привозить, и вряд ли Тимофей Ильич согласится платить по второму разу.

Это ваши проблемы, и вы сами должны их решать.

Данилову было жалко не столько денег — хотя и их тоже! — сколько усилий, хлопот, многочасовых объяснений с мастерской, которая работала только по каким-то железным стандартам, а их стандарты Данилова не устраивали.

Ничего не было в кучах битого стекла — ни визитных карточек, ни бумажника с адресом, — только островки чужой подсыхающей крови, от запаха которой все внутренности завязывались в узел.

Данилов дополз почти до стены, когда разглядел в осколках что-то желтое, блестевшее не режущим стекольным блеском, а мягким, как будто масляным. Он посмотрел, стараясь не шевелить ладонями, которые от стеклянной пыли чесались и кое-где кровоточили, и ничего не понял.

Это были мелкие камушки — или крошки от камушков, — прозрачно-золотистые, похожие на янтарь. Откуда тут янтарь?

Дернуло сквозняком, послышались шаги, Данилов проворно сгреб крошки и сунул в карман. И торопливо выпрямился. На брючных коленях блестела въедливая алмазная пыль.

За Димой тащилась Марта с даниловской дубленкой в обнимку, как будто решив никогда с ней не расставаться.

— Ну что? — спросил Данилов.

— Я не разглядела машину, — сказала Марта расстроенно. — Помню, что темная, и все. Мы же ее только сбоку видели и сзади. Я же говорила тебе, что это какая-то подозрительная машина!.. А ты — свидание, свидание!..

— Ничего не нашли? — поинтересовался проницательный Дима, рассматривая даниловские колени. Данилов покачал головой.

— Ничего. Марта, ты можешь положить эту дурацкую дубленку.

— Мы оставили тебе кофе, — сообщила Марта, — и от яблока я только один раз откусила.

— Иди и доешь, — распорядился Данилов. — Дима, давайте все сначала. Что нужно искать? Вы же работали в милиции, вы должны знать.

Дима понятия не имел, что нужно искать, но в этом невозможно было признаться. Он ведь и вправду работал в милиции. Целых восемь месяцев.

— Сейчас наши приедут, — сказал он тоскливо, — давайте лучше их подождем.

Данилов кивнул.

Снег летел, и он чувствовал, что должен куда-то бежать и что-то делать там, куда прибежит, но он никогда не знал, куда бежать и что делать.

Ему прислали записку, что он виноват. И дом разгромили потому, что он виноват.

Конечно, виноват. Кто же еще виноват, если не он?

Он знал, за что его наказывают.

Он не знал только одного — кто именно.

На этот раз ему снилось, что его топят в ванне, наполненной разноцветной краской.

Языки краски, не перемешиваясь, затекали друг на друга, исходили тяжкой вонью, и Данилов знал, что непременно захлебнется, и даже чувствовал во рту холодную тягучую жижу, химический смертельный вкус. Он знал, что сзади стоит тот, кто заставит его наглотаться вязкого дерьма, кто не даст ему отступить, убежать, спастись, и он не может оглянуться, чтобы посмотреть, кто это, но почему-то для него это очень важно — знать, кто.

Озеро краски было все ближе и ближе, и желудок уже не помещался внутри тела, вылезал наружу, а Данилов все еще сопротивлялся, все еще пытался спастись, вывернуться, хотя отчетливо представлял себе, как глотает эту краску, потому что ему нечем дышать, как она затекает ему в легкие, выедает глаза и внутренности.

Кашляя, он сел на разгромленной постели.

Нет никакой ванны с краской. Никто не стоит за спиной с пистолетом и не заставляет его лезть в нее.

Он дома, в своей постели, в полной безопасности. Просто ему приснился кошмар. Ему часто снятся кошмары, и сейчас приснился.

Ничего страшного. У него не в порядке нервы. Он истерик и слабак. С этим вполне можно жить. По крайней мере, он почти научился.

Подушки валялись на полу. Одеяло сползало белым больничным краем. Где могут быть сигареты?

Свесив голову с кровати, Данилов внимательно рассмотрел пол. Сигарет не было. Он побросал за спину подушки, подтянул край одеяла и опять свесился.

Нет сигарет.

Данилов посмотрел на часы. Восемь утра, воскресенье.

Где в восемь часов утра в воскресенье он найдет сигареты?! Наверное, даже ночные ларьки у метро закрыты. Ларечники тоже должны когда-то спать.

Он пропадет без сигарет.

Сегодняшний кошмар был каким-то на редкость иезуитским и... неправдоподобно реальным. Данилов не знал раньше, что сны могут быть такими реальными. Все из-за того, что какие-то неизвестные придурки вчера разгромили дом Тимофея Кольцова. Слава богу, охранник жив. Если бы он умер, у Данилова не было бы другого выхода, как только помереть вместе с ним.

Сознавать до конца жизни, что погубил двух человек, такой слабак, как Данилов, не смог бы.

Сигареты нашлись в гостиной, куда Данилов притащился, чтобы выпить воды. Холодная вязкая химическая жижа из кошмара болталась в желудке вполне реально и осязаемо.

Он выпил воды — привозная родниковая вода отчетливо отдавала краской, — поморщился, контролируя себя, чтобы не пришлось стремглав бежать к унитазу, и осторожно закурил. Тут дело пошло веселее. Привычный сухой и душистый дым помог. В голове немножко расступился мрак, и в желудке улеглось.

Медленно, как старик, Данилов пристроил себя за стол и вытянул длинные ноги.

Зазвонил телефон. Сигарета как будто сама по себе дрогнула у него в пальцах, выпала и покатилась по столу. Данилов почему-то с ужасом проводил ее глазами.

Кто может ему звонить?!

Кто может звонить ему в восемь утра в воскресенье?!

Мать звонила вчера. Воскресенье — это не ее день. Просто так — не по графику — она никогда не звонила.

Лида? Секретарша из офиса? Служба безопасности Тимофея Ильича Кольцова, установившая несомненную причастность Данилова к разгрому? Номером ошиблись?

По сантиметру, как в замедленной съемке, Данилов протянул руку и снял трубку.

— Да.

— Данилов, почему у тебя голос, как будто ты только что восстал из гроба?

Облегчение, как будто вырвавшееся из трубки, дунуло ему в лицо.

Ну конечно! Только один человек мог звонить ему «просто так» в восемь утра в воскресенье.

«Я звоню тебе просто так», — всегда говорила она.

Какое счастье, подумал вдруг Данилов, что у него есть Марта, которая звонит «просто так».

— Тебе не приходило в голову, что по утрам в выходной люди могут спать?

— Ты что, — насторожилась Марта, — с Лидой? Тогда ты извини меня, Данилов, я не хотела. Я просто подумала, что после вчерашних приключений ты вряд ли спишь, и решила, что если я позвоню...

Данилов улыбнулся, прижимая трубку плечом, дотянулся до тлеющей на столе сигареты и тщательно затушил ее в пепельнице.

— Марта, — сказал он стрекочущей трубке, — я один. Как ты себя чувствуешь?

— А ты себя?

— Хорошо, спасибо. Наше вчерашнее приключение прошло без последствий?

Марта пришла в раздражение, и ухо Данилова моментально это уловило.

— Когда ты выражаешься, как учитель литературы, мне охота тебя укусить. Какое приключение ты имеешь в виду, Данилов? Как ты тряпкой рану на голове затыкал тому бедолаге? Или как нас лицом к стене выстроили? Или как ты по стеклу ползал, а меня рвало? Что именно из этого «приключение»?

— Я просто хотел узнать, — невозмутимо продолжал Данилов, — как ты себя чувствуешь после всех потрясений.

— После всех потрясений я чувствую себя ужасно. Спать не могла. Сначала читала, а потом смотрела телевизор. Показывали какую-то дикость. В твоем духе, Данилов. Очень стильно и концептуально. Про извращенцев.

— А читала что? — Данилов достал еще одну сигарету и закурил.

Как хорошо, что она догадалась позвонить. Просто так.

— «Дневник Бриджит Джонс». Это модный английский роман.

— Стильный и концептуальный?

— Женский.

— Про любовь?

— Про то, как после новогодних праздников невозможно влезть ни в одну юбку, на работе не дают повышения и любовник бросил. Остался единственный друг, но он гомосексуалист.

— Я твой единственный друг, — объявил Данилов, — и я не гомосексуалист.

— Мне повезло.

— Зачем ты звонишь?

— Я думала, что ты там совсем пропадаешь, Данилов. Ты у нас натура утонченная, где-то даже нежная. Я решила выразить тебе солидарность и поддержку.

— Спасибо. — Упоминание о нежности и утонченности ему не понравилось.

— Ты уже что-нибудь надумал?

— Пока ничего. Но я... мало думал. У меня почти не было времени.

— Слушай, я совсем забыла про бальные танцы! Как они прошли?

Данилов секунду молчал.

— Все хорошо. По крайней мере, Лида так сказала. Насколько я понимаю, самое главное в бальных танцах — это зрители. Зрителей было много, и все нужного уровня.

— А шоу?

— Красиво, наверное, — оценил Данилов, — черт его знает.

— Так красиво или черт его знает?

— И так, и так.

— А почему ты не привез Лиду на ночь?

— Марта, это совсем не твое дело.

— Не мое, — согласилась Марта со вздохом, — конечно, не мое. Так почему ты не привез ее на ночь?

— Потому что мне было не до нее. Мне нужно было подумать. Хотя я так ничего особенного и не надумал.

— И она тебя отпустила?

Данилов улыбнулся, представляя, как Марта сидит в пижаме на своей узкой кушеточке — кажется, это называется «полутораспальный диван», стильная вещь конца шестидесятых. Марта сидит, скрестив ноги в толстых белых носках, и на одеяле у нее разложены пульты от телевизора и музыкального центра, а на полу рядом с кушеточкой крошечный мобильный телефон, и вчерашний женский роман, и какой-нибудь «Business Weekly», принесенный с работы, чтобы посмотреть в выходные. Волосы у нее торчат в разные стороны, и пятно на щеке — на той, что касалась подушки, — и облезлый медведь, из которого сыплется желтая поролоновая труха, привалился к стене.

— Данилов, ты что? Уснул?

— Нет. Я не расслышал.

Марта опять вздохнула, понимая, что отвечать на ее вопросы о Лиде он не станет, а будет старательно уводить разговор, тянуть и мямлить. В некоторых вопросах он был удручающе предсказуем.

— Я спрашиваю, что ты надумал? Ну, про все эти дела.

— Да почти ничего. Есть два момента. Первый — зачем прислали записку. Ну, что пощады не будет. Я вообще не очень понимаю ее назначения. Зачем?

— Может, чтобы ты испугался?

— Чего?

— Ну, вот как раз этого — что пощады не будет.

— Какой пощады? Марта, если речь о смерти моей жены, то я... не убивал ее.

— Я знаю.

Марта знала не все.

А тот человек знал. Знал, что во всем виноват Данилов.

Откуда?! Откуда он мог об этом знать?! Даже Марта об этом не знала.

— Это очень странно. Зачем ее прислали? Да еще

нам обоим. Какое-то абсолютно нелогичное действие.

— Хорошо тебе, Данилов, ты всегда абсолютно логичен в своих действиях. А этот... псих вполне может быть и нелогичен.

От этого слова — псих — Данилову вдруг стало зябко, как будто по комнате прошел холод. Данилов даже видел, как он прошел — ледяным ветром мазнуло по полу, шевельнулась белая штора, струйка дыма исчезла над сигаретой, прихваченная невесть откуда взявшимся морозом.

— Почему ты решила, что он псих?

— Как почему? — удивилась Марта. — Разве человек в здравом уме и твердой памяти станет громить дом Тимофея Кольцова и бить по голове его охранника?! И еще писать на стенах какие-то послания?!

— Да, — согласился Данилов, чувствуя, как ему холодно, — надпись на стене — это непонятный момент номер два. После записок.

— Как номер два, — опять удивилась Марта, — почему номер два?! А налет на дом — это какой номер?

— Никакой, — тихо сказал Данилов, — в истории с домом ничего непонятного нет.

— Как?!

— Так. Дом разгромили, чтобы застать меня на месте преступления. Все логично. Я пока не представляю себе, что можно было изобрести, чтобы заставить охранника открыть ворота, но что-то было изобретено. Мало того, что он открыл ворота, он еще дал этому неизвестному дойти до кухни! От входной двери до того места, где его ударили, далеко. Почему охранник позволил ему спокойно идти почти сто метров? Почему повернулся спиной? Как вообще все это было?

Данилов закрыл глаза.

Дом — его дом! — был еще цел, приветлив и оживлен. Это лучшее время для дома, когда он только что

построен или отремонтирован, и его пока не загро-
моздили вещами, коврами и тряпками на окнах, когда
он просторен, свободен, когда он пахнет смолой,
скипидаром, свежей штукатуркой и снегом, потому
что постоянно приходится открывать окна, чтобы напоследок что-нибудь еще втащить или померить по-
доконники и рамы.

Во двор въехала темная машина — охранник
впустил ее. Из нее вышел человек, и пошел к входной
двери, и открыл ее, нажав на латунную ручку, вделан-
ную в толстое тонированное стекло. Он открыл дверь,
сделал шаг и остановился на пороге, внимательно и
сосредоточенно оглядываясь, привыкая к теплу и за-
паху этого нового дома, намечая свой разрушитель-
ный маршрут. Вокруг было так, как он и предполагал, — спокойно и пусто. Немного мешал охранник,
но через несколько секунд он больше не будет мешать.

Человек еще постоял и пошел через гостиную к
двери на кухню, нащупывая в кармане то, чем он ударит по голове. По мягким и податливым человеческим костям. Или он все время держал это в руке?

Он дошел до кухни и увидел парня в джинсах и
синей майке. Парень собирался пить кофе.

— ...Данилов!!!

Лоб и шея были мокрые. Рука, державшая сигарету, сильно тряслась.

Неврастеник, урод.

— Данилов, ты что? В обмороке?

Это была почти правда, и ему стало так стыдно,
как будто он снова стоял трясущийся и голый посреди
комнаты, а медицинское светило утешало его мать:
ну-ну, вы-то сделали все, что могли, это он не справляется. Все дело в нем.

— Я не в обмороке, Марта. Я просто... подумал о
другом. Отвлекся.

100

— Ну да, — недоверчиво согласилась Марта, — отвлекся.

Они помолчали, думая друг о друге.

Марта вытянула ноги в толстых белых носках и привалилась спиной к трухлявому поролоновому медведю — отец купил его маме, когда родилась дочь, то есть Марта.

Данилов поднялся из-за стола, аккуратно нажал кнопку на чайнике, достал салфеточку, расстелил ее на столе — строго параллельно краю — и поставил китайскую кружку с крышкой в виде пагоды. Крышка звякнула, когда Данилов ставил чашку, и он недовольно поморщился.

— Завтракать собираешься? — спросила Марта из трубки. — А я еще лежу.

— Откуда он мог знать, что в доме никого нет?

— Что?

— Откуда он мог знать, что он не застанет там меня, например?

— Кто?

— Тот, кто устроил погром. Откуда он знал, что я приеду не к девяти утра, а к началу одиннадцатого? Откуда он вообще узнал, что я приеду? Вся декорация имеет смысл только в случае моего присутствия в ней. Если бы я не приехал, заставать на месте преступления было бы некого. Откуда он узнал?

— Да, — согласилась Марта, и Данилов почувствовал, как она заволновалась, — все правильно. Кому ты говорил, что собираешься в субботу на стройку?

«Тебе, — подумал Данилов. — Я сказал об этом тебе. Больше мне говорить было некому».

— Какие у тебя планы, — спросил он быстро, — что ты будешь делать?

— Дел у меня полно, — ответила Марта с досадой, — я целую неделю ничем не занималась. У меня в выходные все время одни и те же планы — постирать, приготовить и перегладить то, что постиралось. Так кому ты говорил, Данилов? Может, этой своей дуре, которая вечно отвечает, что ты уже уехал, а потом еще не приехал?

И тут Данилов вспомнил.

Ну конечно.

Он предупреждал секретаршу, что в субботу поедет посмотреть на дом. Он сказал ей об этом в пятницу, уезжая. Она собиралась в субботу работать «в счет отгула». Данилов не возражал. Он никогда не возражал. Ему было все равно, в счет или не в счет, секретарша была ему нужна в основном «для плезиру», как это называла Марта, — какой же офис без секретарши! Даже на телефонные звонки Данилов предпочитал отвечать сам.

— Я действительно предупредил Ирину, — сказал Данилов, соображая. Ириной звали секретаршу. — Спасибо, что ты мне подсказала, Марта. Извини, я должен срочно позвонить.

— Хочешь, я к тебе приеду, — предложила Марта, изо всех сил надеясь, что он согласится, — прямо сейчас?

— А стирка и глажка?

— Пошел к черту.

— Нет, — отказался Данилов, и Марта моментально почувствовала себя собакой, которую оставили на платформе, а поезд уже тронулся, — спасибо, Марта.

Опять — спасибо, Марта!

— Пожалуйста, — пробормотала она. Еще немного, и она заплачет — то ли из-за гормональных изменений, связанных с беременностью, то ли из-за того, что впереди маячит еще одно уборочно-постирочное воскресенье, унылое до боли в зубах, то ли из-за того, что у ее ребенка — бедняжки! — никогда не будет настоящего отца, то ли из-за того, что она совсем не нужна Данилову и знает об этом, так нет же — навязывается, пристает, предлагает себя в компаньоны.

102

Зачем?!

— Я тебе вечером позвоню, — пообещал Данилов, как показалось Марте, чтобы отвязаться от нее.

— Угу, — согласилась она и положила трубку.

Свою трубку Данилов сунул в гнездо зарядника и стал готовить себе завтрак — йогурт, сыр, хлебцы из холодильника, — время от времени посматривая на телефон.

Почему Марта в последнее время то и дело сердится на него? Что изменилось? Они устали друг от друга или это подготовка к тому, что будет впереди?

Впереди будет непонятный ребенок, папа-Петрысик, «на тот большак, за перекресток» по праздникам, разговоры по телефону сначала раз в три дня, потом раз в неделю, а потом — на каждый Новый год. Все хорошее позади. Все хорошее кончилось.

На дачу Тимофея Кольцова Данилов приехал с Мартой, чего тот человек не мог предугадать. Данилов пригласил Марту в самый последний момент, утром. Накануне он даже не знал, что она опять собирается ночевать у него. Она часто приезжала без предупреждения, чего он терпеть не мог.

Пусть бы лучше приезжала без предупреждения, чем без предупреждения забеременела непонятно от кого! От орангутанга, который говорит «женский фактор» и еще «ихнее дело».

«Ну, это ихнее дело, не наше!» — так обычно комментировал орангутанг выступление по телевизору какого-нибудь иностранца по какому-нибудь иностранному вопросу.

— Не наше, — вслух сказал Данилов.

Звонить было еще рано, зря Данилов сказал Марте, что должен срочно позвонить. Даже когда он допил свой чай из китайской кружки и догрыз холодную и жесткую пластинку хлебца — знать бы, зачем он держит их в холодильнике?! — звонить было все еще рано.

Данилов поставил в посудомоечную машину свою кружку, тарелку из-под сыра и положил ложку. Весь набор в машине выглядел как-то неубедительно, и Данилов задвинул хромированную панель, решив, что помоет посуду после обеда, всю сразу. Ему даже в голову не приходило ополоснуть тарелку и кружку под краном.

Есть правила, им нужно следовать. По правилам его жизни посуду моет машина.

Готовясь к разговору с собственной секретаршей, Данилов достал записную книжку и ручку — чтобы ничего не упустить. Почему-то он думал, что она непременно продиктует ему целый список имен тех, кто интересовался, как Андрей Данилов собирается провести субботнее утро.

Будет список, и методом дедукции Данилов вычислит необходимое.

Имен оказалось три.

Переполошившаяся секретарша, застигнутая Даниловым в разгар утренних воскресных баталий с ребенком и мужем, долго и мучительно соображала, чего от нее хочет шеф, шикала в сторону на ребенка и руководила действиями мужа — «сними, сними сковородку!» — и, вернувшись к трубке, в которой молчал Данилов, так же мучительно вспоминала, кто именно интересовался им в пятницу вечером.

— Знаменская звонила, — наконец выдала она с неизбывной тоской в голосе, — а больше вроде никто...

— Вроде или никто? — холодно переспросил Данилов.

Знаменская не могла совершить налет на дачу Тимофея Кольцова. Она была тучной, очкастой, одышливой дамой — то ли академиком, то ли членом-корреспондентом. Проводив детей в благополучное заокеанье, она на свободе перестраивала квартиру на Ленинском проспекте и звонила Данилову в офис по

104

четыре раза в день — сообщала все новые идеи, почерпнутые из журналов. Говорила она прокуренным баритоном, виртуозно управлялась с неформальной лексикой, на чем свет стоит поносила коммунистов вкупе с демократами, а заодно и академическое начальство. Данилову она нравилась. Идеи из журналов он выслушивал, непременно одобрял и продолжал делать все по-своему.

«Как это вы ес не боитесь? — спрашивал у него нервный, замученный бригадир строителей. — Она же танк. Как наедет, так и раздавит».

Данилов был совершенно уверен, что на него Знаменская не наедет.

— Кто еще звонил, Ира?

Опять какое-то активное шевеление, означающее, очевидно, что сковородка до сих пор не снята.

— Лидия Сергевна звонила! — наконец радостно выпалила секретарша. — Она звонила, когда вы уже уехали, и спрашивала, будете ли вы завтра на работе! Я сказала, что вы с утра собирались на Рижское шоссе! Точно, да!

Это тоже Данилову не подходило.

— Больше точно никто не звонил?

— Да нет вроде... Или кто-то... Да, Андрей Михайлович! Еще звонил ваш родственник.

Данилов вдруг подумал, что отец. Это была странная мысль, потому что отец никогда ему не звонил, тем более на работу. Для отца он тоже был неудачным проектом, ошибкой, о которой следовало забыть, но которая — как все постыдные ошибки — то и дело напоминала о себе.

— Какой родственник?

Ира удивилась, даже пришла в некоторое замешательство.

— Ковалев Вениамин. Он вам всегда звонит. Он в пятницу звонил, уже довольно поздно, и ему я тоже сказала...

Вениамин?! Позавчера вечером ему на работу звонил Вениамин Ковалев и секретарша сказала ему, что он с утра собирается на дачу Тимофея Кольцова?!

— Что-то случилось, Андрей Михайлович? — Секретарша, приободрившись от сознания выполненного долга и собственного профессионализма, теперь надувалась любопытством, как воздушный шар гелием. Того и гляди полетит.

— Все в порядке, — уверил ее Данилов холодно, — просто у меня не работает мобильный телефон. Я хотел узнать, не было ли чего-то срочного.

От такой прозы жизни воздушный шар лопнул, и любопытство улетучилось в атмосферу.

— Срочного ничего не было.

— Я уже понял, спасибо.

Итак.

Академик Знаменская. Кажется, как раз в пятницу в Кремле ее награждали орденом «За заслуги перед медициной и в связи с шестидесятилетием». Данилову она звонила скорее всего для того, чтобы в тридцать восьмой раз пригласить на банкет. Предыдущие тридцать семь приглашений Данилов отверг вежливо, но твердо.

Лида. Лидия Сергеевна. Она вернулась с «просмотра площадок» для предстоящего папочкиного юбилея и искала Данилова, чтобы договориться о совместных бальных танцах. Странно только, что она спрашивала у секретарши о его планах на субботу, хотя вполне могла спросить у него самого, когда вечером позвонила ему домой.

Вениамин Ковалев.

Данилов достал из холодильника бутылку минеральной воды, налил в стакан и залпом выпил. Вода была очень холодной. Такой холодной, что заломило небо.

Значит, звонил Веник, и секретарша Ира рассказала ему, где он сможет найти Данилова в субботу утром. Отлично.

Данилов аккуратно поставил запотевший стакан в посудомоечную машину, сел к столу и закурил, подвинув приготовленный бесполезный блокнотик.

Вениамин Ковалев был братом его жены. Единственный человек из той жизни, оставшийся в этой. Марта не в счет. Марта была, есть и будет всегда.

Или не будет?

Марта придумала это дикое имя — Веник, — и Данилов стал звать его Веником. Вениамина это просто приводило в бешенство, но ничего поделать уже было нельзя. Он стал Веником на веки вечные. Хуже всего было то, что это имя ему очень подходило. Гораздо больше, чем Вениамин.

Семья жены так и не простила Данилова. Но Веник был единственным, кто его не только не простил, но и не уставал напоминать, как он виноват.

Конечно, он виноват. Кто же виноват, если не он?

Данилов посмотрел на свою сигарету. Теперь нужно выяснить, где были все трое подозреваемых в момент совершения преступления — так положено делать по законам жанра.

Знаменская скорее всего спала после банкета. Лида делала массаж — маникюр, педикюр, маску из грязи Мертвого моря, обертывание водорослями Красного моря — или тоже спала. Она не любит рано вставать.

Женщина может позволить себе все, что угодно, кроме отсутствия вкуса или распущенности, так говорила даниловская мать. Проваляться в кровати до одиннадцати — это верх распущенности. Интересно, она знает, что Лида спит до полудня?

Данилов с силой вдавил в пепельницу сигарету.

О чем он думает?!

Он должен выяснить, у кого из них есть... как оно называется?.. которое обязательно должно быть у каждого уважающего себя преступника из детектива?.. Оно должно быть с самого начала, и только в самом конце выяснится, что оно подстроенное!

Да. Вспомнил. Алиби, вот что.

Лида и Знаменская ни при чем, конечно.

Даже если напрячь все имеющееся у Данилова воображение, невозможно представить себе Лиду, бьющую по голове здоровенного охранника. Она даже подачу в теннисе взять не может — такая нежная, хрупкая и слабосильная. Знаменская и вовсе отпадает.

Остался Веник. Один-единственный из всего «списка подозреваемых».

Если нету денег, вспомнил Данилов незамысловатые утехи «Русского радио», привяжите сзади веник. Бегите и метите. Наметете — приносите.

«Русское радио» всегда слушала Марта.

Нужно звонить. Нужно взять себя в руки, перестать думать невесть о чем, снять трубку и набрать номер. Нужно сделать это прямо сейчас и не малодушничать.

Ах, как Данилову не хотелось звонить!..

Тимофей Кольцов дал ему десять дней, чтобы разобраться в ситуации. Сегодня этих дней осталось уже девять, а завтра, согласно законам арифметики, станет восемь. Тимофею Кольцову нет дела до того, что Данилов слабак и трус. Если Андрей не найдет человека, который разгромил его дом, это будет означать, что виноват сам Данилов. По крайней мере, для Тимофея Кольцова.

Для Данилова это будет означать, что жизнь кончилась, не говоря уж о работе.

Он решительно вытащил трубку из гнезда и набрал номер. Он знал этот номер наизусть. Даже если он больше никогда в жизни его не наберет, все равно будет помнить его — через тридцать лет или пятьдесят.

Гудки уныло возникали из тишины и пропадали в

тишину, и Данилов приободрился. Может, его дома нет, этого чертового Веника?!

— Да, — разорвав тишину, сказал заспанный голос, — слушаю, але!..

— Это я.

— А еще пораньше ты не мог позвонить? Часов в шесть?

— Доброе утро, — вежливо сказал Данилов.

— Да пошел ты!

— Веник, зачем ты звонил мне в пятницу? Мне секретарша только сейчас сказала, что ты мне звонил.

— Ну и дура. Я ей велел, чтобы ты мне сразу перезвонил.

— Я не вернулся на работу, она ничего не могла мне передать. Зачем ты меня искал?

Что-то засопело и завозилось, как будто Веник на том конце пытался втиснуться в трубку. Данилов ждал.

— Я... увидеться с тобой хотел, — наконец сказал Веник. — А?

— Что-то срочное?

— Срочное, не срочное, а увидеться надо.

— Веник, что случилось?

— Мать опять в больнице, — сообщил Веник довольно равнодушно, — в четверг увезли.

— Что нужно? Врачей? Денег? В какой она больнице?

— Ты же знаешь, — ответил Веник вкрадчиво, — что от тебя она ничего не примет.

— Знаю, — согласился Данилов.

— Тогда чего благородство-то изображать? А?!

Это был вечный, нескончаемый, опостылевший Данилову разговор — все о том, что он виноват.

— Я не изображаю благородство. Я спрашиваю, чем могу помочь. Ей ведь не обязательно говорить о моем участии.

Мало того, что он должен был помогать, он еще должен был спрашивать разрешения, договариваться, умолять, чтобы ему позволили помогать.

— Давай встретимся, — предложил Веник великодушно, — все обсудим. Ты подъезжай. Только не сейчас, а так через часок. А то я лежу еще.

Никто никогда не разговаривал с Даниловым таким тоном. Никто не смел ему сказать «ты подъезжай». Даже мать, потеряв к нему интерес, разговаривала равнодушно, но достаточно сдержанно.

Данилов осторожно разжал руку и посмотрел на свои пальцы. Пальцы как пальцы, ничего особенного.

— Зачем мне приезжать, Веник? О чем ты хотел со мной поговорить?

— Ты приезжай, приезжай. Только не спеши, говорю! И сигарет привези мне.

— Где ты был вчера утром? — спросил Данилов, внимательно рассматривая свои пальцы.

— Что за вопрос? — удивился Веник. Он снова завозился, утаптывая место для спячки, и даже как будто зевнул.

В этот момент Данилов его ненавидел.

— Веник, что ты делал вчера утром?

— Не помню, а что? Спал, наверное. Да, точно спал. Мы в пятницу на работе накатили малость, я и...

Данилов понятия не имел, врет он или говорит правду. И понятия не имел, как это можно проверить. В кино это делают как-то очень ловко, а как это сделать не в кино?

Положив трубку, Данилов подошел к высоченному окну и, поднявшись на цыпочки, открыл форточку. Обрадованный ветер вломился в комнату, надул штору, бросил ее Данилову в лицо. Он отлепил штору от лица и посмотрел вниз.

Надо же, сколько снега. Еще только конец ноября, а снег завалил Последний переулок так по-зимнему безнадежно, что казалось, он больше не растает никогда.

Неужели весна придет?

Придет весна, и Данилов будет жарить шашлыки

в Кратове, на просторном запущенном участке, где вдоль замшелого забора растет сирень и бузина, и важная хитрая ворона расхаживает по крыше, примеривается утащить кусок мяса из кастрюли, заблаговременно вынесенной на узкое крылечко, — сколько Данилов помнил себя на этом участке, столько помнил эту ворону. Марта сидит на лавочке, болтает ногами, рассказывает о работе и о том, что начальник в последнее время совсем спятил, и нетерпеливо принюхивается и спрашивает, скоро ли будет готово, а Надежда Степановна, ее мать, говорит с террасы: «Андрей, возьмите рукавицы, вы обожжетесь. Марта, помнишь, как Михал Семеныч привез с охоты какого-то дикого мяса и варил у нас плов? Воняло ужасно. Потом они с отцом котел перевернули и сильно обожглись».

Данилов слушает, и солнце греет его ухо, и хитрая ворона боком подскакивает все ближе, и так ему хорошо, что ничего лучшего, кажется, и не надо в жизни.

Скорее всего этой весной шашлыки на участке у Марты будет жарить Петрысик, а Данилова, может быть, даже и не позовут.

Он засмеялся над собой и захлопнул форточку. Он никогда не умел жалеть себя и, если случалось пожалеть, сильно этого стеснялся. Даже перед самим собой стеснялся.

Значит, нужно ехать к Венику.

Нужно ехать к Венику, но не слишком быстро, потому что тому охота еще доспать, а по дороге нужно купить ему сигарет.

Очень мило.

Жаль, что нет Марты. Если бы она была, то непременно разразилась бы речью о том, что Веник — козел и Данилов ничуть не лучше, раз позволяет какому-то уроду так помыкать собой. Данилов слушал бы ее, морщился, останавливал, но она бы все равно долго и запальчиво поносила Веника и тем самым тешила бы даниловскую душу.

Марта Веника терпеть не могла и никогда этого не скрывала.

Как проверить, что делал Веник вчера утром? Как узнать, где он был?

Самое главное — зачем ему громить дом Тимофея Кольцова, а перед этим еще посылать какие-то дикие записки о том, что «убийца должен быть наказан»?

Данилов давно и прочно проникся сознанием собственной вины, и Венику было об этом известно лучше, чем кому бы то ни было.

Тут неожиданная мысль поразила Данилова. Только он уверился, что вполне может рассуждать, как заправский детектив, и даже в роль начал входить, и тут — эта мысль.

«С чего ты взял, — спросил себя Данилов, — что погром на даче мог устроить кто-то из тех, кто звонил в офис в пятницу?» Как это вообще связано со звонками в офис? Да, три человека — академик Знаменская, подруга Лида и родственник Веник — знали, что Данилов с утра в субботу собирается на дачу Тимофея Кольцова. Нет, четыре — еще секретарша Ира. Нет, пять — еще Марта.

А Саша Корчагин? Он приехал в пятницу после обеда и все время оставался на рабочем месте, следовательно, мог слышать, что Данилов собирается делать в субботу утром. А Таня?

Весь персонал даниловского офиса состоял из четырех человек — Саша, Таня, сам Данилов и секретарша Ира, нанятая потому, что Таня с Сашей, очень озабоченные вопросами собственного статуса, каждый телефонный звонок, на который они должны были отвечать, воспринимали как личное оскорбление.

«Я не секретарша», — говорила Таня обиженно, когда Данилов просил ее напечатать какую-нибудь бумажку.

«Я не курьер», — объявлял Саша, когда Данилов просил эту бумажку куда-нибудь отвезти, и усаживался за свой компьютер с необыкновенно деловым видом.

Данилов сам отвечал на звонки и отвозил бумажки, и его эти несложные процедуры нисколько не оскорбляли. Он бы и продолжал в том же духе, но в последнее время ему стало совсем некогда. Секретарша Ира тоже имела совершенно определенные понятия о том, что она должна делать, а чего не должна, поэтому кофе Данилов варил себе сам, мыл каждый вечер в туалете чашки и пепельницы и после больших проектов ползал по полу, раскладывая по серому ковролину бумаги — нужные налево, ненужные направо.

Значит, еще Саша, Таня и Ира.

Звонить им? Спрашивать, что они делали в субботу утром, и потом проверять, правду ли они сказали? Ире, например, он только что звонил и, кажется, поверг ее в глубокое уныние, не говоря уж о том, что семейная яичница явно сгорела. Во что он повергнет свою бедную секретаршу, если спросит, где она была в субботу и не писала ли записок о том, что шеф — убийца и должен быть наказан?

Да как же, черт побери все на свете, работают ловкие до невозможности детективы в романах?

Иногда Данилов читал детективы. Однажды Марта нашла на полу книжку про убийства и издевалась ужасно: поминала Кастанеду, толковала про литературный мусор и «разруху в головах». Предполагалось, что тонкий и хорошо образованный Данилов «про убийства» читать не может, а только исключительно «про что-нибудь высокое», а Марта позволяла себе и детективы, и любовные романы, и Гарика Сукачева, и сериал «Друзья» по воскресеньям.

Друзья, друзья... У Данилова нет никаких друзей, кроме Марты. Он и повез ее на эту чертову дачу потому, что ему больше некому было показать свою работу, не перед кем похвастаться, и хотелось получить одобрение именно Марты.

Пора перестать думать о Марте. Пора подумать о том, что у него есть «из улик», как это называлось все в тех же романах.

Записка — одна, та, что была прислана Марте. Свою — Данилов усмехнулся — он отдал охраннику Диме для представления шефу. Видеокассета «Сони», вставленная в магнитофон вместо кассеты «BASF». Следовательно, «BASF» остался у преступника — железная логика.

Найдите человека с видеокассетой «BASF» в портфеле, он-то и будет злодеем.

Иронизировать легко, но искать-то все равно придется!

Надпись на стене, сделанная голубой краской: «Это только начало». Какое начало? Начало чего? Зачем это написали? Для кого это написали — для Данилова или для службы безопасности Кольцова? Или для самого Кольцова?

И еще.

Данилов сел за стол и притянул к себе плоскую деревянную тарелочку, крошечную, разукрашенную резьбой и узорами, — родительский подарок то ли к дню свадьбы, то ли к дню рождения. На желтом дне болталась янтарная пыль.

Данилов высыпал ее на стол, получилась небольшая горка. Он потрогал горку пальцем. Откуда на полу в доме Тимофея Кольцова мог взяться янтарь? У охранника был брелок с янтарем или это потерял преступник?

Что за машина выехала им навстречу с заброшенной дороги? Имеет эта машина отношение к делу или нет?

Как же это у них получается, у лихих сыщиков из книжек и кино?

Есть пять подозреваемых. Данилов поморщился и закурил.

Лида, Знаменская, Веник, Ира, Саша и Таня.

Лида и Знаменская не в счет. Или... в счет?

Он очень рассердился на себя, с преувеличенной осторожностью ссыпал крошки обратно на крохотную тарелочку и вернул тарелочку на полочку. И аккуратно потушил сигарету, выбросил окурок и ополоснул пепельницу.

Все должно быть в порядке. Правила есть правила. Пора собираться и ехать.

Данилов собирался к Венику очень долго, старательно растягивая ставшее резиновым время. Он долго выбирал свитер, долго надевал его, долго рассматривал свою физиономию в зеркале, прикидывая, побриться ему или не стоит. По правилам в воскресенье можно было не бриться, но визит к Венику требовал соблюдения этикета и нарушения правил.

Бриться Данилов не стал. Пришлось бы начинать сначала всю канитель с раздеванием и последующим одеванием, а бриться в свитере было не по правилам.

День только начинался, но когда Данилов вышел на улицу, там совершенно явно наступали сумерки. Мрачные ноябрьские сумерки, запорошенные снегом, проткнутые размытым светом автомобильных фар, промозглые до зубовной дрожи, мокроногие, отвратительные.

Нужно было сделать над собой усилие, чтобы заставить себя думать, что это никакие не сумерки, а тихое осеннее утро. Данилов сделал это усилие и постоял на скользких ступеньках, натягивая перчатки и заставляя окружающий мир измениться.

Итак, утро. Впереди чудесный воскресный день. Вчера был не менее чудесный субботний день.

Вчера разгромили дом, который Данилов любил и о котором заботился, как будто это был ребенок, а не куча кирпича и досок. Данилов полночи курил, представляя себе, как громили его дом, и ненавидел себя за то, что разрушения произвели на него гораздо более сильное впечатление, чем рана на голове охранника, а под утро ему приснилась ванна с краской, в которой он должен был утонуть.

Данилов почти дошел до своей машины, зарывшейся в снег, как аляскинская ездовая собака, когда у него за спиной негромко скрипнули тормоза. Он оглянулся, делая шаг в сугроб. Грязный бампер замер в двух сантиметрах от его ноги, и Данилов посмотрел с удивлением. Сначала на бампер, а потом на плавно опускающееся стекло.

— Привет, — сказали из машины, когда стекло опустилось до половины, — куда это ты в такую рань собрался?

— Доброе утро, — вежливо поздоровался Данилов и выбрался из сугроба на кое-как расчищенный асфальт, — ты... ко мне?

Человек в машине усмехнулся.

— Догадливый ты наш. Уезжаешь?

— Уезжаю, — согласился Данилов.

— К любимой или по делам?

— По делам.

— Что за дела в воскресенье утром?!

— У меня разные дела, Олег.

— Ну, конечно. Деловой ты наш. У меня на самом деле к тебе тоже исключительно деловой вопрос.

— Что же ты не позвонил? У меня встреча в другом месте.

— Да я даже помыслить не мог, что у тебя по воскресеньям с утра куча деловых встреч!

— Не куча, а всего одна, — поправил Данилов, и они замолчали. Данилов молчал, стоя на асфальте, а Олег Тарасов — сидя в своей машине.

— Давай я тебя на твою встречу подкину, — предложил наконец Тарасов, зная, что Данилов может так промолчать до вечера, — а то ты сейчас полчаса откапываться будешь, потом еще полчаса греться. По дороге и поговорим.

— Нет, спасибо, — начал Данилов. Ему вовсе не хотелось, чтобы его подвозили туда, куда он собирался, то есть к Венику. — Мне еще нужно сигарет купить, а потом обратно возвращаться неизвестно как...

— Тачку поймаешь, — сказал Олег Тарасов и, перегнувшись через сиденье, распахнул пассажирскую дверь, — садись, Данилов, не ломайся. Мне правда с тобой поговорить надо.

— Приезжай вечером, — предложил Данилов, с тоской глядя на распахнутую дверь и понимая, что деваться ему некуда. От Тарасова, как и от Веника, отвязаться было невозможно.

— Куда я еще вечером поеду!.. — возразил Тарасов. — Садись, не ломайся, что ты как красна девица, Данилов!

Андрей еще потоптался, понимая, что выглядит смешно, снова шагнул в сугроб и влез в машину.

— Ну вот и славненько, — заключил победитель Тарасов и тронул с места. — Ты где встречаешься-то, Данилов?

— В Жулебино.

Олег присвистнул.

— Не близко. У тебя там кто? Прораб? Или любовницу новую завел?

— Не завел, — сказал Данилов. — Останови где-нибудь на Сретенке, мне сигарет нужно купить.

— У меня есть сигареты. Можешь пока мои курить.

— Олег, мне нужно купить сигарет, — повторил Данилов ровно, — останови, пожалуйста, у любого ларька.

— Да ради бога, — пробормотал Тарасов, — не заводись только.

Это прозвучало глупо, и Данилов, пожав плечами, отвернулся к окну.

Олег Тарасов был его «другом детства». Они вместе учились в музыкальной школе. Андрей играл на рояле, а он на скрипке. Потом у Андрея случился нервный припадок, его нужно было лечить, и он перестал играть. А Олег играет до сих пор.

Олег очень хороший скрипач. Конечно, не Спиваков, но все равно очень талантливый мальчик. И работоспособный! А техника какая, а самообладание и дисциплина! Очень достойный мальчик, очень.

Так всегда говорила мать. Из этого Данилов должен был сделать вывод, что он, Данилов, не талантливый, не работоспособный, не дисциплинированный и, следовательно, недостойный.

Олегу всегда было труднее, чем тебе, во много раз труднее. Он из самой обычной, простой семьи. Никто не создавал ему идеальных условий, как создавали тебе. Ему самому пришлось пробиваться, устраиваться, доказывать, что он ничуть не хуже многих других, и он пробился и преуспел!

Данилов должен был сделать вывод, что он не пробился и не преуспел, хоть и был из очень непростой семьи.

Иногда ему казалось, что мать сожалеет о том, что ее сын Данилов, а не Тарасов. Если бы ее сыном был Тарасов, он бы не обманул ее надежд, не подвел ее, оправдал доверие, отработал вложенные в него силы и средства. Он очень хорошо смотрелся на сцене Большого зала консерватории, в окружении блестящих музыкантов, вдохновенный, отрешенный, погруженный в искусство. Мать смотрела бы на него и гордилась им, и отец не относился бы к нему как к постыдной ошибке.

Впрочем, так было всегда, и глупо в тысячный раз думать об этом.

— Мне звонила Светлана Сергеевна, — сообщил Олег, когда Данилов вернулся в машину и кинул на

118

заднее сиденье блок «Мальборо», — у них прием в среду. Ты знаешь?

— Это странно, конечно, — сказал Данилов, — но я тоже приглашен.

— Да ладно тебе! — Машина вильнула, объезжая сугроб, как будто тоже воскликнула «ладно тебе!». — Что ты все подтекст ищешь там, где его нет! Конечно, тебя пригласили! Ты же их единственный сын.

Данилов промолчал.

— Слушай, Данилов, мне тоже никакого удовольствия не доставляет с тобой возиться. Просто Светлана Сергеевна просила меня...

— Возиться? — переспросил Данилов.

— Твоя мать просила меня встретиться с тобой и еще раз напомнить тебе, что в среду прием и ты обещал там быть, — отчеканил Олег, — это раз. Два — она просила меня уговорить тебя выступить на этом приеме.

Данилов так удивился, что перестал смотреть в окно и уставился на «друга детства».

— Как выступить? Что значит выступить?!

— Данилов, выступить значит выступить. Подойти к микрофону, взять его в руку и сказать несколько теплых слов своему отцу.

От одной мысли о том, что он выходит к микрофону и говорит «теплые слова», у Данилова взмок висок и шее под воротником стало горячо. Он потрогал висок и посмотрел на перчатку — на черных кожаных пальцах остался мокрый след.

— Я не могу, — пробормотал он в панике, — я не могу... к микрофону.

Олег посмотрел на него с высокомерной жалостью и отвернулся.

— Я говорил Светлане Сергеевне, что ты не захочешь, — сказал он, подчеркивая, что Данилов именно не захочет, — но она все равно просила. Ты же знаешь, как она мечтает, чтобы вы с отцом наконец-то...

Я не захочу.

Паника не отпускала. Постыдная, гадкая, трусливая паника. Когда Данилову было шестнадцать, паника его победила. Раз и навсегда. Шакалы питаются мертвечиной, так и паника грызла мертвого Данилова, зная, что сопротивляться он не в силах. У него нервы. Он слаб. Он ни на что не годен.

Я не смогу.

— Я не смогу, — повторил он вслух и посмотрел на Тарасова умоляюще, — я лучше тогда совсем не приду, Олег. Ты же знаешь, что я не могу говорить в микрофон. Да еще стоять на... — Слово «сцена» не выговорилось, застряло в Данилове, и Олег сжалился.

— Нет там никакой сцены. Нужно просто сказать в микрофон, что ты гордишься отцом, знаешь, сколько сил он вкладывает в свою работу, как ему помогает мать и что-то в этом духе. Данилов, хоть раз в жизни нужно показать родителям, что ты их тоже любишь.

— Тоже?

— Конечно, они тебя любят, и ты их любишь тоже, — произнес Олег с нажимом, — ну что ты из всего на свете делаешь проблемы!

Конечно, он делает проблемы из всего на свете. Он и есть самая большая проблема своих родителей.

Самое главное — мать так до сих пор и не поверила в то, что тогда он на самом деле не смог больше играть. Она считала, что он просто притворялся. Притворялся, чтобы доставить ей боль и унижение. И еще, чтобы увильнуть от занятий, которые были ему не по силам, потому что он оказался лентяем. Лентяем и тряпкой.

«Ты должен взять себя в руки. Ты просто распускаешься, Андрей! Человек должен контролировать свои поступки».

Теперь она прислала Олега для того, чтобы он взял Данилова в руки. Раз уж ее сын сам не может.

— Олег, я не стану выступать с микрофоном, даже

если там нет... сцены. Я не могу. Ты прекрасно это знаешь. Ты можешь позвонить матери и сказать, что ты меня не уговорил, вот и все. На тебя она не обидится.

— Она хочет, чтобы все знали, что нет никакой ссоры и что все нормально, — пробормотал Тарасов, сосредоточенно глядя на дорогу. — Вы же почти не общаетесь! Ты что, думаешь, тусовке это неизвестно?

— Мне наплевать на тусовку, — ровным голосом сказал Данилов. Паника чуть отпустила его, но совсем не убралась. Данилов чувствовал ее, свернувшуюся кольцами, — удав приберегал жертву на ужин, только чуть придушил и отпустил, контролируя, однако, каждое ее движение.

— Тебе наплевать, а им нет! Твой отец — мировая знаменитость, гений, бог знает кто! Он в России бывает раз в год, а может, и реже! Хоть раз в год ты можешь обойтись с ним по-человечески?!

— Нет, — ответил Данилов холодно, — не могу.

И они замолчали.

— Ну и черт с тобой, — выпалил наконец Тарасов, — ну и звони сам и говори, что выступать не хочешь. Я звонить не буду.

— Я не могу, — повторил Данилов, понимая, что это ничего не изменит, — я не могу выступать. Моя мать об этом отлично знает.

— Она считает, что ты должен взять себя в руки.

— Я пытался, — сказал Данилов и откашлялся, — но не смог. И сейчас не смогу.

— Тогда скажи ей об этом сам.

— Она меня ни о чем не просила.

— Она поручила мне попросить тебя. Ты что? На самом деле ничего не понимаешь?! Она ни за что не станет просить тебя сама. Она такая же гордая, как ты, Данилов.

От его гордости ничего не осталось, когда он стоял голый посреди комнаты, а медицинские светила качали головами и сочувствовали его матери.

— Зря ты так, — помолчав, сказал «друг детства», — родителей, особенно таких, как твои, нужно любить и лелеять.

— А таких, как твои?

Тарасов улыбнулся холодной улыбкой ящерицы, уставшей ждать свою стрекозу.

— Мои родители тут ни при чем, Данилов. Мои родители всю жизнь в секретном НИИ просидели, за колючей проволокой. В полдевятого уходили, в полшестого приходили. По выходным в Егорьевск на огород ездили. Сначала на электричке, а потом на «Запорожце». «Хрущевку» на Сиреневом бульваре тридцать лет выслуживали.

— При чем здесь «хрущевка»?!

— При том, что со мной никто так не валандался, как с тобой, Данилов! Учителей не нанимал, скрипку из Италии не привозил, к профессорам не устраивал. И комнаты своей у меня не было, и гувернантки тоже.

— Я не понимаю, — тихо произнес Данилов, — о чем ты.

— О том, что ты на своих родителей молиться должен. — Олег вытряхнул сигарету и швырнул пачку на щиток. Пачка подпрыгнула, Данилов поймал ее. — Ты получил все готовое и сразу! Когда ты родился, Михаил Петрович уже был знаменитым! Ты же ничего не знаешь про нормальную жизнь, твою мать!.. Как деньги экономить, как до зарплаты дотянуть, как макароны жрать, когда они уже вот где, эти макароны! Как дня рождения ждешь потому, что на день рождения что-нибудь обязательно подарят! Ты каждое лето в Болгарию ездил или в Ригу на худой конец, а я к бабке в деревню или в пионерлагерь комаров кормить и портвейн под кустом из горла трескать, а потом по кустам блевать!

— Олег!

— Да я бы на твоем месте, Данилов, — задохнувшись от собственного неконтролируемого напора, почти орал Тарасов, — я бы не то что речь со сцены, я бы голый сплясал, если бы им только захотелось!

— Я плясал голый много лет, — отчеканил Данилов, — только все равно ничего не добился.

— Чего ты не добился?!

— Чтобы во мне видели человека, — тихо ответил Данилов. Он хотел сказать «чтобы меня любили», но постеснялся.

Кто он такой, чтобы его любить? За что его любить?!

— Ладно, — как будто ставя точку, произнес Тарасов, — черт с тобой. Человека в нем не видели! Твоя мать только и делала, что тобой занималась. Тебя в училище каждый день шофер возил! Ты в самых лучших концертах играл, у лучших педагогов... Ты что, думаешь, тебя за красивые глаза везде пихали или потому, что ты был такой гениальный?! Брось ты, Данилов. Мы все были одинаково гениальные. Только таких родителей, как у тебя, больше ни у кого не было!..

Это точно. Не было.

Ему было лет пять, когда он съел неположенную грушу. Все отвлеклись — мать разговаривала с кем-то в своем кабинете, Данилов слышал ее негромкий, властный, красивый голос. Тогдашняя учительница музыки выбежала позвонить. Данилов остался один в огромной комнате, за огромным роялем. Он долго рассматривал свои руки на клавишах — руки были толстые, он это запомнил очень хорошо. Играть ему не хотелось, хотя задание на время отсутствия учительницы было оставлено — этюд Черни три раза. С утра пятилетний Данилов сыграл этот этюд уже раз десять, и все где-то ошибался. За огромными окнами сыпал тихий снег, и Данилову очень хотелось на улицу, под этот снег. Он повторял этюд, но думал о том, как няня поведет его гулять, и, наверное, поэтому все время ошибался.

Завтрак остался в прошлом, до обеда было еще

очень далеко, и ничего хорошего в его жизни не ожидалось в ближайшее время. И тогда он съел грушу. Пыхтя, он слез со своего вращающегося стула и взял толстую солнечную желтую грушу из плетеной корзины, что стояла на круглом столике. Данилов впился зубами в глянцевый налитый бок, и сок потек по подбородку и стал капать на белую манишку, и он старательно и аккуратно отряхивал его растопыренной пятерней.

Он почти доел, когда вошла его мать, закончившая свои переговоры в кабинете. Она увидела, что сын сидит на диване, ест грушу, стряхивает сок и облизывает пальцы. У нее даже лицо изменилось. Как зачарованный он смотрел, как она подходит к нему, цокая каблуками, очень красивая, очень высокая, похожая на Снежную королеву из мультфильма, как берет у него из рук недоеденную грушу — он даже потянулся за ней, потому что ему хотелось ее доесть, — как брезгливо, двумя пальцами, кладет огрызок на салфетку, а потом вытирает пальцы носовым платком и этими вытертыми пальцами так же брезгливо берет Данилова за ухо и тащит к роялю.

Ухо трещало, как будто что-то внутри порвалось. Он едва успевал переставлять ноги, чтобы ее пальцы не оторвали ухо совсем. Он ничего не понимал, выл, скулил, и она ему объяснила.

Он не должен вставать с места во время занятий. Ему никто не разрешал вставать. Он должен быть дисциплинированным. Он ничего не добьется в жизни, если не научится трудиться, ежедневно, ежечасно, по многу часов в день. Он ни на что не годен, раз мог просто так покинуть свой пост.

Никто не разрешал ему есть грушу. Едят во время завтрака, обеда и ужина. Есть между едой — разгильдяйство, недисциплинированность! Если ты голоден, ты должен дождаться обеда и за обедом попросить добавки. Или съесть дополнительную порцию за завтраком. Или попросить эту грушу себе на ужин. Просто так сидеть на диване и есть — преступление, нарушение правил, дурной тон!

Она была искренне и глубоко оскорблена тем, что ее пятилетний сын съел грушу в неположенное время, в неположенном месте и без разрешения. Гулять его в тот день так и не повели — провинился! Лишь двадцать лет спустя он научился пить кофе — не на завтрак, обед или ужин, а просто так.

Он водил Марту в полутемное кафе в центре старой Риги, и они пили там кофе. Просто так.

Ребенок, который будет у Марты, неожиданно подумал Данилов, станет есть груши, и скакать по диванам, и забираться «в домик» под столом, и елку он будет наряжать, а не томиться под дверью, ожидая утра первого января, и пироги таскать из кастрюли, и малевать карандашами абракадабру, и вытирать о штаны грязные ладошки, и проливать суп, и Марта будет любить его просто за то, что он есть, а не за то, что он... дисциплинированный.

Как всегда, стоило ему только подумать о Марте, как жить стало легче.

Его потянуло на воспоминания — самое время! Его потянуло на воспоминания, а впереди у него встреча с Веником.

— Странный ты человек, Данилов, — задумчиво произнес рядом «друг детства», — всегда странным был, таким и остался. Расскажи хоть, за каким чертом нас несет в Жулебино с утра пораньше?

— У меня там встреча.

— Это я уже слышал. А вчера ты где был?

Данилов насторожился.

— Вчера я ездил... по делам. А что? Ты звонил?

— Да я хотел приехать! Ты что, думаешь, мне больше заняться нечем, кроме как по выходным к тебе таскаться? Я в пятницу только из Лиссабона прилетел, с гастролей!

— Ну как Лиссабон?

— Никак. Нормально. Я его почти не видел. У нас было три концерта. Кстати, Светлана Сергеевна на одном присутствовала. Не поленилась, из Парижа приехала.

Данилов молчал.

Она не поленилась! Олег Тарасов был воплощением всех ее несбывшихся надежд. Ну, или почти воплощением. Все-таки он был «конечно, не Спиваков».

— Ну вот. Я тебе звонил, тебя не было, мобильного я не знаю, автоответчика нет.

— Я был в доме, который проектировал.

— Ну и как дом?

Данилов вздохнул. От дома остались одни стены, заляпанные краской, и еще послание, сообщавшее, что «это только начало». Отвратительный химический запах вполз в голову, прямо в мозги, и очень захотелось курить.

— Все нормально. Там уже заканчивают.

— Ты что, по субботам тоже работаешь?

«Почему он спрашивает? Он никогда не интересовался моей работой, презирал ее, как и все остальные, кто был уверен, что для меня эта работа — просто вызов родителям и тому образу жизни, который они для меня готовили».

— По-разному, — ответил Данилов осторожно, — бывает, работаю. У меня много заказов.

— Да брось ты, Данилов! — весело сказал Олег. — Какие там у тебя заказы! Ты про заказы мне ничего не рассказывай. Я тебя знаю с восьми лет, при мне можешь не выпендриваться!

Почему-то это сильно задело Данилова. Он любил свою работу и знал, что делает ее хорошо, даже очень хорошо. Тимофей Кольцов со своим домом не с неба на него упал. Годами Данилов создавал себе репутацию, лелеял ее, оберегал, брался за заказы, которые казались ему интереснее других, и даже деньги отодвигались на второй план. Несколько лет Данилов почти голодал, не желая ничего просить у родителей. Впрочем, они вряд ли дали бы.

— У меня полно заказов, — упрямо повторил Данилов, — и, прости, Олег, я ни в чем не хочу тебя убеждать.

— Да не надо меня ни в чем убеждать!

— А ты вчера... утром звонил? — осторожно спросил Данилов.

— Я утром машину на сервис отводил. Черт знает куда, почти за Кольцевую. Оттуда полдня выбирался. А что?

— Ничего. — Почему-то ему показалось, что Тарасов злится на него.

За что? За то, что Андрей отказался выступать с микрофоном, говорить «теплые слова»? За то, что придется звонить его матери и сообщать, что поручение не выполнено?

Олег Тарасов всегда старался угодить матери Андрея Данилова, и у него это получалось очень хорошо. Ее «доброе отношение» было для Олега почти что пропуском в рай.

— Высади меня на углу, пожалуйста.

— Я могу тебя и до подъезда довезти.

— Спасибо, не нужно. Останови. — Олегу незачем было знать, что Данилов встречается с Веником. Слушать еще одну лекцию о неправильных отношениях с родственниками, пусть и с бывшими, Данилову не хотелось.

Машина затормозила, расплескивая мерзлую воду, и Данилов выбрался наружу, сразу увязнув ботинками в грязной снежно-соляной каше.

— Спасибо, Олег. Если будешь разговаривать с моей матерью, передавай привет.

— Ладно, не остри, — пробормотал Тарасов.

— Подожди, я заберу сигареты. — Данилов открыл заднюю дверь и потянулся за длинной коробкой. На полу, на черной резине коврика, валялась видеокассета. Обычная видеокассета.

«BASF»?!

— Данилов, ты чего? — спросил Олег, глядя в зеркало заднего вида. Кое-как обернулся, неловкий от толстой куртки, и посмотрел вниз, на коврик, а потом опять на Данилова. — Что ты там увидел?

— У тебя на полу кассета лежит, — сказал Данилов напряженным голосом. Он хотел ее поднять и даже протянул руку, но остановился. Он понятия не имел, что станет делать, если увидит на ней буквы «БАСФ».

— Ну и что? — Тарасов еще чуть-чуть повернулся и скосил глаза, как бы пытаясь рассмотреть кассету. — Это моя концертная запись, я ее уже месяц вожу, все вытащить забываю. Ты чего? Хочешь послушать, как я играю?

— Нет, — сказал Данилов, — нет, спасибо.

— Да пожалуйста, — насмешливо глядя на него, ответил Тарасов, — сколько угодно. Ты что так всполошился?

— Все в порядке. — Так и не дотянувшись до кассеты, Данилов взял сигареты и захлопнул заднюю дверь. — Пока, Олег.

Грязная машина тронулась с места, расплескивая воду. Данилов смотрел ей вслед.

Тарасов не мог знать, что в субботу утром он собирается на дачу Тимофея Кольцова. У Тарасова нет никаких мотивов. Зачем? Зачем ему громить чью-то чужую дачу и писать дикие записки?! Тарасов никак не связан с его профессиональной деятельностью и откровенно эту деятельность не уважает, а Данилов почему-то был твердо уверен, что все дело именно в его работе. Кто-то отчаянно ненавидит его именно из-за работы. И еще из-за смерти жены.

Ты, ты во всем виноват, убийца, иуда!

128

Данилов зажмурился. Ледяное крошево плескалось уже почти в ботинках, и некуда было деться от этого снега, холода, серого света. Он выбрался на утоптанный тротуар, посыпанный песком, и достал телефон.

Почему он согласился ехать с Тарасовым?! Как он теперь вернется из Жулебина в свой Последний переулок?! И воспоминания, ненужные, лишние, отнимающие остатки уверенности в себе, и разговоры идиотские, и «теплые слова» в микрофон, и недоеденная груша, и треснувшее детское ухо, и жалость к себе, которую он ненавидел и которой стеснялся!..

— Здравствуйте, Надежда Степановна, — сказал он в телефон, когда ответили, — это Данилов.

— Здравствуйте, Андрей. Как вы поживаете? Что-то давно вас не видно.

— Я... занят очень в последнее время. Но перед Новым годом обязательно заеду.

— Заезжайте. Мы всегда рады вас видеть. Марта, это Андрей! Ты слышишь? Трубку возьми, пожалуйста!

Данилов улыбнулся, стоя на посыпанном песком тротуаре.

Перед ним ревело многополосное грязное коричневое шоссе, за спиной толпились неправдоподобно огромные дома, как будто составленные из гигантских кубиков, набитые людьми от земли до самых крыш и также снизу доверху набитые заботами, радостями, проблемами, ненавистью, любовью, болезнями, счастьем и несчастьем.

Что-то сильно ударило его по ноге, и он посторонился, давая дорогу тетке в нейлоновом пальто и с сумкой на колесах на прицепе.

Данилову стало смешно. Вот стоит он посреди улицы, философствует, ждет Марту, мешает добрым людям катить свои сумки.

Куда же Марта подевалась!

— Данилов, я голову мою, — в ухо ему сказала

Марта, и сразу почудилось, что он слышит теплый запах шампуня и мыла, — тебе чего?

— Ничего. — Ему вдруг стало неловко от того, что он слышит ее запах и знает, что она сидит в ванне. — Я просто так позвонил, извини. То есть я хотел спросить, как ты себя чувствуешь?

— Оч-чень хорошо, — ответила Марта почему-то зловещим тоном, — я себя чувствую ничуть не хуже, чем два часа назад.

— Я рад, — сказал Данилов, не придумав ничего лучше.

— Ничего ты не рад. Ты звонишь не за этим. Ты где? На улице где-то?

— Да, я... в Жулебине.

— К Венику поперся!.. — ахнула Марта. — Зачем?! Ты же не собирался!..

— Марта, мы все это потом обсудим. Слушай, ты не могла бы...

— Что?

Ему было так неудобно, что он едва заставил себя договорить до конца:

— Просто случайно... так получилось, что Тарасов завез меня сюда, а я без машины... если у тебя нет других планов, может, ты заедешь за мной, и мы в ресторан сходим, что ли... Или еще куда-нибудь. Можно съездить в пирамиду за порцией космической энергии.

Марта засмеялась ехидным смехом.

— Я же тебе утром предлагала — давай приеду! А ты что мне сказал?

— Что я тебе сказал?

— Ты мне сказал: я вечером позвоню. А как без машины остался, так приезжай, моя душечка! А я, между прочим, нежная, ранимая и вообще застенчивая. А ты меня используешь в личных целях.

— Не использую. Ты приедешь или нет?

— Да! — радостно сказала она в трубку. Так ей хо-

130

телось к нему приехать, что она даже побаивалась слегка, как бы он не передумал. Нужно не забыть выключить мобильный, как только она выйдет из ванной. Чтобы Данилов не смог ничего отменить. — Где тебя искать и когда? Я быстро не смогу, только часа через полтора.

— Ты помнишь, где живет Веник?

— Улицу помню. А дом и квартиру нет.

— Квартира тебе не нужна, я не хочу, чтобы ты поднималась. Дом четыре, корпус два. Третий подъезд, если заезжать со стороны области. Через полтора часа я буду ждать тебя у подъезда, — распорядился Данилов, обретя почву под ногами. — Кстати, если хочешь, можешь до завтра остаться у меня.

— А как же Лида?! Опять мимо романтического свидания?!

— Пока, — попрощался Данилов.

— Если бы ты был на машине, — успела напоследок выпалить Марта, — ты бы мне и не позвонил. Тебе нужна моя машина, а не я!

— Пока, — повторил Данилов и сунул трубку в карман.

Машина ни при чем, это уж точно.

Он не был готов к разговору с Тарасовым и не был готов к воспоминаниям и к тому, что ему опять придется оправдываться, на этот раз перед «другом детства», а не перед матерью, и к кассете на резиновом коврике готов не был — ни к чему он не был готов из того, что случилось с ним этим утром, включая ванну с краской, в которой он во сне чуть не утонул. И в детектива он играл плохо, а времени у него было мало, и Веник, который, зевая, велел купить сигарет, тоже как будто вытащил камушек из-под его ног, и он как-то покосился, сдвинулся, поехал, словно в зыбучий песок, и только Марта могла остановить это ужасное погружение.

Веник жил в новом доме — масса поставленных

друг на друга бетонных плит, облицованных чем-то грязно-белым. В подъезде было сыро, натоптано, газетные ящики распахнуты и покосились, двери лифта разрисованы черным, худая кошка, вздрагивая от каждого звука, вылизывала серую лапу, и дергала ушами, и боялась, в любую секунду готовая бежать, спасаться. Разве спасешься, убежишь?

Веник, открывший Данилову дверь, оказался почему-то в синей спортивной кофте и в трусах.

— Здорово, — сказал он, — проходи. Можешь не разуваться, у меня ремонт.

— Зимой? — удивился Данилов, осторожно протискиваясь между газетной стеной и залитой побелкой стремянкой. Тут тоже воняло краской, и Данилов подумал, что этот запах будет теперь преследовать его всю жизнь.

— А? — переспросил Веник. — Сигарет привез?

— Да. А где семья?

— Семья далеко. Слушай, а пивка ты не догадался...

— Нет, — перебил его Данилов, — пивка не догадался.

— Это плохо. Семья уехала.

— Уехала? — Данилову не хотелось вешать свою дубленку на утлый гвоздик, где уже была пристроена Веникова куртка, и, держа ее в объятиях, он прошел по газетам и оказался в кухне. Потолок был пятнисто-синим, пол заляпан известкой, шкафы сдвинуты и прикрыты пленкой и кое-где все теми же газетами. В раковине гора грязной посуды. Сесть было некуда.

— Моя семья уехала от меня! — пропел Веник бодро. — Положи ты свою шубу куда-нибудь! Или что? Брезгуешь?

Данилов промолчал.

— Молчишь, — констатировал Веник, — значит, брезгуешь. Ты бы, аристократ хренов, раньше брезго-

132

вал, когда на Нонке женился! Что ж ты тогда не брезговал, а сейчас, значит...

— Хватит, — попросил Данилов, — я все это уже слышал.

— Ничего, еще разок послушаешь! Да если б не ты, мы бы Нонку так пристроили, что тебе и во сне не приснится! И жила бы она сейчас, здравствовала, детей растила, а она на кладбище лежит! Да за нее до тебя знаешь кто сватался?! — Веник бросил сковороду, на которой что-то деловито нюхал во все время обличительной речи, подошел к Данилову, как бы намереваясь схватить его за грудки, но не схватил, а, наоборот, отвернулся и хлопнул ладонью по столу. Стол тоже был чем-то накрыт, и звук получился неубедительным. — Ты знаешь, кто за нее сватался?! Так нет, надо было тебе влезть, а теперь ты нами брезгуешь!

— Все, — спросил Данилов, — закончил? Или еще продолжать намерен?

— А ты мне рот не затыкай!..

— Я тебе ничего не затыкаю. Можешь продолжать, а я пока выйду, посмотрю твой ремонт.

— Да что смотреть!.. Нечего там смотреть!.. Грязища, и больше ничего!.. Я на зарплату живу, мне архитекторы не по карману.

— Ну да, — согласился Данилов.

Веник что-то пробормотал себе под нос, как будто выругался, а может, и в самом деле выругался, и, сильно стукнув, поставил сковородку на плиту.

Данилов знал меню назубок — сначала справедливый гнев, потом немного обличительных речей, потом нечто жалостливое, а на закуску что-нибудь родственно-добродушное.

— Зачем ты меня искал, Вениамин?

— Я же сказал, что мать в больнице, — ответил Веник с ненатуральным удивлением, — ты что, не понял?

Конечно, он понял. Только дело было вовсе не в

матери. Сколько Данилов знал свою жену и ее братца, они были неизменно и железобетонно равнодушны к родительнице. Она же души в них не чаяла, служила истово и упоенно, завтраки-обеды подносила, носочки стирала, творожок самый свежий добывала, ботинки чистила и обожала, обожала... За три года совместной жизни его жена ни разу самостоятельно не убрала постель — Данилов уезжал раньше, чем она вставала, и на это многотрудное дело была брошена теща. Теща приезжала, подавала завтрак, убирала постель, подавала одежду, убирала посуду — и так каждый день.

— В какой она больнице, и чем я могу помочь? — Данилов все-таки пристроился на табуретку, но дубленку из рук так и не выпустил, сложил на коленях. Меховой ком прямо перед носом очень ему мешал, но расставаться с ним он не желал.

— Да ничего особенного, — сказал Веник рассеянно и, примерившись, вылил на сковороду яйцо. Сковорода зашипела, и Веник страдальчески сморщился. — Я вчера, сам понимаешь, коньяк водкой запил.

— Молодец, — тоскливо похвалил Данилов.

Он прекрасно знал, зачем его позвали, и теперь хотел только одного — побыстрее отделаться. Еще он знал, что быстро отделаться не удастся — придется слушать, поддакивать, кивать, спрашивать, иначе Веник обидится, раскапризничается, тогда с ним не оберешься хлопот. Главное — результат все равно будет тот же, а времени уйдет в три раза больше.

Времени и нервов.

И еще ему нужно выяснить, где был Веник вчера утром, не ездил ли, часом, за город, на дачку Тимофея Кольцова?..

— Вчера у одного брокера день рождения был, — продолжал Веник, отворачиваясь от яичницы, как от пыточного стола, — ему из Еревана коньячишко переслали. Ну, мы выпили. Еще вина выпили. А потом в баре водкой догнались. Жалко, что ты не сообразил про пиво.

— Ты же говорил, что вы в пятницу на работе... выпили. А вчера была суббота. Или теперь биржа и по субботам работает?

— Биржа по субботам не работает, — отрезал Веник, начиная раздражаться, — в пятницу мы на работе пили, а в субботу здесь. У меня.

— Здесь? — поразился Данилов.

Он полчаса искал более или менее чистую табуретку, чтобы на нее сесть. Он представить себе не мог, что можно принимать гостей в квартире, охваченной ремонтом, как войной. Что за радость принимать гостей в такой квартире? Пить коньяк в запахе краски и на известковых кляксах? Переставлять стремянку и придерживать ее рукой, чтобы не упала, прежде чем открыть дверь в туалет?

— У меня, может, и не шикарно, — начал Веник, — но зато я один! Никто над душой стоять не будет, замечаний делать тоже, рожу кривить, поучать! Что хочу, то и ворочу! И, между прочим, мужики ко мне с удовольствием!.. Только чтоб от своих дур хоть на день отвязаться!..

— А где Ася? И Павлик?

— А нигде! Съехали! И черт с ними!..

Данилов достал сигарету из собственной пачки.

— Куда съехали? Ты что? Поссорился с Асей?

— Я с ней развожусь! — брякнул Веник и посмотрел с жалобной гордостью. — Достала она меня, зараза!.. Ну вот совсем достала!.. Не могу больше! Я из-за нее ничего не могу! Вся жизнь пройдет, пока я тут с ними!.. Хватит. Все. Алименты буду платить, пока Пашка маленький, а потом вырастет, все поймет.

— Ну конечно, — согласился Данилов, — это ты, Веник, здорово придумал.

В общих чертах он знал, чем Ася могла не угодить своему воинственному мужу. Наверное, денег просила. С работы, наверное, ждала — так, чтобы не каждый вечер к полуночи. К Павлику в школу небось отправляла — пойди, пойди, поговори, ты же отец, а у него опять двойка по математике! По субботам с ребенком в цирк или на родительские шесть соток — копать, поливать, пилить. Армянский коньяк, наверное, не слишком уважала, особенно когда с водкой.

Теперь она уехала, и Веник то ли празднует освобождение, то ли заливает горе. Совсем плохи дела.

— Куда она поехала? К маме?

— Провались она пропадом, эта мама! Я ее ненавижу! Она про меня, знаешь, что Пашке говорит?..

— Нет, — перебил его Данилов, — не знаю и знать не хочу. И тебе вникать тоже не советую. Давно она уехала?

Зачем он спрашивает? Чтобы оттянуть разговор о главном для Веника?

— Какая разница — давно, недавно! Уехала, и дело с концом. Мне забот меньше. Да не хочу я вообще про нее!.. Что ты ко мне привязался!..

Данилов порассматривал свою сигарету.

— Сколько денег тебе нужно?

— Что?!

— Денег. Сколько тебе нужно?

Веник перестал ковырять неаппетитную яичницу, двинул по столу сковородку, поднялся и налил себе воды в кружку. Кружка была в чайных потеках.

— Много.

— Сколько?

— Штук десять. — Он опрокинул в себя воду, проливая ее на спортивную кофту, и утер ладонью губы.

— Что на этот раз?

— Работа, — сказал Веник и скривился. На Данилова он не смотрел — нервно косил глазами по сторонам, как заяц. — Я же не знал, что все так упадет! Я всю неделю откупался, и все было нормально, даже в при-

136

быль ушел, а вчера как все грохнулось!.. А у меня все позиции открыты. Я целый день на прибыль дораскрывался, даже когда все валиться стало...

— Стоп, — попросил Данилов, — я ни слова не понимаю.

— Да я же тебе говорю! Когда все стало валиться, я решил, что позиции закрывать не буду, еще подержу открытыми. А под конец дня заявки вообще принимать перестали, только одна прошла, и то потому...

— Я не стану вникать, — отчетливо выговорил Данилов, — с твоего позволения.

Веник рассвирепел. Он всегда свирепел, когда чувствовал себя виноватым или обойденным судьбой.

— Да и не вникай, твою мать!.. — внезапно заорал он так, что ложка тоненько звякнула в стакане. — Ты спросил, я ответил, только и всего!..

— Ты играл на клиентские деньги или на свои?

— Пошел ты!.. Откуда у меня свои?! Конечно, на клиентские! В понедельник разбираться приедут! Туда, на фирму.

— С тобой разбираться? — уточнил Данилов. По его представлениям о жизни, десять тысяч долларов были не такой суммой, чтобы из-за нее стоило «разбираться».

— Не с тобой же! Конечно, со мной! Мне уже звонили! Угрожали! Я даже дома ночевать не хотел!!! Думал, найдут, пристрелят!

Для большего пафоса нужно было еще рвануть на груди рубаху — то есть спортивную кофту, — но ничего рвать Веник не стал.

— Кто тебя пристрелит? — тихо спросил Данилов.

— Клиенты! Там один есть, очень серьезный! Он мне всю пятницу звонил, велел деньги вытаскивать, а я позиции так и не закрыл... Все надеялся, что отыграюсь. И вот... не отыгрался.

— Не отыгрался, — повторил Данилов.

Он не чувствовал никакого удивления — чего-то в этом роде он и ожидал, когда узнал, что Веник из своего научного института уволился и пошел работать на биржу.

Почему на биржу? Зачем на биржу? Какой из него биржевой спекулянт? Это же совершенно особенный мир, как казино или игорный дом. Не каждый человек может всю жизнь провести в казино, да еще без пагубных последствий для психики.

Ничего не помогло, никакие разумные и скучные даниловские проповеди. Веник стал брокером, а потом директором крошечной расчетной фирмочки, купленной на чьи-то чужие деньги. Фирмочка по мелочам играла на курсе ценных бумаг, по мелочам выигрывала и так же проигрывала. Когда выигрывала, Веник ездил кататься на горных лыжах и покупал французский коньяк. Когда проигрывала, Веник начинал беситься и переходил на водку.

Уехавшая зараза Ася и сын Павлик принимали в Вениковой жизни весьма опосредованное участие — куда же их денешь, раз они все равно есть.

Что ж, теперь их больше нет. По крайней мере, в поле зрения.

Веник, шумно глотая, выпил еще кружку воды.

— Ну что, — спросил он, тяжело дыша, — ты дашь мне денег или будешь дальше из меня жилы тянуть?

«Я тяну из него жилы, — молча констатировал Данилов. — Забавно».

— Ты понимаешь, что меня пристрелят, если я не заплачу?! — не зная, как расценить его молчание, нагнетал Веник. — Я вчера разговаривал с одной нашей... брокершей. Она, конечно, не мне чета, она королева, а я никто! Она и ходит не как обычная женщина, а как царица, и все даже замолкают при виде ее! Она сама себя сделала, с нуля начинала...

— Веник, остановись.

— Да. Так вот. Она тоже несколько лет назад попала в передрягу. Очень, очень серьезную. И в нее... в нее стреляли!

— И что, — спросил Данилов, — не попали?

Веник умолк и уставился на него. Потом моргнул и тряхнул головой. Данилов невозмутимо закуривал следующую сигарету.

— Ты дашь мне денег или нет?!

— Да. Как обычно. Где ты был вчера утром?

— Утром? — оторопело переспросил Веник. — Я?

— Ты.

— Я спал. А что?

— Ничего. До которого часа ты спал? И во сколько приехал? Вы же в пятницу пили на работе, запивали обвал на бирже. Ты мне сам по телефону сказал.

— Что я тебе сказал? — пробормотал Веник и вдруг быстро отвел глаза.

Данилов посмотрел внимательно. Почему? Что случилось? Он ничуть не смущался, когда просил — нет, почти требовал! — денег. Данилов вообще никогда не видел, чтобы он смущался.

— Я был дома, — приободрившись, выпалил Веник, — я спал. Я приехал поздно и спал.

— На машине?

— Я не помню. Меня привез кто-то из мужиков. Ну, конечно, на машине, а не на метро! А что такое? Чего тебе надо-то?

— Во сколько пришли твои гости?

— Да все по-разному. Ванька Терехин пришел вообще в одиннадцать! У него тоже жена — не дай бог никому! Пива принес. А остальные потом подтянулись, к вечеру. А что ты меня допрашиваешь? Тебе чего надо-то?!

Если неизвестный Ванька Терехин и вправду пришел в одиннадцать, значит, на Рижском шоссе Веника быть не могло.

— Ничего такого мне не надо. Моя секретарша перепутала все звонки. Она недавно работает и не все знает. Вот и все.

— Денег когда дашь? — мрачно спросил Веник. — Может, сегодня?

— Я не вожу с собой десять тысяч долларов в кармане. Завтра с утра заеду в банк. Приезжай ко мне на работу.

— Во сколько? — буркнул Веник. — Мне чем раньше, тем лучше, так что ты особенно не тяни, Данилов!

— Часам к двенадцати.

— Ладно, заеду.

— Я пойду посмотрю твой ремонт.

— Валяй! — разрешил Веник.

Деньги он, считай, получил, можно успокоиться. Раз Данилов сказал, что даст, значит, все в порядке. И не спросил даже, когда и как Веник собирается их отдавать, благотворитель хренов! Слабак и тряпка. Вот он, Веник, никому и никогда не дал бы денег, даже если бы они у него были. Еще не хватает — деньги давать! А из этого можно выжимать сколько угодно, только скрутить посильнее да поднажать где надо — и готово дело! Так что мы еще посмотрим, неудачник Вениамин Ковалев или нет. Долги он раздаст, а на остальное еще поиграет, еще, может, чего и выиграет, и жена его бывшая — зараза! — еще пожалеет, что так с ним обошлась, еще заплачет, обратно станет проситься, только не возьмет он ее. Пусть теперь щи хлебает, а то привыкла жить за его счет!..

Самое главное, чтобы Данилов не узнал ничего лишнего. А то еще на дыбы встанет, разбирайся с ним тогда! И почему он спрашивал про вчерашнее утро? О чем-то догадывается? Или ему стукнул кто?

От этой мысли Венику стало не по себе. Так не по себе, что вся выпитая вода вдруг забурлила в желудке, изнемогшем от давешнего коньяка, пива, вина и водки.

Веник бросился в ванную, уронил стремянку, пнул ее ногой, подбежал к раковине, отвернул кран и дрожащими руками стал плескать в лицо холодную воду, пахнувшую железом.

Данилов прислушался к шуму в коридоре и понял, что Веник в ванной.

Ему нужна была только одна минута.

Портфель — солидный, коричневый, вполне натурально кожаный, очевидно, купленный, как раз когда позиции были «раскрыты на прибыль», — лежал на залитой побелкой клеенке. Стараясь не щелкнуть замком, Данилов быстро открыл его и оглянулся в поисках выключателя — в комнате было почти темно. Выключателя он не увидел и осторожно пробрался с портфелем к серому окошку. Ему нужна была записная книжка, и он быстро нашел ее среди немногочисленных бумаг. Вода в ванной перестала шуметь, и Данилов заторопился.

Ваня Терехин был записан не на букву «Т» и даже не на букву «В». Хорошо, что Данилов догадался посмотреть «И». «И» — Иван. Все вполне в духе Веника.

Телефоны, мобильный и домашний. Данилов даже прошептал их про себя, чтобы лучше запомнить.

Стукнула дверь, Веник вывалился из ванной прямо на стремянку и залихватски выматерился. Данилов быстро и бесшумно застегнул портфель и кинул его обратно на клеенку.

— Ну что? — весело спросил Веник, появляясь в коридоре. — Удружила мне женушка напоследок еще и ремонтом! Слушай, Данилов, может, ты пришлешь каких-нибудь своих гавриков, они мне доделают всю эту хреновину? Так жить невозможно, среди всего этого бардака!

— Нет, — быстро отказался Данилов, — у меня никаких гавриков нет. Мы не строительная фирма. Мы не занимаемся ремонтами.

— Конечно, куда вам! У вас предназначение высокое, не то что у некоторых! А стены красить-белить вам неинтересно. А может, у тебя знакомые есть? Которые ремонтами занимаются? Посватал бы по знакомству, чтобы не за бешеные бабки. А?

Черт его знает, вроде он не был законченным циником, этот самый Веник. В институте хорошо учился и, когда выяснилось, что инженер — это дело гиблое и безнадежное и изменить в этом ничего нельзя, бомжом не стал, на биржу определился, навыки какие-то получил, в ценных бумагах научился разбираться. А вот к тому, что Данилов ему «по жизни должен», он очень быстро привык, и научился этим пользоваться, и пользовался постоянно и без зазрения совести.

Может, права Марта и нужно сказать однажды — все, хватит?

Говорить так уже поздно. Да и Марта знает только то, что сам Данилов рассказал ей. Она не знает, как он виноват.

— Веник, я должен ехать. — Данилов протиснулся мимо хозяина в коридор и сунул руки в рукава дубленки, стараясь не задеть белые стены.

— Завтра в двенадцать я у тебя, — напомнил Веник, как будто он был проверяющим из налоговой полиции, — не забудь.

— Не забуду, — пообещал Данилов.

Он не стал ждать лифт, побежал пешком, все время повторяя номера телефонов из Вениковой записной книжки. У него была плохая память на телефоны и имена, он все время забывал их и путал и считал, что это от того, что в шестнадцать лет у него был нервный срыв.

Он вышел из подъезда и огляделся по сторонам, как шпион, проверяющий наличие слежки. Марта не могла приехать так рано. У него еще есть — он посмотрел на часы — минут двадцать.

Резкий звук близко ударил в уши, и Данилов сильно вздрогнул.

— Хэлло, — сказала Марта, до приезда которой,

по данниловским подсчетам, оставалось еще двадцать минут, — ты меня не узнаешь?

— Откуда ты взялась?!

— Из Кратова.

— Я же тебе сказал, что через полтора часа!

— Данилов, ты неблагодарная скотина. Я очень старалась и поэтому приехала раньше. Садись.

Данилов распахнул дверь и влез в высокую неудобную «Ниву».

— Спасибо, что присхала, — сказал он, усевшись, — мне нужно позвонить. У тебя есть ручка и бумага?

Он старательно записал телефоны, которые все время повторял про себя, и посмотрел на Марту. Она была бледненькая, но веселая. Он тоже улыбнулся, просто потому, что ему нравилось, что она веселая.

— Я рад, что у тебя хорошее настроение.

— Отличное, — подтвердила Марта.

В ее жизни все было просто прекрасно — беременность, наступившая, как водится, очень вовремя, Петя, мама, которую она обожала и с которой ссорилась, работа, за которую все никак не «воздавалось», вчерашний кошмар, как во сне, только нельзя проснуться. Вдобавок новые брюки, которые ей очень хотелось надеть, оказались не подшитыми, с обрезанным краем, обметанным черным шелком. Черт побери, у нее нет времени их подшивать!

Когда Данилов позвонил, она предавалась своим печальным мыслям и сердилась на себя за то, что им предается, но он позвонил, и «старый друг» весело выскочил из своей будки, радостно залаял и заскакал, преданно и вопросительно взглядывая в лицо хозяину и выражая немедленную готовность бежать туда, куда позовут.

Вот тебе и старый друг.

— Куда поедем?

— Подожди, я позвоню.

— Я могу ехать, а ты звонить.

— Логично, — согласился Данилов и опять улыбнулся.

— Так куда?

— Ты уедешь или останешься на ночь?

Марта вздохнула.

— Останусь, Данилов.

— Тогда давай доедем до моей машины, пересядем в нее, и я отвезу тебя в ресторан.

— Давай лучше поставим мою машину и дойдем пешком. В вашем «тихом центре» ресторан на ресторане и рестораном погоняет.

— Конечно, — моментально согласился Данилов, — тебе же нужно ходить.

Марта опять вздохнула. Чтоб он провалился, этот тон заботливого мужа! Кажется, вчера она проклинала его за то, что он не обращает на нее никакого внимания и у нее нет большой ладони, в которую можно уткнуться носом. Что-то непоследовательна она нынче. Может, из-за необратимых изменений, связанных с беременностью?

Сверяясь по бумажке, Данилов набрал номер и некоторое время молча слушал.

— Алло, — сказал он, когда ответили, — мне бы Ивана Терехина.

Марта покосилась на него. Он никогда не говорил «мне бы», он говорил «попросите, пожалуйста» или «могу я услышать?». В том, что он сказал «мне бы», была какая-то странность.

— Иван? — продолжал Данилов. — Майор Мурашко, уголовный розыск. Вы вчера были по адресу: Новорязанский проспект, 131?

— Майор Мурашко? — пробормотала рядом изумленная Марта.

Данилов покосился на нее.

— Ну да, да. Да в том дело, что кража произошла по этому адресу. Вот прямо вчера и произошла. А? Что — откуда? А-а... От соседей. Соседи сказали, что вы приезжали в квартиру номер сорок три. Нет, утром. Примерно от десяти до одиннадцати. Вот я и хочу узнать, не видели ли вы кого на лестнице или в лифте?..

— Господи Иисусе, — сказала Марта, обращаясь к рулю своей машины, — как он говорить-то стал! Глеб Жеглов, как есть Глеб Жеглов.

— А во сколько вы приехали? Как — в три? Почему вы говорите — в три, когда мне точно известно, что приехали вы в одиннадцать?! Откуда!.. У меня источники есть! — Он послушал немного, глядя в окно и старательно отворачиваясь от Марты. — Значит, точно в три? Да, я понимаю, понимаю, не волнуйтесь. Ну, тогда простите за беспокойство. Всего хорошего.

— Что еще за майор Мурашко? — спросила рядом изнемогшая от любопытства Марта. — Мы играем в милицию?

— Иван Терехин приехал к Венику в три. — Данилов щелкнул панелью телефона, закрывая ее, и зачем-то опять открыл. — Почему он мне наврал?

— Кто?

— Веник. Он сказал мне, что у него вчера были гости. Первый из которых, этот самый Иван, приехал в одиннадцать утра.

— В гости приехал в одиннадцать утра? — удивилась Марта.

— Ну да. Он поссорился с женой, или что-то в этом роде. По крайней мере, мне так сказал Веник.

— Ничего я не понимаю, — заключила Марта сердито.

— Я спросил у своей секретарши, кому она в пятницу говорила, что я собираюсь на дачу Кольцова. Она говорила: Лиде, Венику и Знаменской, это моя клиентка. Я решил, что нужно проверить, где он был вчера утром.

— Только он? — перебила Марта. — А дамы?

— Дамы ни при чем, — твердо сказал Данилов, — а Веник сказал мне, что все утро спал дома и что в одиннадцать приехал этот самый Ваня Терехин и привез ему пива. Ваня мне только что сказал, что он к Венику приехал после трех.

— Он не тебе сказал, а майору Мурашко, — поправила Марта.

— Ну да, — согласился Данилов. — Зачем Веник врал про этого Ваню? Если он ничего не знает про разгром на даче, врать ему незачем. Какая разница, во сколько к нему приехал приятель? Почему он сказал про одиннадцать?

— Если в одиннадцать он был дома с приятелем, значит, в десять он никак не мог быть на Рижском шоссе, — задумчиво сказала Марта.

— Вот именно. Почему он сразу сказал про одиннадцать? Почему он не сказал, что гости к нему приехали, скажем, в два?

— Выходит, он знал, что должен как-то подтвердить, что в одиннадцать был дома, — выпалила Марта, — а это значит, что про разгром на даче он все знает.

— Ничего это не значит, — возразил Данилов не слишком уверенно, — это значит, что он зачем-то мне соврал. И я не понимаю, зачем.

— А где ты взял телефон этого самого Вани?

— В портфеле у Веника. В записной книжке.

— Нет, Данилов, — решительно сказала Марта, — я ошиблась. Ты не Глеб Жеглов. Ты — Эркюль Пуаро. Твоя тонкость и даже некоторое коварство в ведении расследования меня восхищают. Можно я буду доктор Ватсон?

— Нет, — сказал Данилов, — нельзя. У Пуаро был никакой не доктор Ватсон, а капитан Гастингс.

Они помолчали. Марта смотрела на дорогу.

— Ты не знаешь, охранник жив?

— Не знаю. Я завтра, наверное, съезжу в больницу. Если он будет еще жив.

— Данилов, — быстро произнесла Марта, — уж в этом ты точно не виноват!

— В чем?

— В том, что охранник... что его ранили.

— Как раз в этом я и виноват. Его ранили из-за меня. Ты что, не понимаешь? Тот человек пришел, чтобы наказать меня, но ему мешал охранник, и он его покалечил. Если не убил.

— Дернул меня черт связаться с душевнобольным! — злобно выговорила Марта. — Ты надоел мне, Данилов. Хуже горькой редьки надоел. Ну, если ты во всем виноват, пойди и повесься.

— Остаются еще мои сотрудники, — продолжал Данилов, как будто ничего такого она и не говорила, — Саша Корчагин, Таня Катко и Ира. Они тоже знали, что я с утра в субботу собираюсь на Рижское шоссе.

— Кто-нибудь из них ненавидит тебя лютой ненавистью?

— Не знаю. Как будто нет. Впрочем, я плохо умею замечать такие вещи.

— Это точно.

— На полу в доме я нашел растоптанный в пыль кусок янтаря. Откуда он там взялся? Кто его растоптал? Преступник или охранник? В доме ничего янтарного нет и не было, значит, янтарь кто-то принес или он выпал из кармана. У кого?

— Как же ты его нашел? Там было сплошное стекло.

— Нашел. Только теперь я голову сломал, имеет это отношение к делу или нет? И еще кассета.

— Какая кассета?

— Камера наблюдения, помнишь?

— Что?

— Там все кассеты «BASF», а одна, та, на которой мы с тобой, «Sony». У Тарасова в машине валялась какая-то кассета. Прямо на полу. Он сказал, что это видеозапись его выступления.

— А что, Тарасов тоже звонил в пятницу твоей секретарше и спрашивал у нее, как ты намерен провести субботу?

— Нет. Не звонил. Он в пятницу прилетел с гастролей. Но кассета у него валялась.

— «BASF»?

— Я не посмотрел, — сказал Данилов виновато, — плохо у меня получается быть детективом.

— Ничего, сойдет. — Марта притормозила на светофоре и отправила в рот какую-то мятную гадость. Она постоянно «освежала дыхание», в полном соответствии с рекламой. — Сама по себе кассета на полу ни о чем не говорит. У меня в бардачке тоже кассета ездит. Мне Инка дала какой-то новогодний фильм. Ну и что? Тем более твой Матрасов только в пятницу вернулся с гастролей.

— Не Матрасов, а Тарасов, — поправил Данилов.

— Ну, Тарасов. Или он сразу с самолета кинулся громить дачу Кольцова?

— Он даже не знал, что я туда собираюсь. Ему нужно было со мной встретиться, потому что моя мать просила его уговорить меня выступить на приеме и сказать несколько теплых слов моему отцу.

— Что? — переспросила Марта с изумлением. — Кто должен выступить?!

Данилов промолчал, и Марта замолчала тоже.

— Ты... очень расстроился, — спросила она, помолчав немного, — или ничего?

— Ничего, — сказал Данилов, — дело не в этом. Дело в том, что Олег про дачу ничего знать не мог, он вообще к моей работе никакого отношения не имеет, но все равно я... струсил, когда увидел эту кассету.

Марта посмотрела на него.

Дело было как раз «в этом». Зря она подозревала Данилова в том, что ему была нужна ее машина, а не она сама. Ошиблась. На этот раз Данилову была нужна она сама.

Она толком не понимала его отношений с родителями, но знала, что даже после телефонных разговоров с ними — вернее, с матерью, потому что отец никогда с сыном не разговаривал и никогда ему не звонил, — Данилов становился почти больным.

Его нужно было утешать, но делать это осторожно, потому что от слишком прямолинейных утешений он мрачнел еще больше, уходил в себя, на вопросы отвечал «да» или «нет» и в конце концов замолкал надолго. Марта томилась. Приставала. Пекла пироги. Болтала — все для того, чтобы он сменил гнев на милость. Иногда ей удавалось его умаслить, и он быстро возвращался в состояние нормального человека. Иногда молчание затягивалось, и тогда Марта ненавидела его родителей.

Сзади возмущенно засигналили, и она поняла, что проспала зеленый светофор. Машина тронулась с места, ее обгоняли, возмущенные и негодующие лица проплывали с обеих сторон.

Опять за рулем баба! Спасенья никакого нет от баб на дороге! Научись водить сначала, а потом на шоссе выезжай!

— И что? — осторожно спросила Марта. — Ты... согласился выступать?

— Черт побери, — отчетливо выговорил никогда не ругавшийся Данилов, — нет, конечно.

— Данилов, не переживай, — быстро сказала она, — можно подумать, что это в первый раз.

Вся беда и была в том, что число раз не имело значения. Каждый новый раз было так же больно и обидно, как в первый.

— Не хочу говорить об этом. — Данилов перестал смотреть в окно, глянул на Марту и неожиданно потрепал ее по макушке. — Спасибо, что приехала.

— Пожалуйста. Ты уже решил, что станешь делать дальше? В смысле детективного расследования?

— Я должен выяснить, почему Веник мне наврал,

где он был на самом деле, где были мои сотрудники и откуда взялся янтарь. Еще мне нужно съездить в больницу и поговорить с охранником.

— Если он жив.

— Да. Если он жив и может разговаривать.

И они замолчали — на этот раз до самой Сретенки. Молчали каждый о своем, Марта даже позабыла включить свою любимое «Русское радио».

— Ну что, — спросила она, осторожно приткнув «Ниву» к сугробу, — поедем в ресторан? Или неохота?

— Пойдем лучше домой, — попросил Данилов, — что-то чаю хочется горячего.

— Давай, — моментально согласилась Марта. Ей тоже хотелось чаю и не хотелось в ресторан.

— А Надежда Степановна? — спросил Данилов уже на лестнице. — Как она относится к тому, что ты у меня ночуешь?

— Никак. Она знает, что у нас с тобой... высокие отношения. А потом, я же у тебя не каждый день ночую!

Очень жаль, почему-то подумал Данилов.

Может быть, если бы она ночевала у него каждый день, ему было бы не так страшно возвращаться. Делать этот последний шаг. Вставлять ключ в замок. Покрываться унизительным потом.

С ней он ничего не боялся — никаких призраков в углах.

— Проходи. — Он распахнул двери в квартиру, в привычное тепло и домашний запах. — Замерзла?

Марта кивнула, стаскивая щегольские ботиночки. Она любила хорошую обувь.

— Я тебе сейчас дам твои тапки.

«Ее» тапки он привез из Австрии, меховые, замшевые, со смешной вышивкой. Он полез в шкаф и еще рылся там, когда Марта вдруг спросила с ужасом:

— Что это такое?

Цепляясь головой за вещи, он вынырнул из шкафа:

— Где?

150

— Вон. На твоих ботинках.

Данилов посмотрел удивленно. Что там может быть на его ботинках, чего она так испугалась?

— Что?

Двумя пальцами за шнурок Марта подняла его ботинок. Он качался на шнурке прямо у Данилова перед носом.

На черном блестящем боку было нелепое голубое пятно.

— Откуда оно взялось, Данилов? — с ужасом спросила Марта. — Ты что, вчера наступил в краску?

Данилов взглянул на нее и взял у нее ботинок.

— Вчера пятна не было, — сказал он, — я точно знаю. Я чищу ботинки каждый день, и никакого пятна на них вчера не было.

— Тогда откуда оно взялось?!

— В доме Кольцова не было голубой краски, — сказал Данилов, рассматривая ботинок, — ничего не предполагалось красить в голубой цвет. Не было никакой голубой краски, кроме...

— Кроме надписи на стене, — закончила за него Марта. Он хмуро взглянул на нее. — Где ты мог наступить в голубую краску, Данилов? Сегодня?

— У Веника, — сказал он неохотно, — у него ремонт. Там наверняка есть какая-то краска. Может, и голубая есть.

— Значит, не зря он тебе соврал, Данилов, — тихо проговорила Марта, — значит, голубая краска тоже сходится.

Данилов аккуратно поставил ботинок рядом с другим и стремительно ушел в глубину квартиры, оставив Марту у порога. Хлопнула дверь, и больше ничего не было слышно.

В середине дня выяснилось, что Данилов оставил дома договоры. Эти договоры он взял с собой в пятницу, еще не подозревая о том, что ждет его в субботу. В понедельник нужно было срочно все подписать, и Данилов собирался посмотреть сам, не слишком доверяя Ире, которая их составляла. Составляя, она то и дело ныряла в объемистый справочник «Типовые договоры», и судорожно перелистывала его, и что-то выписывала на бумажку, как будто конспектировала.

За договорами Данилов отправил Сашу Корчагина. Саша некоторое время распространялся о том, что в городе «ужасная дорожная обстановка», идет снег и вообще не проехать, — ехать от офиса до Последнего переулка было ровно две минуты, и Данилов делал вид, что не слышит, — а потом все же уехал.

Позвонила Катерина Солнцева, жена Тимофея Ильича Кольцова, и сообщила свой новый мобильный номер.

— Он жив, но все еще очень плох, — ответила она на вопрос Данилова об охраннике, — с ним дежурят наши ребята.

— Я могу его увидеть?

— Думаю, что пока нет. Разговаривать с ним все равно нельзя.

— Может быть, ему что-нибудь нужно? Лекарства, или аппаратура, или еда?

— Нет, спасибо, — сказала жена Кольцова светским тоном, как будто он предлагал помощь ее больной бабушке, — мы справимся сами, Андрей.

Данилов моментально почувствовал себя идиотом.

— Извините, — пробормотал он.

— Пожалуйста. — Теперь она ответила почему-то весело.

Как их понять, этих женщин?!

— Кстати, нам пришло приглашение на прием в честь Михаила Петровича Данилова. Если не ошибаюсь, это ваш отец?

— Да.

— Он ведь редко бывает в России?

— Да.

— Он получил какую-то престижную европейскую премию за литературу. В газетах писали. Правильно?

— Да.

— А вы... собираетесь на этот прием, Андрей?

— Да.

— Какой у нас с вами веселый и содержательный разговор! — сказала Катерина Солнцева. — Прошу прощения, если поставила вас в неловкое положение. Как себя чувствует ваша приятельница?

— Хорошо, большое спасибо.

Тут она неожиданно сказала:

— Большое пожалуйста, — и положила трубку.

Как их понять, этих женщин? Кто может их понять?

Зачем она заговорила с ним об отце? Теперь он целый день будет не в своей тарелке.

Можно подумать, что последние три дня он хотя бы одну минуту был в «своей тарелке»!

Он посмотрел на разложенные на столе бумаги. Бумаг было много. На плоском экранчике ноутбука болтался новый эскиз. В двенадцать приедет Веник.

Как заставить его сказать правду? Спросить про голубую краску или не спросить? Почему у ловких детективов из кино все получается легко и просто, а у него, Данилова, вовсе ничего не получается?

Он переложил бумаги. Сначала левые направо, а потом нижние — наверх.

Зачем мать пригласила на свою вечеринку Кольцовых?! Что за сумасшедшее честолюбие! Так называется стремление всегда и во всем превосходить окружающих или не так? Почему она не догадалась пригласить английскую королеву Елизавету, к примеру? Тоже весьма достойная особа и, главное, вполне подходящая по статусу! Или он, Данилов, так отстал от жизни, что не знает, кто в данный момент больше всего подходит по статусу матери и отцу? Может, как раз английская королева?!

Хоть бы Марта позвонила. Просто так. Он сказал бы ей — привет, Мартышка. И спросил бы о чем-нибудь незначительном.

Ночью она ему приснилась.

И это был такой откровенный, такой неприличный, такой разнузданный сон, что утром Данилов долго маялся в ванной, не зная, как выйдет и станет смотреть в ее утреннее сердитое и свежее лицо.

Никаких таких снов не должно сниться про «старого друга», тем более если этот самый «друг» ждет ребенка вовсе от другого мужчины.

Эскиз на экране мигнул, ушел в небытие, а на его месте завертелись невообразимые разноцветные пружины и кольца. Кольца корчились, извивались, меняли форму и цвет, перетекали друг в друга и отчего-то напоминали Данилову его самого.

Он посмотрел-посмотрел, а потом стукнул по клавиатуре — прогнал кольца и вернул эскиз.

Зазвонил телефон, и секретарша переключила звонок на него. Он был уверен, что звонит Марта, и внезапно сильно огорчился, когда она сказала, перед тем как он взял трубку:

— Это Корчагин.

Саша звонил из его квартиры. Папка с договорами никак не находилась.

— На столе в гостиной, Саша, — терпеливо сказал Данилов, — прямо на столе.

— На столе ничего нет, — заскулил плохо направляемый Саша, — я стою напротив стола.

— Ничего нет на кухонном столе. Посмотри направо. Там стоит еще один стол. Деревянный. Квадратный. На нем папка. Увидел?

— Увидел, — сказал Саша с облегчением, — сейчас приеду.

— Спасибо, — поблагодарил Данилов. Он всегда благодарил всех и за все. Марта его за это ругала.

Нужно было работать, а он путался в своих мыслях, как воробей в зарослях бузины на участке в Кратове, где весело и вкусно пахнет шашлыком и наглая ворона боком скачет по древнему шиферу крыши.

Кто мог разгромить дом Тимофея Кольцова? Кто мог написать на стене «Это только начало»? Кто мог прислать записку «Убийца должен быть наказан»?

И — зачем?! Данилов никак не мог понять — зачем? Он был совершенно уверен: если он поймет, зачем это сделали, он поймет, кто это сделал.

Появившийся к двенадцати часам Веник был печально официально светел и облачен в офисный костюм.

— Привет, — сказал он Данилову, бросил портфель и уселся в кресло, положив ногу на ногу. В том, как он это сделал, было что-то глубоко американское и очень-очень брокерское. Данилову стало смешно.

— Привет.

Он вынул из ящика стола две пузатые пачки дивного зеленого оттенка, так греющего людские души с тех самых пор, как «за валюту» перестали сажать, и — одна на другую — выложил их перед Веником.

— Спасибо, — солидно сказал тот, — выручил.

Таня Катко за стеклянной перегородкой встала и зачем-то пошла к другому компьютеру. Веник проводил ее глазами — Таня была длинноногой, стройной, и юбка у нее открывала ровно столько, сколько можно, чтобы эротика не перешла в порнографию.

Данилову было наплевать на Танину юбку, но, проследив за взглядом Веника, он решил, что, как начальник-самодур, сегодня же попросит ее выбирать какие-нибудь менее возбуждающие наряды.

— Почему ты мне вчера наврал про одиннадцать часов? — спросил Данилов, пока Веник приходил в себя от зрелища Таниных ног. — Зачем?

— Что, — оторопело переспросил Веник и моргнул, — я тебе наврал?! Ты о чем?

— Где ты был вчера утром, Веник?

Он весь подобрался — Данилов заметил. И даже ногу с ноги снял. И сигарету из пачки так и не вынул. И палец сунул за галстук, как будто тот его душил.

Они в упор смотрели друг на друга — только стол их разделял — и молчали. И чем дольше молчали, тем красноречивее становилось это молчание.

— Зачем тебе знать, где я был вчера утром? — фальшивым голосом начал Веник. Очевидно, ему и самому было понятно, насколько голос фальшив, потому что он откашлялся, быстро отвел глаза и посмотрел снова. За эту секунду он несколько приободрился. — Я вообще не понимаю, что ты ко мне пристал, Данилов! Ты что? Моя мамочка? Или женушка?

— Я не мамочка и не женушка, просто скажи, почему ты мне вчера соврал.

— Я тебе не врал!

— Никакие гости к одиннадцати не приезжали. Твой первый гость приехал после трех. Зачем ты соврал?

— Данилов. — Веник взял себя в руки и решительно пошел в наступление: — Я же не спрашиваю у тебя, где ты был вчера утром!.. Ну, да, да, дома меня не было, ну и что?!

— Где ты был?

— Да не твое дело! На работе ночевал! И отстань от меня!!

— Ты не ночевал на работе.

— Откуда ты знаешь?! Откуда ты, черт побери, все на свете знаешь?! Да что тебе за дело?! Или я перед тобой отчитываться должен?! Ты что, считаешь, что меня купил за свои поганые деньги?! Теперь тебе все можно, да?! Допрашивать меня, следить за мной, контролировать меня, да?!!

За стеклянной перегородкой возникла и пропала

длинноногая Таня. Вид у нее был встревоженный. Очевидно, им все было слышно — особенно когда Веник рассвирепел. Данилов терпеть не мог театрализованных представлений.

— Ты, твою мать, что о себе возомнил?! Ты решил, что меня облагодетельствовал, что ли?! Ты чего, забыл, что было пять лет назад?! Молчишь?! А вот я сейчас выйду в коридор и расскажу всем, что тогда было, — как ты после этого станешь свои деньги грести?! Кому ты станешь нужен?! Чего тебе надо, твою мать?!. Сидел бы, помалкивал, по праздникам грехи замаливал, а ты!..

Веник брызгал слюной — так гневался. И глаза налились, и сизая петушиная шейка в вороте рубахи сильно покраснела.

Данилов посмотрел — и отвернулся.

За окном опять шел снег.

Ничего он теперь не добьется. Если станет настаивать, Веник покраснеет еще больше, закричит еще громче, стучать по столу начнет. Его сестра тоже обожала всякие такие представления. Очень ей нравилось чувствовать себя невинно оскорбленной, облыжно обвиненной и глубоко несчастной. Данилов спрашивал ее, почему она пришла в половине первого, а она в ответ плакала и кричала, что он подлец. Подлец и негодяй.

— Уходи, — сказал Данилов Венику, — уходи, пожалуйста. У меня очень много дел.

Веник угомонился моментально. Данилов думал, что он для виду еще повозмущается немного, но он не стал. Подхватил свой портфельчик, накинул пальто, правда, дверью все же хлопнул — очевидно, чтобы Данилов не расслаблялся.

В ежедневнике, на чистой и хрусткой странице, Данилов записал: «Узнать, где на самом деле был Веник в субботу утром. Узнать, есть ли у него в доме голубая краска. Узнать, был ли у охранника янтарный брелок или еще что-нибудь янтарное. Узнать, где были С.,

Т., И. Позвонить Знаменской и Лиде (на всякий случай)».

С., Т., И. были соответственно Саша Корчагин, Таня Катко и секретарша Ира. Данилов обозначил их одними инициалами — из конспирации. Он конспиратор.

Вместо эскиза на экране опять изнемогали разноцветные кольца. Данилов посмотрел на них с отвращением. Ему нужно работать. Кроме квартиры академика Знаменской и разгромленной дачи олигарха Кольцова, у него было еще три проекта в разной степени готовности. Один, например, в виде эскиза болтался в компьютере.

Когда теперь он сможет нормально работать?!

Дней, данных ему Тимофеем Кольцовым, остается все меньше, а он тратит их совершенно бездарно, на бесполезные размышления и копание в себе. Он так и не смог выяснить у Веника, где тот был в субботу утром и зачем он ему врал.

Завтра или послезавтра вернется Петрысик, отец ребенка и любовник Марты. Бойфренд, как это нынче именуется.

Ну и ладно.

— Таня, — сказал Данилов в селектор и увидел, как она выглянула из-за своего компьютера, — зайдите ко мне на секунду.

Она возникла на пороге моментально.

— Что-нибудь захватить, Андрей Михайлович?

— Ничего не нужно, спасибо. Платежку принесли из Промышленного банка?

Промышленный банк принадлежал Тимофею Кольцову, и все денежные расчеты шли именно через этот банк.

Таня растерялась. Сколько раз она говорила шефу, что она не бухгалтер и не секретарша, а шеф как будто нарочно продолжал указывать ей ее место. Зануда.

— Я точно не знаю, — ответила она оскорбленным тоном и слегка повела плечом, — надо у Иры спросить.

И сделала движение, как будто собиралась закрыть за собой дверь.

— У Иры я спрошу сам, — сказал Данилов довольно холодно.

Ритуальные танцы сотрудников, для которых были бесконечно важны собственный статус и твердое разделение труда, иногда его раздражали. Какое может быть разделение труда, когда в конторе четыре работника и приходящий бухгалтер?!

— Вы посчитали, что там получается с лестницами и сводчатым фронтоном?

— Нет еще, — запнувшись, ответила Таня. Она стояла, а шеф почему-то не предложил ей сесть, чего с ним раньше никогда не бывало. Она чувствовала себя неловко, потому что его очки находились как раз на уровне того места, где кончались ноги и начиналась... юбка.

Шеф поднял голову. Сверкнули очки — очень модные, две дужки и стекла, больше никакой оправы. Таня тихонько вздохнула.

— Садитесь, пожалуйста, — спохватился шеф. — Я не понял, почему не готовы расчеты. Мы должны сдать проект до Нового года. По-моему, я давно об этом сказал. Или не сказал?

— Сказали, Андрей Михайлович. Я не успеваю. У меня очень много работы, и еще звонки, и вчера с утра я в налоговую ходила...

— Вчера было воскресенье, — заметил Данилов, — никуда вы вчера ходить не могли.

— То есть в пятницу!.. Конечно, в пятницу!

— А что вы делаете по субботам?

Это был такой неожиданный вопрос, что Таня даже не сразу сообразила, какого ответа ждет от нее начальник.

На свидание, что ли, собрался пригласить? Как

же, дождешься от него! Сухарь, каких мало, ледышка, леденец на палочке! Кроме того, есть же красавица Лидия Сергеевна, которая несколько раз заезжала за ним в офис, и еще какая-то полоумная звонит каждый день. Хотя он симпатичный и довольно богатый, и...

Все это молнией пронеслось в Таниной голове, закрутилось разноцветным вихрем, ударило в щеки, которые сразу предательски загорелись.

— В эту субботу я на лыжах каталась, — неуверенно сказала она, — с горы.

— А где? — спросил шеф. — В «Волене»?

— На Егорьевском шоссе. Мы всегда там катаемся. Там не так шикарно, как в «Волене», зато дешевле и подъемник есть... — пробормотала она. — Мы всегда там катаемся.

— С утра?

— Что?

— С утра катаетесь?

— По-разному, — ответила бедная Таня, — в субботу катались с утра. Снег шел, и мы решили, что к обеду весь склон засыплет. И поехали рано, часов в девять, наверное.

Тут шеф неожиданно улыбнулся.

Танина бабушка говорила, что хорошего человека улыбка должна непременно красить. Шефа улыбка нисколько не красила. Лицо становилось безжизненным, как будто стянутым в нелепую маску.

— Это я к тому, — пояснил он задумчиво, — что в следующую субботу нам скорее всего придется работать. Иначе мы не то что к Новому году, к Первому мая проект не сдадим. Согласны?

Выходит, он вовсе не собирался приглашать ее на свидание?! И про субботу спрашивал просто затем, чтобы объявить, что отныне у них шестидневная рабочая неделя?! Таня немедленно почувствовала себя оскорбленной.

— Я не знаю, — начала она и потрогала щеки.

Щеки были горячими, а пальцы холодными, и она быстро опустила руки. — Смогу ли я...

— Я не спрашиваю вас, сможете вы или нет, — перебил ее шеф ледяным тоном, — я просто ставлю вас в известность. В следующую субботу мы работаем. С утра.

— Понятно.

— Пожалуйста, вечером покажите мне расчеты. Бог с ними, с лестницами, пусть будут только фронтоны. Сделаете?

— Да.

— Хорошо. Спасибо.

Он снова уткнулся в компьютер с таким видом, что Таня поняла — аудиенция окончена. Она встала, и он неожиданно поднял голову. Опять сверкнули очки.

— Таня, я прошу не носить на работу одежду, которая может вызвать инфаркт у наших клиентов. Мне все равно, — и тут он пожал плечами под безупречной черной водолазкой, — а люди пугаются. Договорились?

Таня выскочила за дверь так стремительно, что Данилов даже удивился, как она не стукнулась в нее лбом.

Значит, Егорьевское шоссе и горка с подъемником. С девяти часов утра.

Вряд ли она обманывает его. Лиду, Знаменскую и Таню он внес в свой список просто для порядка, потому что именно так делали опытные сыщики в детективах. Подозреваются все, исключений нет. Значит, остались еще Лида и Знаменская.

Последняя позвонила ему сама — как обычно. За субботу и воскресенье она обогатилась очередными идеями о перестройке своего дома и горела желанием немедленно выложить их Данилову.

— Андрюшик, — начала она дивным прокуренным контральто, — это я. Баба-яга — Знаменская. Соскучились?

— Конечно, Ариадна Филипповна, очень. Я звонил вам в пятницу, чтобы поздравить, но...

— Андрюшик, замолчите. Я не юное создание тридцати шести лет от роду! Я стара, слаба и дьявольски умна. Вам что-нибудь об этом известно?

Данилов засмеялся. Академик Знаменская была второй женщиной после Марты, с которой он действительно мог разговаривать, не опасаясь ничего на свете.

— Так вот. Вы не пожелали проводить меня на банкет, и я весь вечер принуждена была выслушивать идиотские комплименты от разного рода козлов, которые с большим удовольствием перегрызли бы мне горло еще сорок лет назад.

— А орден? Получили?

— Ну конечно, получила! Или вы думаете, что они в последний момент передумали?

— Он красивый?

— Кто — он, — осведомилась Знаменская, подумав, — орден или президент?

— Почему президент? — удивился Данилов.

— А как вы думаете, кто вручал мне мой орден?

— Не знаю, — признался Данилов.

— Они оба были исключительно элегантны. И президент, и орден, я имею в виду. Но один из них ночевал сегодня со мной! — И она отчетливо произнесла в трубку «хе-хе-хе» — засмеялась. — Банкет был ужасающий. Подготовкой занималась моя невестка, жена старшего сына. Господи боже мой! Нельзя шесть часов кряду есть. Но мы ели. Зря вы не пришли, Андрюшик. Столько еды пропало! Мне удалось уволочь домой ананас. Все решили, что старуха совсем рехнулась, но я его все-таки сперла. В конце концов, это моя еда, и я могу делать с ней все, что хочу! А дома у меня шаром покати, кроме докторской колбасы и фран-

162

цузского шампанского, ничего нет. Шампанское мне прислала подруга из Канн. Можно умереть со смеху, но в Каннах у меня подруга! Она, конечно, совсем в маразме, потому что давно ничем не занимается, кроме ухода за своей персоной, но меня любит. А вы любите меня, Андрюшик?

— Очень, — подтвердил Данилов с удовольствием.

— Ну конечно, — согласилась Знаменская ехидно. — Так что в выходные я ела колбасу с ананасом и запивала шампанским. Кстати, я вам звонила утром. Думала, может, мне удастся завлечь вас хоть на колбасу, но вас не было дома. Работали?

— Работал.

— Ну и зря. По субботам следует встречаться с девушками.

— Я встречался, — зачем-то признался Данилов, впервые в жизни подумав о Марте как о «девушке», — я все делал сразу — и встречался, и работал.

— Я, — объявила Знаменская, — я всю жизнь все делала сразу — встречалась, работала, рожала, проверяла уроки, защищала диссертации, вытирала носы, мыла полы, ругалась с начальством, строила козни! И что из этого вышло?

— Что?

— Теперь все только и думают, как избавиться от полоумной старухи, то есть от меня. Вы первый, Андрюшик.

— Бросьте вы, Ариадна Филипповна, — сказал Данилов весело, — вы — национальная гордость и достопримечательность. Я, например, горжусь знакомством с вами, как пионер красным галстуком.

— Не врите, нехорошо.

— Прибедняться тоже нехорошо, — сообщил Данилов, — а вы почему-то сегодня прибедняетесь.

— У меня такая полоса! — объявила Знаменская. — Мало того, что я академик, доктор, лауреат, я теперь еще орденоносец. Ну? Дальше куда? Помирать?

— Пока подождите.

— Пока подожду, пожалуй. Знаете, утром после банкета, только я пристроилась к колбасе, как позвонил ученик, Вася Бестужев, из Кардиоцентра. У него на столе сложный случай, и какой красивый! Хотите, говорит, Ариадна Филипповна, поучаствовать? Хочу, говорю. Он, бедный, небось надеялся, что бабка откажется, а бабка — тут как тут. Шесть часов мы на двоих с Васей кроили-раскраивали, шили-вышивали! В девять начали, в пять закончили. Размылись, сели, покурили, я и думаю: вот черт побери все на свете! Тебе, старой дуре, вчера орден дали. Зачем? Чтобы ты сегодня опять оперировать побежала? Да, так зачем я звоню? Давно живу. Память подводить стала. Ах да, вспомнила — я сомневаюсь, что камин нужно делать именно с медным колпаком. — На этом месте Данилов чуть не уронил телефонную трубку, неплотно прижатую плечом. — Вот у меня журнал, — в трубке зашелестело, — называется... называется «Лестницы и камины», ишь ты!.. Вы читаете такие журналы, Андрюшик?

— Нет, — признался Данилов.

— Так я и знала! — воскликнула Знаменская. — Так и знала я, что с вами что-то не то. А! Вот. Тут написано, что в этом сезоне самыми модными считаются стеклянные колпаки и экраны. А внутренняя поверхность камина выглядит очень стильной, если она выложена из огнеупорных стеклянных кирпичей. Вы об этом осведомлены, Андрюшик?

— Да как вам сказать, — пробормотал Данилов.

— Давайте немедленно, немедленно, — вскричала Знаменская, — выложим что-нибудь стеклянным огнеупорным кирпичом! Согласны?

— Я согласен, Ариадна Филипповна, конечно, согласен. Только нужно сначала придумать — что.

— Как что! Камин! Я же предлагаю выложить

164

камин. Живем один раз, так пусть хоть камин будет стеклянным!

— Я подумаю над этим.

— Ничего вы не станете думать, -- заявила Знаменская, — ни одна моя идся не нашла одобрения в вашем ледяном сердце. Почему?

— Ариадна Филипповна...

— Ну конечно! Дело в том, что я просто вздорная старуха, а вы первоклассный архитектор! Но вы должны уважать мои седины, и, если я прошу стеклянный кирпич, вы должны хотя бы сдслать вид, что раздумываете.

— Ариадна Филипповна...

— Да-да, это я. Черт с ним, с кирпичом. Обещайте мне, что, если я захочу унитаз в форме лилии, вы согласитесь. Если он оскорбит ваше эстетическое чувство, вы загородите его ширмочкой. Согласны?

— Да, — сказал Данилов, — согласен.

— Ваши родители прилетают в среду?

— Что?

— Андрюшик, до сих пор вы слышали прекрасно. Когда прилетают ваши родители?

— Я не знаю, — ответил Данилов.

— В среду прием в честь Миши. Я никогда не понимала его книг. А вы?

— Я? — переспросил Данилов.

— Света, по-моему, их тоже не понимает. Мне все кажется, что она только делает вид, что читала.

Света, подумал Данилов. Никто и никогда в его присутствии не называл мать Светой. Только по имени-отчеству. За границей — «мадам Данилофф».

Ему вдруг показалось, что в голове у него замкнулась какая-то цепь, даже щелкнуло отчетливо. Замок закрылся. Теперь уже не вырваться.

— Вы... знаете моих родителей?

— Милый мой, в России нет ни одного человека, который не знал бы ваших родителей!

— Я говорю не об этом.

— Да, — призналась академик Знаменская, и ее контральто понизилось до баса, — конечно. Чтобы вы родились, потребовались усилия многих специалистов. Одним из специалистов была я. Так что мы с вами почти родственники. Когда вышла история с вашей депрессией, я сказала Свете, что самым правильным было бы от вас отстать. Но я ведь не психолог или невропатолог! Света меня не послушалась. Зато теперь вы есть отличный архитектор, а ведь мог выйти посредственный пианист!

Данилов разжал руку. Когда он стиснул кулак?

— Прошу прощения, Ариадна Филипповна, — процедил он холодно, — но мне не хотелось бы ни с кем обсуждать свою жизнь. Даже с вами. Давайте лучше вернемся к камину.

В трубке помолчали, доносилось только приглушенное сопение.

— Я не хотела вас обидеть, — сказала наконец Знаменская, — врачи бесцеремонны и циничны от природы. Они такими рождаются. Старуха хотела узнать, будет ли на приеме интересный молодой человек, и сдуру наболтала лишнего.

— Буду, — пообещал Данилов и улыбнулся.

С чего это он так запаниковал? От того, что неврастеник и тряпка? Или просто в голове его никак не совмещались родители и Знаменская, которая была из той части его жизни, которая никак и никогда не соприкасалась с родителями?

Положив трубку, он некоторое время посидел над телефоном. Ему было неловко и трудно.

Во-первых, он только что устроил разнос Тане за лестницы и фронтоны нового дома, которые оказались не готовы, а сам провел драгоценное утреннее время в разговорах и упаднических мыслях.

Во-вторых, согласно плану, записанному на хрусткой блокнотной страничке, информацию Знаменской о том, что в субботу с утра она присутствовала на операции, следовало проверить. Проверять было противно, хотя в данном случае сделать это было очень просто.

Знаменская ни при чем, конечно. Ты сделаешь это для очистки совести. Ты зануда и формалист. Тебе просто нужно, чтобы все в твоих нетворческих, почти бухгалтерских мозгах было разложено по полочкам.

Зачем она спросила его про родителей? Почему ни с того ни с сего продемонстрировала свою причастность и полную осведомленность — даже те его давние нервы были упомянуты? До сих пор Данилов работал на нее, не подозревая о том, что она знает его семью, работал бы и дальше — тогда зачем?

Вопросов стало еще больше, когда через три минуты с трубкой в руке он подошел к окну. Снег все валил.

Академик Знаменская в субботу в Кардиоцентре не появлялась. Профессор Василий Иванович Бестужев тоже не работал.

— Он будет только в четверг. Если хотите, можете оставить сообщение.

— Нет, спасибо, я перезвоню.

Значит, Знаменская тоже его обманула. Как и Веник.

Ошиблась? Забыла, где была наутро после банкета? Пошутила? Выдумала?

Зачем?! Зачем?!!

Когда Данилов был в двух минутах от дома, позвонил Марк Грозовский, давний приятель и такой же давний конкурент.

— Данилов, ты где?

— Рядом с домом. Добрый вечер, Марк.

Грозовский хмыкнул:

— Добрый. Ты даже когда в офисе сидишь, все

равно рядом с домом. У тебя так офис и дом расположены — рядом друг с другом. Как мы с тобой.

— Мы с тобой далеко, — возразил Данилов, улыбаясь.

— Мы с тобой близко, — уверил Грозовский. — Слушай, Данилов, одолжи мне на недельку компьютер, а?

— Какой?

— Любой. Только прямо сейчас. У тебя дома есть?

— Есть, — помолчав, сказал Данилов, — а почему так срочно?

— Потому что завтра ко мне на работу человек выходит, а я ему даже компьютер не могу дать! Куда я с утра поеду покупать! И денег жалко. Вдруг куплю, а новенький уволится! Одолжи, Данилов!

— Да бери, — согласился Данилов. — Подожди минуту, Марк.

Не опуская телефон, он переключил скорость и осторожно втиснул «Фольксваген» между двумя занесенными снегом машинами. Фирма, продавшая ему квартиру, обещала, что вот-вот начнут строить подземные гаражи, но никаких признаков строительства гаражей Данилов не замечал. Обманула фирма.

Что-то в последнее время странное происходит. Все обманывают, даже строительные фирмы.

— Марк, я уже приехал.

— Я рад. Ну что? Дашь компьютер?

— Прямо сейчас?

— А чего тянуть-то? У тебя дома есть какой-нибудь завалящий компьютер?

— Есть. Только он старый совсем.

— Да любой.

— Тогда заезжай.

— Я уже заехал, — пробормотал Марк. — Смотри по сторонам, а то под колеса попадешь.

Данилов оглянулся. Громоздкий грязный джип занимал весь Последний переулок. «Дворники» мели по стеклу, разметали снег.

168

— Это я, — сказал Марк в трубку и помахал рукой, — где тут у вас парковаться-то?

— Где место найдешь.

— Понятно.

Джип тихо тронулся с места, Данилов переждал, пока он проплывет перед ним, и перешел на другую сторону. Грозовский появился через минуту, очень сердитый.

— Еле вылез, полные ботинки снега!.. Тоже мне, «тихий центр», мечта любого состоятельного господина!..

— В Москве с парковкой вообще плохо, — философски заметил Данилов, открывая тяжелую подъездную дверь. — Добрый вечер, Иван Иванович.

— Добрый, добрый, Андрей Михайлович!

«Консьерж» Иван Иваныч выглянул из-за двери и благожелательно проводил Данилова глазами. Ивану Иванычу от роду было лет двадцать пять, и до определения на тихую должность смотрителя подъездной двери он служил то ли в спецназе, то ли в десантных войсках. Вид у него был соответствующий.

— Господи боже мой, — пробормотал Грозовский.

— Зато спокойно.

— А у вас тут что? Шалят?

— Не особенно. Но нужно же чем-то оправдывать деньги, которые с нас дерут в виде квартплаты!

— Крепко дерут?

Данилов покосился на Грозовского, бессчетно размноженного зеркалами лифта, и промолчал.

— Ты чего такой мрачный?

— Я не мрачный. Я устал немного.

— Заработался? — уточнил Марк язвительно. — Заказчик косяком идет?

Перед дверью в квартиру Данилов помедлил. Он возвращался домой не один, поэтому все было проще, чем обычно, но все-таки ему пришлось глубоко вдохнуть и сильно выдохнуть, как будто он собирался прыгать с трамплина. Грозовский наблюдал за ним насмешливо.

— Проходи.

— У-у, — протянул Грозовский, протискиваясь в квартиру, — красота-то какая! Простенько и со вкусом, в твоем духе, Данилов.

Не обращая внимания на хозяина, он протопал сначала в одну, а потом в другую комнату. В спальню он заглянул с порога, а в ванной длинно присвистнул. Данилов улыбнулся, снимая ботинки. Он знал, почему Грозовский свистит в ванной.

— Данилов, ты молодец! — издалека сказал Грозовский. — Главное, и места не так чтобы очень много, а на все хватило!.. Молодец, — повторил он, появляясь в холле. Вид у него был кислый, как будто он расстроен тем, что Данилов молодец. А может, и в самом деле расстроен?

— Ужинать будешь?

— Не буду. Давай компьютер, и я поеду.

— Кофе?

— Данилов, ну тебя в баню с твоими манерами! Я не хочу кофе! Я хочу компьютер.

— Сейчас получишь.

Замшевый чемоданчик с ноутбуком, которым Данилов пользовался только в поездках, был задвинут на нижнюю полку стеллажа. Данилов вытащил его и придирчиво осмотрел. Ни пыли, ни пятен не было на замшевой шкуре чемоданчика — домработница Нинель Альбертовна убирала на совесть. Чемодан от поездки к поездке никогда не открывался, но педантичный Данилов должен был посмотреть, все ли в порядке. Пока он расстегивал и застегивал «молнии» на боку, лазал в боковой карман, проверяя «мышь», далекими отрывистыми трелями зашелся мобильный телефон, и Грозовский сказал в отдалении: «Алло!»

Данилов вышел в холл и аккуратно поставил чемоданчик на пол возле Грозовского.

Марк хмуро глянул на него и отвернулся.

— Нет, — буркнул он в телефон, — пока нет. Не могу. Не могу, сказал! Хорошо. Да. Да. Але! — крикнул он в сторону кухни, куда удалился вежливый Данилов, чтобы не слышать, о чем говорит Грозовский. — Данилов, я поехал, спасибо!

— У тебя неприятности?

— С чего ты взял? — спросил Марк фальшиво. — Компьютер верну недели через две или даже раньше.

— Не спеши, — ответил Данилов вежливо, — он мне пока не нужен.

— Хоть бы пригласил куда посмотреть, что ты строишь! Или боишься, что отобью клиентуру?

— Марк, я ничего не боюсь. А пригласить пока некуда, ничего интересного у меня нет.

У него был очень интересный дом, его любимый дом, с забором из речного камня, с подвесными лестницами, с теплыми мозаичными полами, с английским гобеленом на стене.

Под клочьями этого самого гобелена кто-то написал голубой краской: «Это только начало».

Никто не знал, что Данилов проектирует дом для Тимофея Кольцова. Он никому не говорил об этом. Даже Марта узнала всего два дня назад. Тимофей Ильич был фигурой слишком серьезной, а заказ от него удачей почти неправдоподобной, чтобы просто так болтать о ней. Данилову было совершенно ясно, что, если Кольцов останется доволен, он, Данилов, как спутник-шпион, повинующийся тайному приказу, сразу выйдет на другую орбиту. Орбиту, гораздо более близкую к центру вселенной, чем его нынешняя.

Ему было шестнадцать лет, когда он понял, что из него ничего не выйдет. Понял не он один, а и все вокруг. Дальнейшая его жизнь обратилась в попытку доказать окружающим, особенно семье, — господи, разве у него есть семья?! — что он кое-чего стоит.

Ему никто не верил. Над ним все смеялись — даже «друг детства» Олег Тарасов. Его жалели — оказывается, академик Знаменская тоже его жалела.

Строить дома чужим богатым людям — что за плебейство, что за странное занятие для молодого человека из хорошей семьи! Мне нравится эта работа, мама. Она не может тебе нравиться! Что ты хочешь продемонстрировать нам с отцом, Андрей? Ты не можешь писать, не хочешь заниматься музыкой, тогда что же? Нелепые чертежи, подсчеты? Сколько нужно цемента и сколько оконных рам? Это твоя профессия? Ты всерьез хочешь нас убедить в этом?!

К тридцати годам он перестал кого бы то ни было в чем бы то ни было убеждать. Он работал, искал заказы, зарабатывал мало и нерегулярно. Когда однажды мать в порыве родительских чувств пригласила его на очередное публичное мероприятие в честь отца, выяснилось, что у Данилова нет смокинга. Идти в костюме было нельзя — в приглашении было ясно написано, что форма одежды «вечерняя», — и Данилов не пошел вовсе.

«До чего ты дошел, Андрей», — с усталым презрением сказала мать, позвонив ему на следующее утро, в восемь часов.

Заказ от Тимофея Кольцова был словно его признанием, подтверждая, что он на самом деле что-то собой представляет, что его профессия — тоже профессия, пусть и связанная с цементом, батареями и немецкой краской «Садолин».

— Слушай, Данилов, — неожиданно сказал Грозовский, уже почти выдвинувшийся за дверь, — говорят, что дом одного уважаемого человека разгромили, а дом этот ты проектировал. Правда это?

Данилов не ожидал ничего подобного.

Марк Грозовский ничего не мог знать про дом

Тимофея Кольцова. Сам Данилов никому ничего не говорил. Сотрудники были предупреждены, да Марк и не знал никого из его сотрудников!

Дом разгромили в субботу. Сегодня понедельник. Откуда Марк мог узнать?!

— Я не знаю, о чем ты говоришь, — ответил Данилов ровным тоном, который так хорошо ему удавался. — Какой уважаемый человек?

— Да говорят, что очень уважаемый, чуть ли не Кольцов, — пристально глядя ему в лицо, пояснил Марк. — Ты что? Спроектировал дом для Кольцова?

— Кто говорит?

— Люди говорят.

— Какие люди?

— Всякие. А что? Это неправда? Врут?

Данилов пожал плечами — он любил этот жест, который мог означать все, что угодно. Мать отучала его годами — не смей пожимать плечами, это неприлично, особенно в разговоре! Не отучила.

— А, Данилов?

— Я не знаю, о чем ты говоришь, — пробормотал Данилов.

— Ну конечно, — согласился Грозовский, — смотри, с такими заказчиками можно быстренько на кладбище переселиться. Никто и не узнает ничего. Зря ты ввязался, Андрей. Очень зря.

— Во что?

— Во все. Дом для Кольцова — заманчиво, конечно, но очень опасно. Ты ему не угодишь, и он тебя на тот свет отправит.

Данилов промолчал, хотя очень тянуло возразить.

Возразив, он подтвердит свою причастность и к Кольцову, и к дому, и к разгрому.

Кто написал «Разгром»? Федин? Фадеев? О чем он, этот знаменитый «Разгром»?

Забыл. Или не знал?

— Ты... прояви осторожность, — посоветовал Марк холодно, — не помешает.

— Хорошо, спасибо, — поблагодарил вежливый Данилов и закрыл за Марком дверь.

Откуда?! Откуда он мог узнать?!

Сотрудникам было запрещено говорить о заказах. И хотя Марк бывал в офисе, они проболтаться не могли. Или могли?

С Мартой Грозовский незнаком.

С Лидой знаком, но Лида не знала про Кольцова. Она знала, что один из домов, который проектирует Данилов, на Рижском шоссе — и только.

Что дальше? Дальше-то что?

Вот тебе и ловкий детектив из кино!

Веревка все запутывается и запутывается, и узлы на ней все туже и туже, и все меньше надежды на то, что Данилову удастся их развязать.

Он так и не выяснил, где был Веник утром в субботу и почему наврал про то, что мирно спал дома. Если он ни в чем не виноват, зачем ему врать?! Да еще на таком пустом месте?

Зачем Знаменская сказала, что оперировала в Кардиоцентре, хотя она там вовсе не оперировала?

Где был Саша Корчагин в субботнее утро? Данилов так за весь день и не смог спросить у него, где он был! Подозревать было неловко и противно, Данилов маялся от неловкости, сердился на себя за нерешительность — и ничего не спросил.

Почему Грозовский спросил про Кольцова, откуда он мог узнать?!

Как на ботинке оказалась голубая краска?

В доме Кольцова не было никакой голубой краски, Данилов знал это совершенно точно. Какая именно краска была в квартире у Веника, Данилов не знал вовсе. Если краска из его квартиры, означает это что-нибудь или нет? А если да, значит, Веник написал на стене «Это только начало»? Веник ударил по голове охранника так, что треснули, сломались и вылезли наружу хрупкие белые кости? Веник громил дом, вываливал краску, мазал стены, потрошил шкафы и заливал цементом мозаику?

Целые озера краски и цемента.

«Я не могу, — вдруг понял Данилов, — я просто не могу об этом думать».

Придется, сам себе возразил он язвительно. Конечно, у него нервы, будь оно все проклято! Но он будет думать! Будет думать до тех пор, пока все не станет ясным. Он не даст своим нервам никакого шанса, зажмет их в кулак, стиснет, и они не шевельнутся. У него просто нет другого выхода.

Кто прислал записку «Убийца должен быть наказан»? Зачем ее прислали Марте? Кто принес янтарь в дом Тимофея Кольцова?

Прошло уже два дня из отведенных ему десяти, а он ни на шаг не приблизился к разгадке.

Нужно было готовить ужин, делать привычные вечерние дела, и он заставил себя заняться ими. Марта уехала встречать своего Петю, возвращавшегося из командировки, и не было никакой надежды на то, что она позвонит или приедет. Просто так.

Размышляя, Данилов поставил щегольскую сковородку на полированную поверхность плиты и начал сервировать стол — одна тарелка, одна вилка, один нож и один стакан. На огромной, как озеро, поверхности стола этот набор выглядел жалко.

Он привык жить один. Он и должен жить один.

Ничего у него не вышло, даже когда он попытался что-то изменить, — присутствие второго человека раздражало и сковывало его, мешало думать, заставляло ломать привычки и не соблюдать правила, чего он терпеть не мог. Три года, что он был женат, он даже спал плохо — боялся шевельнуться, разбудить, не включал свет, не вставал покурить, затаивался до утра, как мышь в норе, напуганная запахом кошки.

Нет, не может он ни с кем жить. Он должен жить один.

Запел домофон, и по непонятным причинам Данилов решил, что явилась Марта. Петрысик не приехал. Задержали дела.

Очень обрадованный, он нажал кнопку и сказал:

— Входи, — вот как был уверен!

— Данюсик, хорошо, что ты дома, — откликнулась Лида, — я поднимаюсь!

Бац!

Данилов посмотрел на домофон, как будто это он был виноват, что приехала Лида, а не Марта.

С чего он взял, что это Марта? У нее ключи, и она никогда не пользовалась домофоном.

Он сдвинул сковородку с пышущей жаром поверхности, вышел в холл и распахнул дверь, поджидая.

— Приветик, — прощебетала Лида, выпархивая из лифта, и Данилов в который уж раз отстраненно удивился, какая она красавица, — прости, я знаю, как ты не любишь, когда приходят без предупреждения! Что у тебя с мобильным?

— Добрый вечер. Все в порядке. А что? Ты не могла дозвониться?

Легкая шубка пролетела совсем рядом, как шлейф у принцессы из сказки, другой шлейф — невидимый — обволок его негромким запахом элегантных духов. Она швырнула сумочку, переступила совершенными ногами, потянулась и припала к нему в поцелуе.

Поцелуй был долгий, вкусный и очень красивый.

— Я так по тебе соскучилась, — прошептала Лида ему в щеку, — просто ужасно! А ты все не звонишь и не звонишь...

Персиковая кожа была очень близко, легкие волосы щекотали Данилову нос, глаза влажно сияли, длинные ноги прижимались к его ногам, и все это как бы предназначалось специально для него, как будто для него только и существовало, и глупо и невозможно было сопротивляться.

Зачем?

Он снял с нее шубу и длинные — до бедер — сапоги и почти отнес ее на диван в кабинет, хотя она была высокой и нести ее было трудно и неудобно.

На диване все было точно так же — долго, вкусно и очень красиво.

От этой вкусноты и красоты Данилову всегда безумно хотелось курить — когда все заканчивалось. Курил он в гостиной.

— Данюсь, — она пришла из кабинета в одном белье, и он даже глаза отвел, так это было необыкновенно, как в кино, — давай жить вместе. Ну что это такое? Мне тебя мало. Правда, — и она приложилась горячей щекой к его голой спине.

Он знал, что нужно или немедленно согласиться, или не говорить вообще ничего.

Согласиться он не мог.

Он был очень ей благодарен, она красива и, кажется, даже умненькая, ему нравилось с ней спать — хотя спанье это слишком напоминало кино, — она незаменима при выходах «в свет», она не досаждала ему, но он скорее уехал бы в Бразилию, чем согласился жить с ней.

И еще он понятия не имел, что станет делать, если она в конце концов в него влюбится или убедит себя, что влюбилась. В том, что она не влюблена в него сейчас, он был совершенно уверен.

Данилов потушил сигарету, повернулся к ней, обнял и прижал к себе. Ему никогда не хотелось тискать ее, крепко прижимать, оставлять на ней синяки — дикость какая!

Только один раз в жизни, проснувшись утром, вернее, даже не проснувшись, а выбравшись из мертвого сна, как из могилы, он со смешанным чувством страха и удовольствия рассматривал еле заметные красные следы на очень бледной коже — следы его собственного недавнего безумия. Женщина, виноватая в его безумии, крепко спала, он караулил ее, и ему хотелось только одного — чтобы она не просыпалась подольше, и если проснулась, то не нынешним утром, а вчерашним вечером, чтобы можно было все повторить.

Ничего не повторилось.

Нельзя дважды войти в одну и ту же реку.

Он никогда не понимал смысла этой мудреной мудрости.

Почему нельзя?

Вот она, река, — такая же, как вчера, позавчера и сто лет назад. В нее можно войти миллион раз. Он столько раз начинал сначала, столько раз входил в эту проклятую реку, столько раз река швыряла его обратно, а он все лез и лез в нее — так почему нельзя?!

Он потерся щекой о легкие волосы и спросил негромко:

— Сварить тебе кофе?

— Нет, — отказалась Лида со вздохом, — я хотела зайти на пять минут, но ты так на меня действуешь, что я не удержалась.

— Это хорошо, что ты не удержалась, — сказал Данилов с улыбкой. — Извини, мне нужно надеть что-нибудь.

— Твой свитер я бросила в кресло, — проинформировала Лида уже из ванной. — Данюсь, я привезла тебе приглашение на прием в Воротниковском. Сегодня я встречалась с Ольгой, она передала.

— Спасибо.

— Господи, да не сердись ты так! Ерунда какая! Светлана Сергеевна волнуется, ей хочется, чтобы ты непременно пришел.

— Я приду.

— Я специально привезла тебе приглашение, потому что я, наверное, поеду пораньше. Ольге нужно помочь.

Это Данилову совсем не понравилось. Ольгой звали пресс-секретаря его отца, и, как правило, помощь ей не требовалась — она сама могла помочь кому угодно, ее энергии хватило бы на небольшую электростанцию. Лида не должна была помогать. Это означало бы, что она оказалась слишком близко, опасно близко к Данилову и его семье. Хуже всего, что эту сторону — так называемую семейную — он вообще не мог контролировать. Мать все равно сделает так, как считает нужным.

— Лида, я думаю, что Ольге помогать вовсе не обязательно. Она справится сама. Она всегда справляется сама.

Лида стояла перед зеркалом в ванной, в мерцании шелкового белья, гладкой кожи и блестящих волос и показалась Данилову сказочно красивой.

— Да, но Светлана Сергеевна просила...

— Светлана Сергеевна думает, что тебе нечем заняться. Я могу позвонить ей и сказать, что ты не можешь. Чтобы она к тебе не приставала.

— Да, — удивилась Лида и повернулась к нему со щеткой в руке, — да, но я могу. Ничем таким я не занята.

— Лида, — сказал Данилов, — я не хочу, чтобы ты выполняла просьбы моей матери. Если сейчас изменить уже ничего нельзя и вы обо всем договорились, значит, все остается как есть. Но пусть это будет первый и последний раз.

— У тебя такой тон, как будто я в чем-то виновата. — Она бросила щетку в раковину, вид у нее был рассерженный. — Я просто хотела помочь.

— Не нужно.

Он ушел в гостиную и снова включил плиту.

Его мать мастерица расставлять ловушки. Ей бы охотником быть. В тайге.

— Я положила приглашение на тумбочку в спальне.

— Спасибо.

— Проводи меня.

Он выключил плиту, подхватил из кресла шубу и зажег в холле свет.

— Лида, если я тебя обидел...

— Ты меня не обидел. Кстати, ты уже придумал, куда мы поедем на Новый год?

— Я пока этим не занимался.

— Когда ты займешься, мест нигде не будет. Может, я сама?

Она опять сияла глянцевой персиковой европейской красотой и казалась совершенно спокойной и удовлетворенной. Притворялась? Или ей в самом деле наплевать?

Хорошо, если наплевать.

— Может, все-таки на снег?

— Нет, — она шаловливо улыбнулась и легко куснула его за щеку, — нет, Данюсик! Я хочу, чтобы было тепло и солнечно. И чтобы слоны ходили под балконом.

— Слоны? — удивился Данилов, и Лида засмеялась.

Из плоской длинной сумочки она достала ключи от своей машины и сказала, став озабоченной:

— Я где-то посеяла брелок и теперь ключи ищу по полдня. Роюсь, роюсь. Подари мне брелок, Данюсь.

— А какой у тебя был?

— Ты что, — спросила она удивленно, — не помнишь? Ты сам мне привез из Риги! Такой смешной человечек. Из янтаря.

Данилов посмотрел на нее, как будто она внезапно сошла с ума. Брелок?! Из янтаря?!

Полчаса назад он думал про этот проклятый янтарь, кучка которого лежала у него в деревянном блюдце. Он думал — откуда янтарь в доме Тимофея Кольцова? Кто его потерял, а потом раздавил почти что в пыль — преступник или охранник?

— Что ты так на меня смотришь? — Она тоже оглядела себя, но не заметила ничего такого. — Со мной все в порядке?

С ней все было в полном порядке, а с ним явно нет.

— Хорошо, что я заехала. Пока, и звони мне!

Он постоял на пороге, поджидая, когда закроются двери лифта, готового увезти ее. Двери закрылись, лифт уехал, Данилов вернулся в квартиру. Теперь почему-то сильно заболела голова.

Лида выскочила из лифта, пробежала короткую лестничку и толкнула дверь на улицу, радостно чувствуя маслено-умильный взгляд Ивана Иваныча, «консьержа», проводивший ее. Машина стояла на той стороне переулка и радостно подмигнула ей, когда она нажала кнопку.

Она обежала темный грязный бок и уселась на пассажирское сиденье.

— Почему так долго? — недовольно спросил тот, кто сидел на водительском месте.

— Вовсе не долго, — возразила Лида кокетливо, — очень даже быстро.

— Ну? Что?

— Он такой же, как всегда, — объявила Лида, — я ничего не заметила. Обычный.

Человек помолчал.

— Обычный! — сказал он наконец странным придушенным голосом. — Ты принесла?

— Конечно. — Она выхватила из сумочки ключи и поболтала ими в воздухе. — Он ничего не заметил.

Человек снял ключи у нее с пальца и сунул в карман.

— Хорошо. Молодец.

Лида улыбнулась счастливой улыбкой.

Поесть Данилов так и не успел, потому что явился Тарасов.

— Я на пять минут, — объявил Тарасов с порога, — не пугайся.

— Я не пугаюсь, — пробормотал Данилов.

Что-то странное было в этом вечере. Никто и никогда не приезжал к нему по вечерам, особенно без приглашения. Только Марта. Она могла всегда приехать «просто так», но не приехала. Она встречала Петю и была занята.

— Проходи, Олег. Кофе будешь?

— Буду.

Пока Тарасов раздевался и мыл руки, Данилов поставил на стол еще одну чашку и положил еще одну салфетку. Чашки были с наперсток, а салфетки топорщились и кололись — Нинель Альбертовна явно переложила крахмала. Когда Тарасов вошел, Данилов осторожно поставил блюдечко с горкой янтаря в японскую шкатулку — чтобы не рассыпать. Все-таки это были «улики».

— Я заехал сказать, что родители просили встретить их завтра в Шереметьеве. «Эр Франс» из Парижа, вечерний рейс. Светлана Сергеевна не могла тебе дозвониться, а завтра утром звонить ей будет некогда.

Данилов пришел в такое бешенство, что в глазах стало темно. Наконец-то он понял, что такое «темно в глазах»!

— Никто не может мне дозвониться, — пробормотал он, глядя в кофейную гущу, — я подам в суд на МТС.

— Подавай на кого хочешь. Меня просили — я передал.

— Спасибо.

— Пожалуйста.

— У тебя сахар есть?

— Да. Конечно.

— Я предлагал — давайте я сам встречу, — продолжил Тарасов с удовольствием, — но Светлана Сергеевна хочет, чтобы ты.

— Наверное, ожидается слишком много камер, — заметил Данилов спокойно.

— Да тебе-то что? Чем больше, тем лучше. И тебе

не повредит, если кто-нибудь увидит, что ты сын знаменитых родителей. Реклама.

— Реклама, — согласился Данилов.

Будет «море цветов», как принято говорить в репортажах о знаменитостях, микрофоны, резкий свет лампочек на камерах, восторженные дамы интеллигентного вида, патлатые юнцы вида богемного, журналисты вида мрачного и пресыщенного. Мать, равнодушная ко всему на свете, кроме успеха и приличий. Отец, равнодушный ко всему на свете, включая успех и приличия. И он, Данилов, в роли блудного сына со скромным букетиком среди толпы. Вид постный и несколько растерянный.

Он не поедет их встречать, и пусть будет что будет.

Он позвонит Ольге, уточнит, отправлен ли отцовский водитель Юра в Шереметьево, и если отправлен, Данилов и не подумает их встречать.

— Я могу сказать Светлане Сергеевне, что ты приедешь?

Значит, Олегу она вполне может дозвониться. И еще будет звонить, несмотря на то, что занята.

Ни при чем МТС. В суд можно не подавать.

— Ты можешь сказать Светлане Сергеевне все, что угодно, — любезно разрешил Данилов, — это твое исключительное право.

— Ты их встретишь?

— Олег, — сказал Данилов морозным голосом, — это совершенно не твое дело. Ты мне передал информацию, большое спасибо. Будешь еще кофе?

Ему показалось, что Тарасов сейчас его ударит. Данилов весь подобрался — так ясно видел, что Тарасов готов его ударить.

— Ты просто... — прошипел он сквозь зубы, — просто...

— Что? — переспросил Данилов.

Он весь — от волос до ботинок — был холодный

и надменный, и за это Тарасов ненавидел его еще больше.

— Ничего! — рявкнул он. — Пойду я от греха подальше, а то еще ненароком...

Данилов не пошел его провожать.

Олега оскорбляли его отношения с родителями. У него не было таких возможностей, как у Данилова, и тем не менее он все-таки стал тем, кем стал, — хорошим скрипачом в хорошем «выездном» оркестре. Он не мог простить Данилову упущенных возможностей — как будто они были его собственными.

А Данилов не мог ему простить, что он из кожи вон лез, чтобы заменить его родителям сына, и отчасти ему это удавалось. Олег был гораздо большим сыном даниловских родителей, чем сам Данилов, и он... ревновал, хотя старательно притворялся равнодушным.

Марта отлично его понимала. Марта всегда его понимала.

Марта, похожая на Симфонию соль-минор Моцарта.

Когда в очередной раз залился трелями домофон, Данилов засмеялся.

— Да, — весело сказал он, хлопнув по кнопке, — кто там?

— Это я, — прохрипел домофон. Данилов ничего не понял. — Я, Вениамин. Открой.

— Отлично, — сам себе сказал Данилов, отпустив кнопку, — только Веника мне и не хватало.

— Я без тебя скучал, — сообщил он, когда Веник вывалился из лифта. Тот дико на него взглянул.

— Аська приехала за вещами, — сказал он, тяжело дыша, как будто жена гналась за ним с пистолетом и вот-вот могла настигнуть, — я ушел. Не могу ее видеть! Не желаю!.. Пусть берет, что хочет! Пусть все забирает, все! Я даже пальцем не пошевельну!..

— Сбавь обороты, — посоветовал Данилов. Про

эти обороты он однажды услышал от Марты. — Ты что? Ночевать у меня собрался?

— Я уеду, — пообещал Веник, выбираясь из пальто, — мне только пересидеть, пока она там... Представляешь, я приехал, а она — дома!

— Ужас, — сказал Данилов.

— Ты ни фига не понимаешь — и заткнись! Ты жену в гроб загнал, а моя меня загонит! Я тебе точно говорю!

Самое печальное — Веник искренне верил в то, что насочинял про свою жену-злодейку. Он всерьез вознамерился с ней разводиться и был убежден — в данную секунду, — что она отравила ему жизнь и украла... Что там она у него украла? Молодость? Лучшие годы?

— Ты особенно не распаляйся, — посоветовал ему Данилов из гостиной, — тебе же потом хуже будет, когда ты мириться кинешься.

— Я?! — возопил Веник, появляясь в дверях. — Мириться?! Да я никогда в жизни!.. Да хоть один раз!.. Свобода мне дороже...

— Свобода, равенство, братство, — заключил Данилов. — Где же ты все-таки был в субботу утром, Веник?

Вениамин моментально осекся и посмотрел на Данилова настороженно.

— Далась тебе эта суббота, — сказал он быстро, — нигде не был. Дома спал. У тебя есть пожрать?

— В холодильнике. Подавать тебе я не буду, бери сам. Кстати, что ты собираешься красить голубой краской? Сортир?

Веник моргнул.

— Какой краской? А... Нет, ванную. А что? Плохо? Или это теперь не модно?

— Черт его знает, — ответил Данилов и ушел в кабинет.

Веник чем-то гремел в гостиной, что-то там у него

падало и звенело, потом заговорил телевизор, и эти
звуки — свидетельства чужого присутствия — не давали Данилову сосредоточиться.

Потом позвонила Марта.

— Хэллоу, — сказала она, почему-то налегая на
букву «у», — как твоя жизнь? Игра?

— Ты встретила своего Петрысика?

— Встретила.

— Как он съездил?

— Хорошо. Привез еще немного сала.

— Ты сказала ему, что...

— Что?

— О ребенке сказала?

Марта вздохнула.

— Нет еще. Не переживай за меня, Данилов, я
успею. Господи, что там у тебя за шум?

В этот момент Веник как раз уронил на кухне что-
то тяжелое и громкое.

— У меня Веник, — Данилов улыбнулся, откинув-
шись в кресле, — он спасается от жены и кредиторов.

— Каких еще кредиторов, Данилов? — подозрительно спросила Марта. — Он спасается от кредиторов на твои деньги?

— Ну, не на свои же. Своих у него нет.

— Зачем ты ему дал? Ну зачем?!

— Он боится, что в него будут стрелять! — заявил
Данилов с пафосом.

— Джексон стрелял в Сундукова, — объявила
Марта. — Попал? — испуганно спросила она сама
у себя. — Нет, промахнулся!

— Вот именно, — согласился Данилов. — Кстати,
я так и не выяснил, где был Корчагин утром в субботу.
И у Лиды тоже забыл спросить. А Знаменская мне почему-то наврала, — он понизил голос, — сказала, что
была в Кардиоцентре, а когда я туда позвонил, мне
ответили, что в субботу ее не было.

— А как ты спросил про субботу?

186

Данилов вздохнул.

— Я сказал, что я ее ассистент, и она просила узнать, не оставляла ли она в субботу сумку с документами.

— Потрясающая конспирация. А Лиду ты сегодня видел?

— Она заезжала, — нехотя признался Данилов.

Ему не хотелось говорить Марте, что она заезжала. Хотя Лида была его любовницей, и Марта об этом прекрасно знала.

— А Грозовский спросил, правда ли, что я строю дом для Кольцова и в этом доме произошли какие-то неприятности.

— Откуда он мог узнать? — насторожилась Марта. — Ты же никому ничего не рассказывал!

— Вот именно. И я понятия не имею, откуда он мог узнать. Лида потеряла янтарный брелок — человечка, составленного из шариков. Это что? Совпадение?

— Лида?! — изумилась Марта.

Данилов пришел в раздражение:

— Да. Лида. Только не надо меня спрашивать, что это означает. Я не знаю.

— Вот черт возьми.

— Вот именно.

— Данилов, я никак не могу приехать, — сказала Марта с сожалением, — я бы приехала, но... никак не могу.

— Я понимаю.

— Гони в шею своего Сундукова, сядь и подумай. У тебя это хорошо получается, я знаю.

— Данилов! — заорал из гостиной Веник. — Данилов, дай мне очки! Ни х... не вижу, а там хоккей идет!

— Данилов, — предостерегающе сказала Марта из трубки.

— Пока, — попрощался он.

Он дал Венику очки, закрылся в кабинете, и ему даже удалось два часа поработать.

Он умел ни о чем не думать, сосредоточиваясь только на эскизе будущего дома, состоящего из одних ломаных линий, а Данилов видел его таким, каким он будет, — объемным, выпуклым, с чистыми глазами окон и удлиненной крышей.

Новый заказчик увлекался астрономией, и в крыше предполагалось место для телескопа. Заказчик был крупный промышленник, в прошлом служивший в Пулковской обсерватории.

Данилов отлично представлял себе, как он, устав от своих фабричных дел, взбирается по винтовой лестнице в личную обсерваторию, настраивает телескоп и полночи рассматривает небо. Может, даже проводит какие-то вычисления и торопливо записывает их на бумажке.

По слухам, его пожертвования бывшей работе как раз равнялись той сумме, что отпускалась на нее из бюджета.

В первом часу, решив, что можно попробовать лечь спать — вдруг что-нибудь из этого выйдет? — Данилов выставил Веника.

Веник не шел, скулил, ругался, но Данилов был неумолим, и тому пришлось убраться.

В спальне было холодно — окно приоткрыто. Из него несло морозом и запахом снега. Данилов закрыл окно, поправил штору — он терпеть не мог беспорядка — и зажег свет.

Как будто железный кулак ударил его под дых. Стало нечем дышать, и пальцы свело сильной судорогой.

Красное на белом.

Странные тропические цветы, хищные и безжалостные.

Неровные кровавые пятна на очень белой, неправдоподобно белой блузке. Много лет ему вспоминалась не кровь, а именно эта неправдоподобно белая блузка, которая была на его жене, когда она умерла.

Эта блузка в кровавых пятнах лежала теперь на его постели. Той самой, где он собирался спать. Той самой, где он всегда занимался любовью с Лидой.

Он закрыл глаза, понимая, что не бредит, что откроет их и увидит то же самое — красное на белом, — и будет еще хуже, потому что реальность этого красного на белом еще раз ударит его.

Он открыл глаза. Ничего не изменилось. Оно лежало на его постели.

Принуждая себя, он сделал шаг, потом еще один и оказался совсем близко.

Вот оно. Вот.

Это была не блузка. Это была концертная рубаха, его собственная, неизвестно зачем хранимая. На ней пятнами цвела кровь, очень красная и свежая.

Данилов осторожно, контролируя каждое собственное движение, взял рубаху за воротник, вынес из спальни и сунул в первый подвернувшийся под руку пакет, затолкал изо всех сил. Потом швырнул пакет в мусорное ведро, сел и быстро закурил.

Руки у него совсем не дрожали.

Ночью ему было так плохо, что несколько раз он подходил к зеркалу, проверяя, не сошел ли с ума. Неизвестно почему, но он был уверен, что, если сойдет с ума, зеркало непременно покажет это, он увидит и поймет. Однако зеркало отражало его в черном свитере с задранными рукавами, привычном и обыкновенном, как зубная щетка. Он смотрел на свитер, и в голове легчало, как будто свитер был свидетельством того, что все нормально, все обойдется.

Один раз он полез в пакет, сунутый в мусорное ведро. Белая ткань, огромный ком, лежала там, внутри. Напрасно он думал, что ему показалось. Наверное, если б показалось, было бы еще хуже — хотя куда уж хуже! Если б ее там не было, он уверился бы в том, что сходит с ума.

Он не может позволить себе сойти с ума. Слишком много радости это доставит родителям и разным «друзьям детства».

Он представил, как они судачат. Он сошел с ума. Этим все и должно было кончиться. Эта дикая жизнь, без семьи, без друзей, без прошлого! Наверное, это началось уже давно. Наверное, когда он перестал играть. Что вы говорите, а с виду такой приличный молодой человек, такой спокойный и выдержанный!.. Бедная мать, только этого ей не хватало!..

Он не сойдет с ума.

Он не может оставить Марту с ее ребенком. На Петрысика никакой надежды нет, это уж точно.

Он курил, и пепельница была полна, а он не мог выбросить окурки, потому что в мусорном ведре лежал пакет, а в нем огромный белый ком с неровными пятнами крови.

В три часа ночи стало совсем плохо.

Кончились сигареты, и он не сразу вспомнил, где лежит запасной блок, а вспомнив, полез на полку и вывалил на пол все ее содержимое. Сигареты упали сверху, Данилов посмотрел на них с отвращением.

На полке лежали какие-то хозяйственные бумаги — счета за свет, телефон и квартиру, — и еще фотографии, целый пакет. Падая, пакет раскрылся, фотографии разлетелись по полу, раскрасив в неправдоподобно яркие цвета светлый чистый паркет.

Данилов сел на пол и стал собирать фотографии. Марта должна была их забрать и забыла. Он не любил фотографий, особенно своих.

Марта обожала снимать его, и он злился, хотя не подавал виду. Вот он садится в машину. Лето, жара, солнце в глаза, соседнего дома почти не видно. Вот Марта с палкой шашлыка в зубах, как людоедка на острове. Вот они оба — этакая романтическая парочка в темных очках и шортах — у памятника тысячелетию России в Новгороде. Туда-то они как попали?! Он совсем забыл. Какой-то пляж, подмосковный, бедный, замусоренный — а это где? Он не знал. Вот это понятно, это Кратово, осень, Надежда Степановна в шали, Марта в черном свитере и тяжелых ботинках. Вот опять он, вид надутый и важный, какое-то официальное мероприятие, на которое он зачем-то таскал Марту. Это Ярославль — высокий берег, бархатный газон, Волга «без конца и без краю». У Марты напряженное, очень бледное лицо, почти незнакомое.

Ярославль он помнил очень хорошо.

Ползая на коленях, он собрал фотографии, сел прямо на пол и стал смотреть еще раз, тасуя, как колоду карт. Сочные цвета приторного обманщика «Кодака» как будто разгоняли мрак в голове.

Ну и пусть таких красок никогда не бывает на самом деле, зато на них весело и легко смотреть.

«Кодак» помог. Внезапно Данилов стал соображать и удивился даже, почему не соображал так долго.

Окровавленная рубаха на его постели не могла появиться сама по себе. И материализоваться из прошлого тоже не могла, хотя на это было очень похоже. Ее кто-то принес и положил, зная, что Данилов найдет ее и ему станет плохо. Так плохо, как пять лет назад, когда он рассматривал хищные тропические цветы на очень белой, неправдоподобно белой блузке.

Кто мог ее принести?

Наступая на пухлые книжки счетов и держа фотографии в руке, Данилов подошел к холодильнику и достал из морозилки ледяную и тяжелую, как граната, бутылку водки. Замороженная, она не лилась, а тянулась в стакан, сгустившаяся и голубая от холода. Когда стакан наполнился до половины, Данилов аккуратно поставил бутылку и влил водку в себя.

Горло оцепенело. Внутренности оцепенели.

Сегодня вечером у него были — по порядку — Грозовский, Лида, Тарасов, Веник.

Грозовскому он отдал компьютер. С Лидой занимался любовью. С Тарасовым поругался. С Веником провел остаток вечера.

Кто из них?

Любой. Любой, черт побери все на свете.

Стоп.

Утром он посылал за договорами Корчагина и еще руководил его действиями по телефону, потому что бестолковый Корчагин никак не мог найти папку с договорами.

Он вернулся домой с Грозовским и в спальню не заходил. Когда Грозовский ушел, он переоделся в спальне, но свет не зажигал. На постели могло лежать все, что угодно, даже труп — он ничего не заметил бы. Он с детства плохо видел в сумерках, как крот.

Или крот хорошо видит в сумерках? Или это сова видит хорошо?

Значит, еще Корчагин.

Корчагин, Грозовский, Лида, Тарасов и Веник, предназначивший для ванной голубую краску.

Хорошо хоть академик Знаменская сегодня не заглянула на огонек. Повезло ему.

Корчагин был в его квартире один и мог делать в ней все, что угодно. Марк тоже был один — пока Данилов искал ему компьютер. И Тарасов был один. И Веник.

Ему даже в голову не приходило, что за ними нужно следить. Что один из них пришел специально затем, чтобы залить кровью его концертную рубаху.

Что это за кровь? Чья?

Почему-то Данилов был совершенно уверен, что это именно кровь, а не красная краска, например.

Лида?

Они лежали на диване в его кабинете, до спальни было слишком далеко, а он спешил. Он понятия не имел, что она делала, когда он курил в гостиной, такой счастливо-расслабленный. Бегала в спальню, торопливо создавала декорацию? Через пять минут после того, как они в последний раз поцеловались в завершение изумительного, почти идеального — как в кино! — секса?!

И самое главное — зачем?! Зачем?!

Ледяная пирамидка водки, опрокинутая в желудок, стала медленно таять, и там, где она таяла, становилось тепло и приятно. Почему-то на этот раз водка проясняла, а не туманила голову.

Кто-то из них знал, что окровавленная рубаха подействует на него именно таким образом. Кто-то из них знал про ту окровавленную блузку.

Никто не мог про нее знать.

Данилов был совсем один в комнате, где лежала его жена. Он был совсем один, когда пытался ее оживить и совал к сизым губам стакан с водой. Он был совсем один, когда набирал всесильные телефонные номера — 01, 02, 03, — а трубка липла к его ладони, и он все никак не мог понять, что она липнет потому, что на ней высыхает кровь.

Данилов был совсем один, когда приехали люди из милиции и «Скорой» и положили его жену на носилки.

Никто не мог ничего знать про белую блузку. Про нее знал только он один — и никому никогда не говорил, даже Марте.

Нет, не один. Про эту блузку знал еще тот человек, который застрелил Нонну.

Данилову стало холодно, и ручейки перестали течь с ледяной глыбы, лежавшей в желудке, и она опять окаменела.

Да, конечно. Убийца его жены.

Во всем виноват он сам, подумалось по многолетней привычке. На курок нажал не он — только и всего.

Но подумаешь — курок! Курок завершил то, что начал Данилов.

«Ты, ты во всем виноват, убийца, иуда!»

Конечно, он. Кто же еще?

Впервые за почти пять лет, прошедшие с момента убийства, он вдруг подумал, что убийца его жены — человек. Тот самый, что подложил ему в спальню окровавленную рубаху. Он знает его, он разговаривал с ним, сидел за столом, может, компьютер или деньги одалживал.

Убийца его жены так же материален, как снег за окнами или пустая кофейная чашка на столе, и он решил теперь доконать Данилова.

Как все просто. Неправдоподобно, убийственно просто.

Данилов посмотрел на часы — половина пятого. Минул пресловутый «час быка», время самоубийств и смертоносных решений. На этот раз — мимо. На этот раз пронесло.

Ему нужно в ванну, и воду погорячее. Ему нужно еще несколько сигарет, кофе с сахаром и лимоном и поговорить с Мартой. Тогда он сможет думать.

Очень хорошо.

Он собрал с пола оставшиеся бумаги и сунул в пакет фотографии. Подумал и вытащил одну, ту самую, где она на участке в Кратове, в черном свитере и тяжелых ботинках, и прислонил к серебряной солонке.

Пусть пока побудет здесь.

Марта рассматривала себя в зеркало и вздыхала.

Физиономия бледная, отечная, местами с зеленью. Губы обметало на ветру, несколько дней она прилежно мазала их кремом — «Альфа-флавон с липосомами, естественная молодость вашей кожи».

«Естественная молодость» стоила в аптеке семьсот пятьдесят рублей, и Марта ликовала, когда удавалось купить за семьсот тридцать. Экономия, таким образом, была налицо, и Марта чувствовала себя умницей, бережливой хозяйкой и главой семьи. «Естественная молодость» волшебным образом вылечила губы от красноты и раздражения, зато кожа теперь облезала клочьями, как у прокаженного.

— Мам, я никуда не еду! — закричала Марта и в приступе раздражения топнула ногой. Куда ехать в таком виде! — Слышишь, мам?!

— Конечно, слышу, — отозвалась Надежда Степановна, — я считаю, что, наоборот, нужно съездить.

— Да, конечно! У меня с лица вся кожа слезла, а я поеду на великосветский прием! Меня даже не приглашали!

— Зато меня пригласили, — возразила мать уверенно, — а это одно и то же.

— Нет, не одно!

Схватив крем, она стала ожесточенно втирать его в кожу, от души желая утопить изящную баночку в унитазе.

«Естественная молодость» — чушь какая! А старость что, противоестественна?

— Все равно я не поеду, — заявила Марта своему отражению, — ни за что!

Ей требовалось, чтобы мать ее убеждала и чтобы обязательно в конце концов убедила. В глубине души она знала, что поедет, и презирала себя за это.

— Что ты наденешь? — спросила Надежда Степановна. — Давай я поглажу, пока ты собираешься.

— Ничего. Голая пойду.

— Чай поставить? Выпьешь?

Данилов не звонил два дня.

Он не звонил, и все тут.

Во вторник Марта целый день выдерживала характер, и ей это удалось. В среду, приехав на работу, она первым делом набрала номер его конторы и положила трубку, услышав жеманное «ал-ло» секретарши.

«Не стану ему звонить, — решила она, глядя на телефон и мечтая только об одном — чтобы он сейчас же, сию же минуту позвонил. — Ни за что не стану ему звонить. Что это такое на самом деле?! Мне не восемнадцать лет, и я не институтка. Я взрослая беременная женщина... с прошлым».

Из всего «прошлого» стоило помнить одного Данилова. Из всего «прошлого» один Данилов и остался.

Даже мобильный молчал. Только раз кто-то позвонил и корректно извинился — ошибся номером.

Марта сидела за компьютером, разговаривала с сотрудниками, писала отчет и чувствовала себя ужасно. Шеф смотрел как-то косо, может, догадался, что она беременна, уйдет в отпуск, и придется платить ей декретные деньги? Пояс брюк непривычно давил на живот, и ей казалось, что живот у нее вырос необыкновенно, хотя он не мог вырасти так рано. Она знала, что ничего он не вырос, но все равно ощущала себя слонихой.

На обед она съела один салат, решив, что скоро вообще не влезет ни в какую одежду, загрустила, разозлилась еще больше и часа в четыре уехала домой.

Данилов так и не позвонил.

Если бы он позвонил и рассказал ей, как у него дела, что происходит с его расследованием и куда он уже продвинулся, вполне возможно, что она никуда бы и не поехала. Зачем? Только смущать его и себя ставить в неловкое положение. Но он не звонил, она решила ехать и теперь ныла и сердилась, потому что ехать было страшно.

Приглашение получила Надежда Степановна — твердый узкий конверт, доставленный курьером. В получении конверта следовало расписаться в гроссбухе.

Приглашение на прием в честь Михаила Петровича Данилова. Дата. Адрес. Форма одежды — вечерняя. Просьба заранее сообщить номера машин.

— Как это они про меня вспомнили, — удивлялась Надежда Степановна, рассматривая конверт, — даже удивительно.

Лет тридцать назад мать работала переводчицей в Литературном институте. Михаил Данилов и тогда был известен — не знаменит, но вполне узнаваем, — и к нему приезжали иностранные писатели, потолковать о «мире без насилия», об «остановке гонки вооружений», о «потерянном поколении», «крахе буржуазной морали», о «роли писателя в современном мире». Темы очень милые, бессмысленные, душевные и добавляющие любому из собеседников чувства собственной значимости. Собственно, потому и толковали, а вовсе не от того, что кого-то из них всерьез интересовала «роль писателя». Они толковали, а Надежда Степановна переводила.

Свою первую книгу, вышедшую на английском языке, Михаил Петрович преподнес матери и даже дарственную надпись сделал. С этой книги началась его мировая слава, и мать очень гордилась и надписью, и знакомством.

Когда в жизни Марты появился Данилов и выяснилось, что он — сын, все некоторое время удивлялись поворотам судьбы и тому, что мир — тесен, а поудивлявшись, забыли.

Марта, знакомясь с его родителями, о давних связях не упоминала.

Очевидно, на подобные судьбоносные приемы принято было приглашать кого-нибудь из прошлого, одного или двух приятных и милых людей, с которыми мэтр «начинал». Дошла очередь и до Надежды Степановны, которая сразу же сказала, что не поедет, и велела ехать Марте.

— И Андрей будет рад, — сказала она весело от того, что все так хорошо придумала.

Марта очень сомневалась, что «Андрей будет рад», но, едва только взглянув на конверт, на твердый, шероховатый, упоительно великосветский кусочек картона с приглашением, уже знала, что поедет.

— Я поставила у двери валенки, — объявила Надежда Степановна, появляясь на пороге ванной, где страдала ее дочь, — наденешь, когда пойдешь в машину. Все дорожки замело.

— Валенки-то зачем?!

— Ни в чем другом ты не пройдешь. Валенки — то, что нужно. Черный костюм на стуле — ты его наденешь?

— Мама, это платье, а не костюм!

— Погладить?

— Да, да!

— Марта, если будешь стоять голая, простынешь.

— Не простыну.

— И тебе давно пора уезжать. Будешь торопиться, а на дорогах скользко.

— На такие мероприятия принято опаздывать. И вообще я еще не решила, поеду или нет.

— У соседей собака покусала почтальона. Непонятно, зачем он на участок зашел. Всегда оставлял газеты в ящике, а тут вдруг пошел! Вот она его и покусала.

— Кто вообще придумал этот прием среди недели! Хоть бы в пятницу, что ли! Или считается, что на работу никто не ходит?!

— Валенки поставишь у гаража под крышей. Я пойду вечером и заберу.

— Мам, не нужны мне эти чертовы валенки!

— А складки? Заглаживать?

— Ма-а-ма! Ты что?! На такой ткани никакие складки не заглаживают!

— Марта, выключи чайник.

— Он сейчас сам выключится. Он автоматический.

— Пока он будет кипеть, весь пар осядет на стенах.

— Не осядет.

— Марта!

— Хорошо, хорошо, уже выключаю.

Чтоб он провалился, этот Данилов, из-за которого она затеяла все эту чертовщину! Если бы он позвонил ей вчера или хотя бы сегодня, конечно же, она никуда не поехала бы! Зачем? Что она станет делать среди богатых и знаменитых? Да и красавица Лида наверняка там — идеальная избранница, обаятельная, сдержанная, умеющая себя вести. Небось у нее никогда нос не бывает похож на небольшую грушу, с подбородка не слезает кожа, а брюки не стоят на животе колом, если в конце концов их удается застегнуть.

Пришла Надежда Степановна, принесла на вытянутых руках платье, пахнущее утюгом и духами, и объявила:

— Звонил Петр. Просил повлиять на тебя.

— А ты?

— Я сказала, что не имею на тебя никакого влияния. Что ты отбилась от рук в восьмом классе и с тех пор пошла по опасной дорожке.

— А он?

— Он сказал, что ты разбила его сердце или что-то в этом роде. Валенки все-таки надень. Пойду налью тебе чаю. Или ты уже выпила?

— Нет.

Марта накрасила один глаз и посмотрела на себя в зеркало.

— Мам, — крикнула она, — мама!

— Что такое?

— Мам, мы справимся? — Она помолчала, ожидая ответа. — Я имею в виду — с ребенком? Справимся?

— Конечно, — уверенно сказала Надежда Степановна, и у Марты отлегло от сердца, — это не просто, но мы справимся.

Чай она допивала, стоя в прихожей, и валенки пришлось надеть, потому что мать специально караулила и подсовывала ей их. Было полседьмого, когда Марта выехала с участка, а приглашение было на восемь.

«Ну и черт с ним, — подумала Марта неизвестно про кого. — Когда приеду, тогда приеду».

Конечно, она опоздала, но совсем не так катастрофически, как могло бы быть.

Старый особняк, переделанный в новый, сиял всем своим начищенным, улучшенным, отреставрированным фасадом, и машин было море, и двое юношей в формах пытались как-то упорядочить автомобильную реку, разделить ее на два ручейка, пустить в нужное русло. Марта сидела в машине, ползущей следом за «Мерседесом», думала о Данилове, его родителях и валенках, которые она в пылу отъезда позабыла оставить у гаража. Теперь проклятые валенки черной горой лежали на полу и ужасно нервировали Марту.

Может, прикрыть чем? Газеткой? Или пакетиком каким?

Молодой человек в форме отправил «Мерседес» направо, а Марте показал налево. Очевидно, ее машина не вызвала у него никакого доверия.

Ну и ладно. Подумаешь! У кого «Мерседес», а у кого «Нива». Каждому свое. Интересно, приехал Данилов или нет?

Тут ей неожиданно пришло в голову, что он может совсем не появиться, и настроение испортилось окончательно.

С чего она взяла, что он приедет? У него странные, запутанные отношения с родителями. Каждый раз после разговора с матерью он садится курить и пить кофе, а если дело совсем плохо, звонит ей.

— Приглашение, пожалуйста, — негромко сказал, интимно наклонившись к ней, высоченный охранник. Только что он гостеприимно распахнул перед ней дверь и тут же спросил приглашение. Оно было приготовлено заранее, чтобы не рыться в сумочке, не пугаться, что забыла, не задерживать движение, не смотреть умоляюще.

Он мельком глянул на приглашение и так же интимно сообщил, что «гардероб направо».

Внутри царило душистое сухое тепло, лампы светили неутомительно — не слишком ярко и не слишком тускло, слышалась музыка, тоже очень приятная — не слишком тихая, но и не слишком громкая. Ковры заглушали шаги, картины украшали стены, но не лезли в глаза, людей было мало, телефоны не заходились поминутно оголтелым звоном — все говорило о том, что прием обещает быть не просто тусовкой с неизменными тарталетками с красной икрой и декоративным ананасом на подносе, а маленьким событием, радостным и запоминающимся.

В гардеробе щебетали какие-то барышни, очевидно, все между собой знакомые. Гладкие прически, длинные платья, всполохи бриллиантов, сияние открытых плеч и ухоженных идеальных зубов.

— ...а я сказала Олежке, что просидеть ноябрь в Москве — это самоубийство...

— ...только вчера и всего на два дня. Потом заедем в Лондон и вернемся в Нью-Йорк.

— ...выгнала. Кать, но у нее французский язык — просто ужас, я послушала и чуть в обморок не упала! И что?! Она будет учить мою дочь?! Ну, конечно, выгнала!

— ...на Пхукет. Диме хочется в колониальную роскошь...

Когда Марта дошла наконец до ливрейного мальчика, раздевающего посетителей, жить ей не хотелось. Шуба показалась страшной и старой, хоть была на самом деле стильной и новой, платье — не «от модельера», а из магазина — резало глаза своей дешевизной, туфли она запачкала, когда пробиралась по тротуару к подъезду.

А в ее машине на полу лежат валенки.

Господи, зачем она приехала?

— Сюда, пожалуйста, — распахивая высокую дверь, приветливо сказал еще один мальчик, точная копия всех предыдущих, — проходите, пожалуйста.

Народу было вовсе не так мало, как ей почему-то показалось сначала. Небольшой зал был заполнен. Она никого не знала, по крайней мере на первый взгляд.

Вот ужас.

Прекрасная пара — родители Данилова — встречали гостей. Они стояли так, что невозможно было ни уклониться, ни пройти мимо. Марта поняла, что пропала.

Его мать сияла ледяной королевской улыбкой. У отца был равнодушно-приветливый вид. Справа от них помещался круглый столик антикварной работы. На нем невысокими стопками лежали книги в глянце, шрифт был иностранный. Невысокая женщина средних лет в черном брючном костюме с озабоченным и деловым видом перелистывала какие-то бумажки в большой кожаной папке. Увидев нового гостя — Марту, она захлопнула папку и заулыбалась ей навстречу.

— Добрый вечер, — произнесла мать Данилова отчетливо и как будто не по-русски. Улыбка у нее чуть-чуть изменилась. — Мы рады вас видеть.

Отец пожал Марте ладошку.

— Вы редактор? — спросил он. — Я вас, по-моему, где-то видел.

— Возможно, — подтвердила Марта, улыбаясь. Щеки затвердели от улыбки. Его мать смотрела рассеянно, как будто вспоминала.

Женщина в брючном костюме энергично тряхнула Марте руку.

— Меня зовут Ольга Монт, я пресс-секретарь Михаила Петровича. Пойдемте, я покажу вам книгу. Сюда, пожалуйста, — она вела Марту к антикварному столику, стоявшему в двух шагах, как будто через тайгу, — это «Тайны времени». Именно она удостоена...

Марта быстро и бесшумно вздохнула.

Почему гостей встречает только одна пара? Где же вторая — чуть моложе, но столь же совершенная? Он — знаменитый архитектор, она — сногсшибательная красавица, его невеста.

— ...специально для сегодняшних гостей.

Марта поняла, что ей предлагают книгу, и машинально протянула руку. Книга была прохладная, увесистая, лаковая.

Нужно немедленно уехать. Выпить стакан сока и уехать. Хорошо бы еще съесть какой-нибудь бутерброд, но до еды далеко. Гости все прибывают, появились телевизионные камеры, со всех сторон снимавшие антикварный столик и великого человека с супругой. Ольга Монт давно отошла от нее и совещалась о чего-то с нервным человеком в смокинге. Совещаясь, она неотрывно смотрела на дверь, готовая броситься встречать гостей. Около даниловских родителей подпрыгивал жизнерадостный толстяк, в котором Марта узнала министра культуры, и там были еще две камеры, нацеленные на толстяка.

Марта пошла вдоль правой стены — ей показалось, что так она быстрее проберется к выходу. Пусть это малодушие, но она все равно уедет. Ей здесь не место. Она приедет домой, поест и примется жалеть себя и ругать одновременно.

Небольшая толпа смокингов и вечерних платьев толпилась вокруг пожилой женщины странного вида. На ней был бордовый брючный костюм, а физиономия сплюснута книзу, как на карикатуре. Она курила длинную коричневую сигарету, очень не шедшую ей, стряхивала пепел на ковер и говорила во весь голос.

Знаменская, подойдя поближе, узнала Марта, знаменитый кардиохирург. Академик, профессор, директор, лауреат. Данилов говорил о ней, что она потрясающая бабка.

Марта улыбнулась. В этой чужой толпе Знаменская была как будто приветом от Данилова.

Он увидел ее, когда она была уже почти у двери. Ей оставался только один шаг.

Он сунул стакан в руку удивившемуся Грозовскому и перехватил Марту.

— Добрый вечер.

Марта вздрогнула и уставилась на него, как будто увидела впервые.

— Добрый вечер.

— Откуда ты взялась?

— Приехала из Кратова.

— Тебя тоже пригласили?!

Тон был такой, что она немедленно и страшно оскорбилась.

— Нет, конечно, не переживай. Но я не лезла в окно в сортире. Пригласили маму, а она отдала приглашение мне.

— Надежду Степановну? — уточнил Данилов. Он был так рад, что не знал толком, что говорить.

Он давным-давно ничему и никому так не радовался.

— Данилов, у меня одна-единственная мать, и ее действительно зовут Надежда Степановна.

Больше говорить было нечего, и они замолчали. Марта смотрела поверх его плеча на гостей.

— Я так рад тебя видеть, — признался Данилов.

— Мог бы позвонить.

— Ты тоже могла бы.

— Я и так все время звоню. Не хочу надоедать.

— Ты мне не надоедаешь.

— Вот взял бы, да и позвонил.

— Марта, я не мог. Что-то странное происходит, а я никак не могу разобраться.

Марта повернула голову и внимательно посмотрела ему в лицо.

— Это ты о чем, Данилов? О разбойном нападении? Ты что-то узнал, да? Что? Кто это?

— Я еще ничего не узнал. Я... потом тебе расскажу.

— Точно расскажешь? — спросила она подозрительно.

Ей уже не хотелось на него сердиться. Какое счастье, что он здесь! Теперь можно ничего не опасаться, никуда не спешить и ни из-за чего не беспокоиться. Правда, где-то поблизости красавица Лида. Где же?

— Ты поздоровалась с моими родителями?

— Конечно. Только они меня не узнали, а напоминать я не стала. Я их боюсь страшно.

— Я сам их боюсь, — пробормотал Данилов и улыбнулся в ее серые глаза. — Как ты себя чувствуешь?

— Я чувствую себя жирной коровой, — пожаловалась Марта. — Почему-то мне кажется, что мне малы все брюки. Может, я просто так растолстела, а ребенок тут ни при чем? Ему еще рано расти! Его еще не должно быть видно. Ты что? Смеешься?

— Я не смеюсь, — возразил Данилов. Удивительно, как быстро в ее присутствии жизнь становилась похожей на нормальную, человеческую. — Вон там Знаменская выступает, слышишь? Пойдем, я тебя с ней познакомлю, и она тебя устроит рожать в ЦКБ. Бесплатно, раз уж ты не хочешь взять у меня деньги.

— Мне не надо в ЦКБ. Мне надо в районный роддом. Только кретины платят деньги за понты и блатных врачей, которые ничего не могут.

— За какие понты? — не понял Данилов.

— За фикус в коридоре и турецкий ковер на лестнице. Данилов, ты что? Тупой? Мне нужен нормальный, опытный практикующий врач, у которого каждый день кто-нибудь рожает. — Марта быстро посмотрела по сторонам, не слышит ли кто, о чем они говорят. — Я и без фикуса обойдусь, мне лишь бы ребенка не уморили, а этих, которые в ЦКБ и у которых три богатых клиента в месяц, мне не надо, боже избави! Ты что? Не слушаешь?

Конечно, он не слушал. Он смотрел на нее — и не слушал.

Как бы ему заманить ее ночевать? Пообещать, что все расскажет, но только дома?

— Данилов, что ты молчишь?

— Ты собиралась уезжать?

— Я думала, что тебя нет, — призналась Марта, — и никак не могла понять, зачем же я-то приперлась!

— Подожди меня минут пятнадцать. Сейчас начнется торжественная часть, и можно будет незаметно уехать. Ты собираешься вернуться в Кратово или... останешься? — Ему показалось, что вопрос прозвучал как-то на редкость пошло, оскорбительно даже.

— А Лида? — спросила Марта. — Она не обидится?

— Нет, — сказал Данилов довольно сердито, — собственно говоря, это совсем не твое дело. С Лидой я сам все улажу.

— Тогда останусь, — решила Марта.

Разве она могла уехать, когда он сказал — оставайся?!

— Через пятнадцать минут. Постарайся никуда не исчезать. Если хочешь, можешь уехать прямо сейчас, у тебя же есть ключи. А я подъеду.

— Данилов, — спросила Марта язвительно, — с чего ты взял, что я хочу немедленно мчаться в твою квартиру? Может, я хочу побыть на приеме, в обществе приятных и умных людей? Может, я хочу съесть немного холодных устриц или что предполагается на фуршете? Может, я хочу провести вечер здесь, а не возле твоей посудомоечной машины?

— Здесь? — беспомощно переспросил Данилов. — Ну... давай проведем вечер здесь.

— Ты тут совсем ни при чем, — наслаждаясь игрой, продолжала Марта, — ты должен проводить вечер со своей Лидой, а не со мной.

Он посмотрел ей в лицо и понял, что это игра. Просто такая игра. От сердца отлегло, а он уж перепугался было.

— Значит, через пятнадцать минут, — заключил Данилов строго, чтобы она не догадалась, как он перепугался, — мне нужно еще к Знаменской подойти.

— А к родителям?

— Я уже подходил к ним, Марта.

Он ко всем уже подходил, и к нему все подходили — друзья семьи, знаменитые музыканты, знаменитые писатели, знаменитые критики — не знаменитых было на этом приеме — «друг детства» Олег Тарасов, конкурент Марк Грозовский, мать Лиды Виолетта Ивановна, сама Лида в парижском платье.

Он старался вести себя хорошо — достойно, как сказала бы Светлана Сергеевна, — но знал, что этого мало. Необходима картина полного воссоединения семьи, а он в такую картину никак не вписывался. Он вообще не подходил ни для каких определенных ему ролей — идеального сына, продолжателя дела знаменитого отца, мужа светской красавицы.

С тех пор, как в шестнадцать лет у него сдали нервы, он мало для чего подходил.

Лида, выделявшаяся из толпы неземной красотой, в отдалении, за колонной рассматривала в зеркальце свои губы и осторожно трогала их помадой. Данилов подумал, что хорошо бы уйти так, чтобы она не заметила.

Поговорив со Знаменской — «Андрюшик, как поживает мой унитаз в форме лилии?», — он уже совсем собрался сбежать и все-таки столкнулся с Лидой. Марты не было видно.

— Господи, какой ты неуклюжий!

Он присел, собирая в крохотную сумочку ключи от машины, медный номерок из гардероба, золотую пудреницу, шелковый кошелечек для визитных карточек.

Все. Больше в сумочке ничего не было, Данилов специально осмотрел пол.

— Дурацкая сумка! Второй раз за вечер открывается, и из нее все падает, а я, как идиотка, подбираю!

— Извини, пожалуйста.

— Ты что? Уезжаешь? А банкет?

— Я устал и не хочу есть. Я поеду.

— Светлана Сергеевна придет в ужас, — прошептала Лида. — Господи, ну что ты все время выдумываешь?! Почему ты не можешь остаться?!

Не мог же он сказать ей, что совершил подвиг, придя сюда! Одна мысль о том, что сейчас начнутся выступления с микрофоном и — не дай бог! — к нему опять пристанут, чтобы он говорил «теплые слова», вызывала дрожь в желудке.

— Я позвоню тебе, — сказал он Лиде и легко поцеловал ее в щеку, — я должен ехать.

— Ты просто свинья, — заявила Лида, повернулась и пошла, подхватив под руку наблюдавшего в отдалении Тарасова.

Улучив момент, Тарасов оглянулся, подмигнул Данилову и показал большой палец. Лида ему явно угодила.

В том конце зала, где были камин и микрофон, произошло шевеление, вся толпа как будто придвинулась в ту сторону, прошелестела голосами и притихла. Данилов вышел и притворил за собой высокую дверь.

— Уезжаете? — благожелательно спросил «придверный» юноша. Данилов кивнул.

Где Марта?

Он вытащил из кармана мобильный телефон и нажал кнопку.

Гардеробный юноша выглянул и посмотрел вопросительно. Данилов отрицательно покачал головой — он был без пальто.

— Ты где? — спросил он, когда телефон ответил голосом Марты.

— Я на улице, жду тебя. Между прочим, метель.

— Садись в свою машину и езжай, — распорядился Данилов, — я уже выхожу.

Он сунул телефон в карман и вышел на улицу, в тихий и скудно освещенный Воротниковский переулок. Его машина стояла на той стороне, у аптеки, и он пожалел, что оставил дубленку в машине — сейчас она не помешала бы. Было ветрено и морозно.

Обходя наваленные снегоочистителем грязные сугробы, Данилов сошел с тротуара, и в этот момент машина, урчавшая далеко, почти у выезда на Садовое кольцо, сытым мотором, вдруг сорвалась с места, злобно взвизгнула колесами. Набирая скорость, она выпрыгнула на мокрый асфальт, темная, как «Летучий голландец», — ни фар, ни габаритных огней.

Марта из своей «Нивы» увидела ее только в самый последний момент, под жидким светом фонаря. Увидела и тоненько завизжала, закрывая ладонями уши, как будто это могло что-то изменить!

«Летучий голландец», тонна темного, смертоносного, разогнавшегося на асфальте железа, был в двух шагах от Данилова.

И он услышал его на секунду раньше, чем рассчитывал человек, вцепившийся в руль белыми от ненависти пальцами.

Эта секунда спасла Данилову жизнь.

Он прыгнул, не назад, а вперед, перед самым хищно оскаленным радиатором, и успел. Грязный темный бок задел его, но вскользь, легко. Это легкое скользящее касание отшвырнуло Данилова в грязный снег, на низкую решетку забора, и он сильно ударился грудью об острые чугунные колья.

Секунда, и в сонном переулке все стало как раньше — жидкий свет, метель, ряды машин, протаявший асфальт, на который сыпалась жесткая белая крупа.

В голове гудело — то ли от адреналина, то ли от чугунных кольев.

— ...Андре-е-е-ей!!!

Данилов сильно вздрогнул от этого вопля. Вздрогнул и посмотрел по сторонам с изумлением.

Через дорогу, наискосок, к нему бежала Марта, путаясь в подоле вечернего платья. Лакированные туфли при каждом шаге взблескивали лунным светом.

— Андрей!! Ты жив? Господи, ты жив или нет?!

Подбежав, она упала коленями в сугроб, и стала трясти Данилова за плечи, и заглядывать ему в лицо, и зачем-то ощупывать его руки, и снова трясти.

— Марта, — сказал он, не зная, как прекратить это, — я жив, все в порядке.

— Нужно ехать в больницу! Я тебя отвезу. Тебе больно? Где тебе больно?! Ты можешь встать? Или нет, лучше сиди, я позову кого-нибудь!! Ты сильно ударился? Ну, конечно, сильно! Господи, что за идиоты гоняют по ночам! Козлы! Уроды! А ноги целы? А? Я не понимаю! Да скажи хоть что-нибудь! Ну!

— Марта, все в порядке. — Он почти не испугался и не представлял, что она испугалась так сильно. — Никуда везти меня не надо, я сейчас сяду в машину, и мы поедем домой. Не волнуйся.

— Господи, что это?! Кровь. Я так и знала. Где телефон, я вызову «Скорую»! Дай мне телефон! Сейчас же!

— Ты на нем сидишь, — сказал Данилов и улыбнулся. Ему было смешно и трогательно. — Ты сидишь на моей ноге, а в брюках телефон. Звонить никуда не надо.

— Ты весь в крови, Андрей, — она смотрела на него с ужасом, — из тебя течет кровь. Много.

Ему вдруг показалось, что она непременно упадет в обморок. Беременных женщин нельзя пугать, это очень вредно.

Пиджак спереди и вправду был мокрый, как будто

Данилова кто-то окатил из ведра. Мокрый и теплый. Данилов потрогал это мокрое и теплое и посмотрел на свою ладонь.

В самом деле кровь.

— Не пугайся, — быстро сказал он Марте, — ничего такого. Я просто ударился, когда падал. Ты сможешь ехать, или оставим твою машину здесь?

— Я отвезу тебя в больницу.

— Нет.

— Андрей, тебе нужно в больницу.

— Помоги мне подняться.

— Тебе нужно в больницу, Андрей! Из тебя кровь течет!

— Не называй меня Андреем! — приказал Данилов.

Как только он поднялся, стало холодно, и снег под ногами показался ненадежным и скользким. В голове зашумело, и его слегка повело, как после первой сигареты после долгого перерыва. Пиджак на груди становился все тяжелее, словно наливался свинцом.

— Я доеду на своей машине, — сказал он упрямо, — мне завтра на работу.

— Ты не доедешь! Тебе нельзя ехать, черт тебя побери!

Ему было неловко признаться, что в высокую «Ниву» он сейчас, пожалуй, не залезет.

— Доеду. Садись в машину, Марта. Садись, и поедем.

— Ты ненормальный!! — завизжала она. — Ты псих, ты полоумный придурок! Дай мне ключи, я поеду на твоей поганой машине! Господи, ты упадешь сейчас, что я стану с тобой делать?!

— Открывается верхней кнопкой.

— Я знаю!

Кое-как они перебрались через дорогу. Подъезд особняка, из которого они вышли три минуты назад, сиял уютным теплым светом. От этого света у Данилова заслезились глаза.

Марта открыла пассажирскую дверь его «Фольксвагена» и подтолкнула Данилова внутрь.

— Самый маленький ключ от зажигания.

— Да знаю я!

— Как ты заберешь свою машину?

— Плевать я хотела на машину! Тебе нужно в больницу, Данилов!

По тому, что она назвала его по фамилии, а не Андрей, он понял, что она немного пришла в себя.

— Дома ты зальешь меня йодом, и все будет в порядке. — Он поежился, потому что было очень холодно, страшно холодно. — Включи отопитель.

До его дома было минут десять езды. Марта доехала за семь.

— Данилов, — мрачно сказала она, приткнув машину к забору, — надел бы ты дубленку, ты весь трясешься. И учти, что на руках я тебя не донесу.

— Не надо меня нести.

Кряхтя, он вытащил себя из машины и напялил дубленку, которую Марта сунула ему в руки. Ему не хотелось пачкать ее, и он все время старался не задевать пиджаком за чистый и мягкий мех.

Все было хуже, чем показалось сначала. Вот черт.

Выглянул бессменный Иван Иваныч, улыбнулся приветливо. В лифте они молчали, и, когда Марта открыла дверь, Данилов сразу пошел в ванную, кинув дубленку в кресло.

Пиджак спереди был мокрый и темный от крови. Рубашка, наоборот, оказалась ярко-алой, как та, что лежала на его кровати. Данилова замутило. Он расстегнул маленькие перламутровые пуговки, одну за другой, и стряхнул рубашку в ванну.

— Данилов! — позвала Марта из-за двери, которую он предусмотрительно запер.

— Сейчас.

Вот в чем дело. Низкий чугунный заборчик, на который Данилов упал, отомстил ему за непочтительное отношение. С правой стороны на уровне ребер в коже была рваная, сочащаяся кровью дыра, проделанная острой чугунной пикой. У дыры были черные края, и кровь из нее сильно лилась. Марта, пожалуй, упадет в обморок.

— Данилов!

— Принеси мне аптечку. Она в ящике над кухонным столом. Знаешь?

— Данилов, открой сейчас же!

— В правом, на нижней полке. Принесешь?

— Она у меня в руках давно! Открывай!

Он щелкнул замком.

— Давай ее сюда. Я сам справлюсь.

— Как же! Справишься ты!

Она протиснулась внутрь, не оставив ему шанса выставить ее вон. Оказавшись в ванной, она уставилась в зеркало на даниловское отражение и так явно изменилась в лице, что он понял — сбылись его самые худшие опасения.

— Марта, — предостерегающе произнес он.

— Что это? — пробормотала она и перевела взгляд с зеркального Данилова на Данилова натурального. — Что там такое?

— Ничего такого, — сказал он нетерпеливо, — я упал и задел кожей за железный прут. Не пугайся. Выйди лучше. Я сам все промою, а ты мне поможешь забинтовать.

— Там, — сказали ее губы, и она показала пальцем на зеркало, — там. Что это?

Данилов вздохнул, в груди стало больно.

— Это я, — объяснил он терпеливо, — я упал, ударился о железный прут...

Осталось только добавить «очнулся — гипс», но ничего добавить он не успел. Марта схватила его за руку.

— Посмотри, — она кивнула на зеркало, не отводя глаз от его лица, — посмотри, Андрей.

И он посмотрел в зеркало.

Оно было в грязно-бурых кровавых потеках.

«Ты виноват», — было написано сверху чем-то отвратительно розовым.

Данилов зажмурился.

Он быстро обошел квартиру и все понял.

Высокая дверь из кабинета на балкон была открыта настежь, ветер теребил штору, которая елозила по паркету как привидение. Данилов жил на последнем этаже, кроме того, не держал дома ни драгоценностей, ни денег и очень полагался на Ивана Иваныча, бывшего спецназовца. Балкон его кабинета выходил почти на крышу соседнего дома — ох уж эти районы «старой застройки». Дом, в котором жил Данилов, был вполне респектабельным и недавно отремонтированным, а дом напротив только ждал своего часа — по вечерам в нем не светилось ни одного окна. Бомжи там не квартировали, может, только мальчишки забирались иногда, и Данилов часто оставлял балкон открытым. Все его детство прошло при открытых окнах — мать очень уважала англичан, ценителей свежего воздуха, — и он привык.

С крыши соседнего дома до балкона был один шаг.

На полу что-то белело.

Данилов откинул штору, нагнулся, от чего кровь из него, кажется, ударила фонтаном, и голова закружилась, и уши залепило, как ватой, и потрогал на полу плоскую и твердую лепешку мокрого снега. Потом запер балкон и вернулся в ванную.

— Что это значит? — тут же спросила Марта, как будто он ходил за ответом.

— Я не знаю.

Это было малодушием, но он за руку вывел ее из ванной и закрыл дверь. Он не мог лечить себя перед зеркалом с надписью «Ты виноват», сделанной чем-то розовым.

Кровь все еще шла, и он заставил себя сосредоточиться на ране.

Холодной водой из кухонного крана он смыл с живота то, что удалось смыть. Бурые капли падали на светлый пол, и он морщился от отвращения. Марта куда-то вышла и тут же вернулась с тряпкой в руке.

— Данилов, встань на тряпку, или тебе придется перестилать полы. И дай я сама сделаю.

— Это неприятно.

— Нормально. Справлюсь.

Ему очень хотелось, чтобы она ухаживала за ним и жалела его, и стыдно было, что так хотелось.

— Знаешь, — сказал он, глядя ей в макушку, которая двигалась на уровне его груди, — позавчера я нашел на своей кровати старую концертную рубаху, залитую кровью. А сегодня это.

— Ты что? С ума сошел?

— Нет. Я могу тебе показать. Я выбросил ее в ведро, а потом... достал.

— Господи боже мой, — пробормотала Марта. Она сильно прижала холодный и мокрый бинт к его ране, и он поморщился. — Больно?

— Нет.

— Данилов, можешь не демонстрировать мне свое суперменство. Ты весь потный, я же вижу.

— Дай я сам.

— Пошел к черту. — Она отняла бинт, посмотрела и поморщилась. — Все еще идет. Последний раз я делала перевязки в школе, на уроке гражданской обороны. Хочешь повязку-шапочку, Данилов? Только ее делают на голове раненого бойца.

— С головой у меня все в порядке.

— Ты уверен?

Он промолчал. Он боялся этого вопроса, даже когда его в шутку задавала Марта.

— Ну конечно, — сказала она, поразмыслив, — он же написал: «Это только начало». Там, в доме. Это и в самом деле было только начало.

— Да, — согласился Данилов.

— А машина? Которая тебя сбила? Из той же серии?

— Думаю, что да.

— Как это я сразу не поняла? Я думала, это пьяные придурки по ночам катаются! И почему ты мне не позвонил, когда нашел эту рубаху, Данилов?! Я бы приехала!

— Ты встречала своего Петю, тебе было не до меня.

— Я сама могу решить, когда мне до тебя, а когда нет, — сказала Марта сердито. — Стой спокойно, или сделаю больно. Или, может, сядешь?

Данилов решил было мужественно отказаться, но потом вдруг подумал, что это очень глупо. Подтянул к себе стул и сел. Марта присела перед ним на корточки, не отнимая мокрый бинт.

— Зря мы в больницу не поехали. Там бы хоть зашили. Данилов, ты уверен, что это можно так оставить, не зашивая?

— Уверен.

— Но у нее... края, — сказала Марта, рассматривая рану. Мокрый от крови бинт она швырнула в ведро. — Я никогда в жизни не видела рану... с такими краями. У тебя будет заражение крови.

— У меня не будет никакого заражения крови, если ты зальешь все перекисью водорода и залепишь пластырем. Там есть широкий пластырь.

— Да что же он к тебе привязался, Данилов? — спросила Марта странным голосом.

А он-то надеялся, что она успокоилась!

— Кто привязался?

— Тот, кто испоганил твой дом, разбил голову охраннику, подкинул тебе рубаху в кровавых пятнах, наехал на тебя машиной и написал на зеркале, что ты виноват! Что ему от нас нужно?! Зачем он все это делает?!

— Во-первых, может быть, это не он, а она, мы ведь толком ничего не знаем, — сказал Данилов, безмерно удивленный словом «нас».

«Что ему от нас нужно?» — спросила Марта.

Нет и не было никаких «нас».

Данилов был один с тех пор, как появился на свет. Он не сразу понял, что — один, он был маленький, глупый и очень хотел, чтобы его все любили.

Когда понял, стало легче и проще. По крайней мере, он перестал спрашивать себя, почему его никто не любит.

Не любят, и все. Не заслужил. Не оправдал. Подвел. Нервы и все прочее.

Марта сказала «нас», и он дрогнул. Хоть и знал, что это невозможно. И лет ему скоро тридцать девять, не пять все же. И жизнь сложилась так, как сложилась, и ничего уже нельзя изменить.

Или можно?

— Конечно, это он, а не она, — заявила Марта уверенно, — женщина просто подложила бы тебе в котлеты толченого стекла или крысиного яда! И, уж конечно, не стала бы сбивать тебя машиной! Данилов, как ты думаешь, может, мне тебя связать, прежде чем поливать этой штукой?

В плоском флаконе было чудодейственное немецкое средство «от порезов и царапин», приобретенное Надеждой Степановной в местной кратовской аптеке.

«Андрей, вы должны это взять, — сказала тогда мама Марты. — Я купила два флакона. Вчера к нам на забор забралась чья-то чужая кошка и очень мяукала. Я хотела дать ей молока, стала ее снимать, и она меня сильно оцарапала. Видите? Я помазала этой жидкостью, и моментально все прошло. Очень хорошее средство!»

«Хорошее средство» обожгло, как будто в рану сунули раскаленный прут. Глаза вылезли из орбит, и пришлось сильно прижать к ним ладони.

— Ч-черт!

— Уже все, — хладнокровно заявила Марта, — самое худшее позади. Хуже будет, только когда ты станешь отлеплять пластырь от своей мужественной волосатой груди.

— Только под общим наркозом, — сквозь зубы сказал Данилов.

Марта сгребла в кучу обрывки грязного бинта и обрезки пластыря, неожиданно провела ладонью по его голому предплечью, наклонилась и поцеловала за ухом.

Данилов замер. Шее стало щекотно и приятно.

— У тебя есть еда? Мясо или что-то в этом роде? Я бы поджарила, есть очень хочется.

— В холодильнике отбивные. Я... сейчас вернусь, только переоденусь.

Хоть бы еще раз поцеловала или погладила, на худой конец!

Как он там философствовал относительно того, что жизнь сложилась так, как сложилась?

— Переодевайся, — разрешила Марта.

Теперь, когда Данилову не угрожала немедленная смерть от потери крови, ей заметно полегчало, даже веселье какое-то ударило в голову, может, от того, что она так сильно перепугалась, когда темная машина бросилась на него и он упал?

— Ты и так нарушил все свои правила, Данилов! Пришел голый в гостиную, рубаху кинул в ванну, ботинки так и не снял!

Он посмотрел на свои ноги в лакированных ботинках. Правда, не снял. Грудь под тугой повязкой саднило ужасно.

— Я сейчас вернусь.

Нужно было не только переодеться. Нужно было зайти в ванную и еще раз посмотреть на то, что было написано на зеркале.

В спальне Данилов, охая и кряхтя, стащил с себя брюки и со всех сторон критически изучил их. Может, хорошая химчистка еще сможет их спасти. Пиджак придется выбросить, это уж точно. Кое-как нацепив на себя домашнюю одежду — Марта крикнула, не помочь ли, но он решительно отказался, — пошел в ванную. Свет горел, и не было даже предлога, чтобы помедлить перед дверью.

Бурые потеки на чистой блестящей поверхности, попавшие даже на кафель, и надпись розовыми корявыми буквами: «Ты виноват».

Буквы исходили ненавистью, странно, что от этой жгучей ненависти, как от высокой температуры, не треснуло стекло...

Морщась от отвращения к этой ненависти, которая дышала ему прямо в лицо, Данилов взял плоскую пластмассовую лопаточку, торчавшую в стакане с зубными щетками. Эту лопаточку Марта использовала в каких-то своих, неведомых Данилову целях. Стараясь не дышать от отвращения, Данилов соскреб с зеркала часть буквы «Т» и посмотрел на свет.

Какая-то розовая субстанция, собравшаяся на лопаточке неровной горкой.

— Что ты делаешь?

Конечно, она пришла и сунула нос в дверь! Разве она могла не прийти!

Как он будет жить, когда родится ребенок и ей станет не до него? И «до него» не будет уже никогда?!

— Я смотрю, — сказал Данилов недовольно и отодвинулся, чтобы она не касалась его, — и пытаюсь понять, что это такое.

— Ты эксперт-криминалист?

— Я не эксперт-криминалист, но, по-моему, это губная помада.

Марта сунулась еще ближе, почти касаясь носом его руки, в которой была зажата лопаточка.

— Почему? Почему помада?

Он подцепил на палец крохотный розовый сгусток и размазал его.

— Это точно помада. Она даже пахнет помадой. И блестит. Что добавляют в помаду, чтобы она блестела?

— Перламутр. — Марта тоже осторожно понюхала. Пахло действительно помадой. Она потрогала пальцем розовые остатки на лопаточке, размазала и снова понюхала.

— Что ты там говорила про толченое стекло и крысиный яд? — спросил Данилов.

— Женщина не может ударить по голове так, чтобы треснули кости, — уверенно сказала Марта, — если только она не такая... как твоя Знаменская.

— Да, — согласился Данилов. — Ты иди, я здесь все уберу и приду к тебе.

— Как ты думаешь, может, нужно эту... помаду оставить для экспертизы?

— Для какой экспертизы, Марта?

— Данилов, я считаю, что нужно обратиться в милицию, — сказала Марта твердо.

Он усмехнулся.

— Давай обратимся, — согласился он любезно. — Что мы там скажем?

— Что разгромили дом Тимофея Ильича Кольцова, и ударили по голове его охранника, и написали на стене странную надпись голубой краской, что в постель тебе подкинули окровавленную рубаху — кстати, непонятно, чья там кровь, — а потом на зеркале...

— А Тимофей Ильич, и даже не он сам, а кто-нибудь из его окружения скажет, что у меня бред и никакой дом не громили. Он сразу не позволил вызвать милицию. Охранник упал с лестницы и ударился головой. Все остальное чистой воды бред. Окровавленная рубаха в спальне, на зеркале написано «Ты виноват» — ну и что? Никого не убили и даже не покалечили. Никакого, — Данилов поискал слово. — Состава преступления нет.

— А машина? Которая хотела тебя сбить?

— Мало ли пьяных гоняет по вечерам!

— То есть в милицию мы не пойдем, — подытожила Марта злобно.

— Нет. Не пойдем.

— Ну и черт с тобой.

Оставшись в одиночестве, Данилов аккуратно соскоблил с зеркала все розовое, что там было, и сунул лопаточку в коробку из-под туалетной воды. Он и сам не знал, что будет делать с этими «вещественными доказательствами». Потом тщательно — три раза подряд — вымыл зеркало и стену и побрызгал какой-то химией из плоской бутылки. На бутылке было написано, что она «возвращает блеск».

Потом, стараясь не смотреть, вытащил из ванны свою бывшую рубашку и вместе с пиджаком запихал в пакет. Пакет придется вынести до прихода Нинель Альбертовны. Ее расспросов Данилов бы не вынес.

— Я подумал, — сказал он, вернувшись в гостиную, где Марта в одиночестве с мстительным видом поедала огромный ломоть жареного мяса, — почему рубаху, ту, концертную, мне подложили в спальню, а зеркало раскрасили именно в ванной?

— И почему?

— Я однажды слышал, что человек больше всего пугается, если находит паука под своим одеялом. Если сидишь на траве, а паук ползет по твоему ботинку, пугаешься куда меньше.

Марта перестала жевать.

— И что?

— Ты боишься, если что-то гадкое оказывается

рядом с тобой, когда ты особенно беззащитен. Спальня и ванная — это такое очень личное пространство. То, что там был кто-то чужой да еще делал что-то отвратительное, выбивает из колеи куда сильнее, чем... чем, если бы на кухне переколотили всю посуду.

Марта смотрела на него с внимательным и напряженным сочувствием. Данилов встал и принес из кармана дубленки сигареты.

— Когда я нашел ту рубаху, то решил, что спятил, — сказал он твердо и взглянул Марте в глаза. — Я боюсь спятить с шестнадцати лет. Я не мог выступать, мне казалось, что у рояля сейчас упадет крышка и отрежет мне пальцы. Я боялся не только зала, но и рояля. До сих пор вижу во сне, что мне отрывает пальцы и затягивает внутрь, в рояль. Полночи я был уверен, что сошел с ума, а потом все-таки понял, что еще нет. Если бы я сегодня приехал один, да еще с дыркой в груди, и увидел эту надпись, не знаю, что со мной было бы. Ты нормально переносишь табачный дым?

— Я отлично переношу табачный дым, — уверила его Марта немного дрожащим голосом. Она даже не подозревала, что Данилов боится сумасшествия.

Данилов с его уравновешенностью, сдержанностью, рассудочностью, с его логическим умом и твердым представлением обо всем на свете!

— Но зачем? — задала она вопрос, на который Данилов никак не мог ответить сам, — зачем?!

— Не знаю.

— А машина? Она должна была тебя... убить?

— Думаю, что нет, — произнес он задумчиво, — убить машиной — очень ненадежный способ. Можно сильно ударить, покалечить, изуродовать, но нет никаких гарантий, что человек, которого сбила машина, непременно умрет. Мне кажется, что дело вовсе не в моей смерти...

— Но даже если бы она тебя просто покалечила, — закричала Марта, — все равно тебя увезли бы в больницу и ты не прочитал бы этого дурацкого послания на зеркале!

— Я думаю, что он — или она — видел, что меня не покалечил.

Марта замерла перед ним столбиком, как суслик в свете автомобильных фар. И глаза у нее стали круглые, тоже как у суслика.

— Как... видел?

— Очень просто. Он заехал за угол, припарковал машину и вернулся посмотреть на плоды трудов своих.

— Он... видел нас? Видел, как мы там ковырялись? В снегу?!

— Думаю, что да. А потом он приехал сюда, влез на балкон и написал, что я виноват. Чтобы я получил сполна.

— Почему ты решил, что он влез после того, как стукнул тебя машиной? Зачем было лезть, когда времени совсем не оставалось и ты мог в любой момент вернуться?!

— В спальне на полу снег с ботинка. Снег бы растаял, если бы лежал долго. Он ушел за несколько минут до нас. Снег не успел растаять.

Марта стиснула кулачки.

— Данилов, иди в милицию.

— Хочешь вина, Мартышка? Или тебе нельзя?

— Ты уже спрашивал. Мне можно.

Он действительно спрашивал, только теперь ему казалось, что его вопрос и ее ответ были в другой жизни. Он задавал этот вопрос в пятницу вечером. А сегодня вечер среды. Вот как. Полвека прошло.

— Он тебя изведет, этот придурок! — проговорила Марта, и голос у нее опять задрожал. — Ты же сам сказал, что тебе показалось, что ты сумасшедший! Так нельзя. С этим нужно что-то делать.

— С этим как раз ничего не нужно делать. Мне двадцать пять лет кажется, что я сумасшедший.

— Данилов! — Она даже ногой топнула.

— Что?

— Ничего.

— Вот именно, — сказал он и улыбнулся.

Если бы не Марта, сегодня ночью он бы точно сошел с ума. Она даже не подозревает, как близко это подошло к нему и каким свободным и счастливым — несмотря ни на что — он чувствует себя сейчас, просто потому, что это опять прошло мимо. Пока.

Он глотнул вина и закурил новую сигарету. Марта положила ему мяса.

— Только оно остыло, наверное. Хочешь, я подогрею?

— Нет, спасибо.

— Если на зеркале помада, значит, это женщина. Правильно, Данилов?

— Нет. Не правильно.

— Почему?

Он улыбнулся, сморщив сухие губы. Как обычно — он сам и не думал улыбаться. Улыбнулись только губы.

— В моей квартире батарея французских духов и полка с кружевным бельем. Это не означает, что я женщина.

Марта покраснела. Духи и белье принадлежали ей. Она привезла к нему кое-какое свое барахлишко, когда поняла, что, оставаясь у него ночевать, утром не знает, во что переодеться. Было не только белье. Были джинсы, майки, свитер и даже один офисный костюм, на всякий случай.

— Все равно ты не носишь в кармане мою губную помаду.

— Не ношу. Но если бы ты ее уронила или потеряла, я бы подобрал ее и положил в карман.

Что-то промелькнуло у него в голове, связанное с этой помадой. Промелькнуло слишком быстро, и он не успел понять, что именно.

Да. Если бы Марта уронила помаду, он поднял бы ее и положил в карман. Данилов замер, пытаясь вер-

путь мелькнувшую мысль-воспоминание, но безус-
пешно.

— Данилов, если ты не хочешь идти в милицию,
ты должен в конце концов сесть и подумать серьезно, — сказала она назидательным тоном, как будто до
этого он думал несерьезно! — У тебя есть враги? Какие-
нибудь ужасные, смертельные враги, как в кино?

— В кино? — переспросил Данилов.

— У каждого горца есть свой враг, поэтому каждый уважающий себя горец носит под подкладкой
плаща двухметровый меч. Чтобы ему не отрубили голову. В конце должен остаться только один.

— У меня нет двухметрового меча под подкладкой, — признался Данилов с сожалением, — но у меня
есть блокнот и ручка.

— Какая ручка? — не поняла Марта.

— «Паркер», — сказал Данилов, — поставь кофе.

Из кабинета он принес записную книжку и ручку.
Он привык записывать все, что ему было необходимо
для работы и жизни. Даже то, что нужно купить апель-
сины, он всегда записывал. Это началось еще в школе
и продолжалось всю жизнь.

— Значит, так. Корчагин, Таня Катко и Ирина,
это мои сотрудники, — он строчил в блокноте, — они
знали, что я строю дом для Кольцовых, и знали, что в
субботу утром я должен там быть. Лида, Веник и Знаменская тоже знали. Они все звонили в пятницу в офис,
и Ира им сообщила, что я собираюсь на Рижское
шоссе. Грозовский не звонил и вообще про Кольцова
знать не мог, тем не менее откуда-то знает.

— Слухом земля полнится, — сказала Марта и
подлила Данилову вина.

— Может, так, а может, и не так. Что за странные
слухи, которые просочились, как раз когда дачу разгромили? Почему они раньше не просочились? Почему Марк меня только сейчас спросил?

Марта пожала плечами.

— Вот именно. Знаменскую в пятницу награждали в Кремле, и она звонила, чтобы пригласить меня на банкет. В воскресенье она снова звонила и почему-то наврала, что в субботу была в Кардиоцентре, а ее там не было, я проверил. Веник тоже почему-то наврал. Если они никак не связаны... с происшествием, зачем врать?

— Это на самом деле странно, — сказала Марта, — по идее, тебе должно быть совершенно все равно, где Знаменская или твой родственник проводили утро субботы. Если они не знали про погром, они не должны были врать, это точно. Кофе варить, или будем растворимый?

— Варить.

— Слушаюсь.

— Что? — спросил Данилов, отрываясь от своего блокнота.

— Ничего.

— Дальше. Голубая краска на моем ботинке. Есть две возможности. Первая — я наступил в нее в квартире у Веника. У него ремонт, и голубую краску он приготовил для ванной. Вторая — я наступил в нее просто на улице. Кто-нибудь разлил, и я наступил.

— Можно подумать, что у нас улицы залиты голубой краской! Особенно зимой. Кроме того, ты и пешком-то не ходишь, Данилов!

— Все равно, такую возможность нельзя исключить.

— Не будем исключать, — согласилась Марта.

— Ты смеешься? — спросил Данилов подозрительно.

— И не думаю даже.

Он еще некоторое время писал.

— Данилов, а если это краска от Веника, ну, в смысле из его квартиры, значит, он разгромил дачу и написал: «Это только начало»?

— Не знаю, — ответил Данилов раздраженно, —

я пока ничего не знаю. В понедельник, когда я нашел у себя в спальне рубаху, ко мне заезжали все. Корчагин утром, Грозовский вечером. Тарасов, Лида и Веник тоже вечером. Любой из них мог оставить рубаху. Лида сказала, что она потеряла брелок и теперь по полчаса ищет ключи от машины. Брелок был янтарный.

— Какой?!

— Янтарный. Опять совпадение?

— Да это чертовщина какая-то, а не совпадение, Данилов! — возмутилась Марта. — Она не могла стукнуть охранника по голове и все там разгромить. Она слишком... нежная и красивая.

— Не знаю, — сказал Данилов.

— И потом — зачем?! Она что, так сильно тебя ненавидит?! Ведь все это делает человек, который ненавидит тебя, Данилов. Ненавидит так, что готов на все, только чтобы ты понял, как близко он подошел к тебе и ему ничего не стоит сделать с тобой все, что угодно!

Данилов посмотрел ей в лицо.

— Он дает тебе понять, что знает все твои тайны, и слабости, и страхи, что он знает все! Как ты спишь, как смотришь на себя в зеркало, где держишь свои рубахи, что ты любишь — тот дом, к примеру! И все это он может у тебя отнять, хоть сейчас, сию минуту! Он может прийти в твой мир, наследить, напакостить и остаться безнаказанным, потому что уверен, что ты слабый, что ты никогда его не одолеешь! Ты же все это понимаешь, Данилов, даже лучше, чем я, понимаешь, а пишешь какие-то глупости — кто звонил, кто не звонил, кто знал, кто не знал!..

— Тебе нельзя волноваться, — сказал Данилов тихо.

Он понятия не имел, что его собственные мысли, высказанные другим человеком, произведут на него такое сильное впечатление. Как удар под дых, когда он увидел на своей постели рубаху с красными тошнотворными пятнами.

— Чтобы понять, кто это сделал, я должен рассуждать логично. Поэтому и пишу, кто звонил, кто не звонил.

— Нет никакой логики, — сказала Марта, вдруг сильно устав, — есть только ненависть и злость. Одна сплошная злость и ненависть. Кто тебя ненавидит?

— Семья моей жены, например. Они уверены, что я виноват в ее смерти.

— Веник?

— И Веник тоже.

— Веник только и делает, что клянчит у тебя деньги. Кто станет его кормить, если не ты? Ему невыгодно уничтожать тебя, Данилов. Если только он не полный дурак.

— А если полный дурак?

— Тогда не знаю.

— Когда я приехал домой и нашел Нонну, на ней была очень белая блузка. Такая белая, что даже глазам больно. На блузке были пятна крови. Эту рубаху с пятнами подложил человек, который тогда застрелил мою жену. Я это понял ночью, как только решил, что все еще не сошел с ума.

— Господи боже мой, — пробормотала Марта, — я об этом не знала...

— Об этом никто не знал, кроме меня и... милиции. И убийцы, конечно. Почему-то именно сейчас он решил разделаться со мной тоже.

— Боже мой, — повторила Марта.

— Ну вот. Еще записки, которые прислали нам обоим, тоже непонятно зачем. И кассета.

— Какая кассета?

— Ту, которую заменили в камере на даче у Кольцова. В машине у Олега Тарасова валялась кассета.

— Так он же сказал, что это запись его концерта! — удивилась Марта.

— На полу? Под ногами? Ты не знаешь Тарасова! Он страшно гордится своими концертами, он с ними носится, как...

— Как ты со своими домами, — подсказала Марта, и Данилов улыбнулся.

— Примерно. Странно, что она валялась на полу. Она должна была на сиденье лежать, с почетом завернутая в целлофан, что-то в этом роде.

— Он не знал, что ты едешь на дачу, и вообще он только прилетел из Лиссабона, или откуда он там летел!

— Все равно странно. Кстати, ты не заметила, какая машина пыталась меня задавить?

— Нет, — призналась Марта с сожалением, — я на нее и не смотрела. Я только на тебя смотрела. Вроде бы темная.

— Та машина, которая выехала нам навстречу с лесной дороги, тоже была темной. Помнишь?

— Данилов, по-моему, и так понятно, что все это — дело рук одного человека, следовательно, и машина одна и та же. Или ты думаешь, что ради того, чтобы тебя запутать, он купил себе несколько машин?

Они помолчали. Над остывающей туркой клубился тонкий кофейный пар. Марта понюхала пар и спросила:

— Как твои раны?

— Ничего, спасибо.

— Может, выпьешь какой-нибудь нурофен? А то спать не будешь.

— Я и так спать не буду, — весело ответил Данилов, — а тебе пора. Завтра рабочий день. Кстати, я хотел сказать, что завтра ты поедешь на работу на моей машине, а твою я сам заберу, подъеду к твоему офису, и мы поменяемся.

— А может, ты довезешь меня утром до работы, а вечером до машины, и дело с концом?

— Можно и так, — согласился Данилов.

Зазвонил телефон, и это было так странно, что Данилов посмотрел сначала на Марту, потом на часы, а потом только снял трубку. Было половина первого.

Звонила мать.

— Что случилось? — спросил Данилов, когда наконец понял, что это она. — Что произошло, мама? Все в порядке?

Правилами было установлено, что она звонит ему раз в две недели по субботам или воскресеньям. В восемь утра, до бассейна, но после тренажерного зала. Из-за этих проклятых правил он почти не спал ни в субботу, ни в воскресенье. Ждал, как будто его должны были тащить на эшафот.

— Со мной все в порядке, — холодно сказала мать, — а вот с тобой нет.

С ним никогда и ничего не было в порядке. То он съедал неположенную грушу, то его заставали играющим в снежки с сыном дворника, то он отказывался играть перед гостями, это ему уже лет четырнадцать было, то детективы на ночь читал. А потом у него был нервный срыв, и он стал вообще ни на что не годен.

— Что за дикость! — говорила в трубке мать. — Почему ты ушел? Почему не побыл до конца? Отец был настроен поговорить с тобой.

— Отец меня даже не заметил, — возразил Данилов. Под повязкой вдруг стало так больно, что он судорожно выпрямился на стуле, стиснув край полированного стола. Пальцы поехали по полировке.

— Ничего подобного! Разумеется, он тебя заметил.

— Ну конечно, заметил, — согласился Данилов, — когда я к нему подошел и поздоровался. Он со мной тоже поздоровался.

— Андрей, ты не понимаешь, что творишь. Ты отказываешься от нас и лишаешь себя, себя огромного и важного жизненного стержня! Ты должен в конце концов понять, что ты не сам по себе, что ты наш сын, член нашей семьи и именно это делает тебя тем, кто ты есть.

— Я тот, кто есть, вопреки тому, что я член вашей семьи, — тихо сказал Данилов.

— Ты ошибаешься, Андрей. Отец мог бы дать тебе...

— Мне ничего не нужно, — перебил Данилов, ужасаясь тому, что ее перебивает, — спасибо.

— Неужели ты думаешь, что смог бы чего-то добиться, если бы не был нашим сыном? — холодно спросила мать. — Неужели ты вправду думаешь, что получил бы хоть какую-то работу, если бы не носил фамилию Данилов и отчество Михайлович? Неужели ты до сих пор так глуп, Андрей?

Данилов молчал, дышать ему было трудно. Марта притихла за его спиной.

— О тебе спрашивала эта милая дама, Катерина Кольцова, жена Тимофея Ильича, — сказала мать с отвращением, — сам Тимофей Ильич не смог приехать. А она была и спрашивала о тебе, а я даже не знала, что сказать!..

— Ее фамилия Солнцева, — прохрипел Данилов. — Солнцева, а не Кольцова.

— Это не имеет значения, — заявила мать, — элементарная вежливость требует, чтобы ты поблагодарил отца за то, что у тебя появились такие уважаемые... партнеры, Андрей. А ты в очередной раз плюнул всем нам в лицо.

— Они не партнеры, а клиенты, мама, — все тем же людоедским голосом поправил Данилов, — и отец тут совсем ни при чем. Прости.

— Андрей, все, что ты получаешь, ты получаешь благодаря отцу, и только ему. Никто никогда и ничего не знал бы про тебя, если бы не фамилия твоего отца! Это же очевидно! Разве Тимофей Ильич связался бы с тобой, если бы ты был... никто?

Данилову хотелось сказать, что он не никто, а

первоклассный архитектор. Еще ему хотелось сказать, что Катерина и Тимофей Ильич понятия не имели о том, кто его отец, и только три дня назад Катерина спросила у него, не сын ли он Михаила Петровича, а Кольцов скорее всего вообще никаких книг не читает и ему наплевать на славу писателя Данилова, но ничего этого он говорить не стал.

— А эта девушка? — продолжала мать с неодобрением. — Зачем ты ее притащил? Ты же был с Лидой! Ты позволяешь себе приглашать на наш прием каких-то... крестьянок! Твой юношеский протест затянулся, Андрей! Я понимаю, что эта девушка нужна тебе только из чувства протеста, только потому, что мне нравится Лида, а ты намеренно делаешь мне больно и демонстрируешь, что мое мнение для тебя ничего не значит! Ведь так? Ты обидел Лиду, обидел меня — зачем? Все равно эта девушка тебе не пара, и ты отлично об этом знаешь. Ты уже один раз выбрал себе жену из чувства протеста — хватит!

Данилов заглянул себе под свитер. На белой марлевой нашлепке расплывалось красное пятно, и больно было, как будто нож поворачивался.

— Андрей, я прошу тебя, опомнись. И так уже все говорят, что с тобой творится что-то странное. У тебя безумие в глазах, Андрей!

— Что у меня в глазах? — переспросил Данилов.

— Безумие, — повторила мать отчетливо. — Илларион Израилевич специально подошел ко мне, чтобы сказать, что ему не нравится твой вид.

— Ему никогда не нравился мой вид, — пробормотал Данилов.

— Он сказал, что готов тебя подлечить, предоставить отдельную палату и самые лучшие условия. Ты должен в конце концов взять себя в руки, это невозможно!

— Что я еще должен, мама?

— Ты должен примириться с собой, Андрей. Ты

должен перестать ставить нас в неловкое положение перед людьми, которых мы уважаем. Ты должен согласиться с тем, что даже тем минимальным успехом, который у тебя есть, ты обязан отцу, только отцу и больше никому. Ты должен... В конце концов ты просто должен вернуться к нам и попробовать все наладить. А девушке своей передай, что являться без приглашения в такие места стыдно и даже несколько непорядочно. Мы же не могли вызвать охрану!

— У нее было приглашение, мама.

— Странно, — приостановившись на секунду, сказала мать, — я проверю по списку, это очень странно. Может быть, Ольга ошиблась. В таком случае я прошу прощения. Конечно, она имела право присутствовать, раз у нее было приглашение. Но это не означает, что ты должен был уходить с ней, Андрей! Я вполне допускаю, что она славная девушка, может быть, даже умненькая, но совсем тебе не пара. Если ты не знаешь, как от нее отделаться, предложи ей денег, только чтобы из этого не получилось никакого скандала. И так уже все говорят...

И тут Данилов озверел.

Он озверел как-то по-киношному, как-то по-детски, нелепо, как кот Леопольд, переборщивший с «озверином».

Наверное, если бы у него были усы, они закрутились бы спиралью, как у того самого кота. Усов у Данилова не было, но волосы на затылке как-то подозрительно зашевелились, и кожа под ними похолодела.

— Мама, — сказал он, чувствуя, как сердце бьется в ребра и увеличивается с каждым ударом, — не смей больше разговаривать со мной так, как будто я бестолковая домработница, а ты моя хозяйка! Я взрослый человек, и я буду жить так, как хочу! Все, что у меня есть, я добыл сам, и вовсе не потому, что моя фамилия Данилов, а потому, что десять лет я вкалываю день и ночь! Я не оправдал ваших надежд, и черт с ними! Я ничего не желаю больше слышать о ваших надеждах! Мне наплевать на ваши надежды! Мне наплевать на Иллариона Израилевича, на Лиду и на всех остальных! Если тебе нужно, можешь сама определиться в самый лучший сумасшедший дом вместе с Илларионом Израилевичем!

Что-то с грохотом упало за его спиной, он обернулся, и Марта попятилась. Присела, не отрывая от него глаз, и стала шарить по полу.

— Я не стану больше разговаривать с тобой, мама! — снова заорал он, как будто собравшись с силами. — Я куплю автоответчик, и ты будешь разговаривать с ним всю оставшуюся жизнь! И скажи Ольге, что не надо больше посылать мне приглашений! Я не приду!

Вместо того чтобы нажать на трубке соответствующую кнопку, он с силой швырнул ее в стену. Заморская пластмасса, не рассчитанная на проявление русских эмоций, врезалась в штукатурку и разлетелась в разные стороны вместе с ненавистным голосом матери, засевшим внутри.

На диван упала какая-то блестящая деталь в уцелевшей пластмассовой коробке. Данилов посмотрел на нее, зачем-то подобрал, бросил в раковину и вышел.

Последнее, что услышала потрясенная Марта, был звук захлопнувшейся двери в спальню.

Утром Данилов обнаружил, что не знает, где его ключи от офиса.

— Может, ты их вчера в сортире утопил, когда телефонами швырялся? Заодно уж.

— Я не топил ключи.

— Ты точно помнишь?

Вместо того чтобы посмотреть с печальной укоризной — как обычно, — он почему-то дернул ее за нос и сказал:

— Точно.

Настроение у него было превосходным. Он проспал всю ночь, хотя грудь болела и повязка в конце концов совсем промокла и утром на простыне обнаружилось кровавое пятно. Он снял простыню и добавил ее к пиджаку и порванной рубахе — вынести подальше от глаз домработницы. Он не думал, не курил, не писал в блокноте, он просто спал. Такое с ним нечасто случалось.

Наверное, так чувствует себя человек, которому вырезали наконец то, что мучило его и пугало, а теперь хоть и боль, и слабость, и неизвестно когда заживет, зато — полная свобода, победа, радость, что справился, что преодолел!

Он даже не расстроился, что ключи пропали. Что там ключи! Подумаешь! Найдутся.

Пока он их искал, Марта, полностью готовая, стояла у двери и нетерпеливо переминалась с ноги на ногу.

— Ладно, Данилов, — не выдержала она наконец, — я пошла. Я человек зависимый, подневольный, это ты сам себе хозяин и можешь приходить, когда тебе вздумается. А мне опаздывать нельзя, меня скоро повысить должны.

— Я тебя отвезу!

— Тебе еще собираться полчаса. Я на метро доеду, ничего со мной не будет.

— Пять минут, — попросил Данилов.

— Ни одной, — отчеканила Марта, — ты даже кофе не пил! Я пошла.

— Позвони мне, — приказал Данилов, — часов... часа в три позвони.

— Позвоню, когда смогу, — сказала строптивая Марта. Ей показалось, что она слышала, как звякнула цепь, которой «старый друг» был привязан к своей будке.

— Твою машину я заберу! — Придерживая ногой дверь, он завязывал галстук, задирал подбородок, темные волосы касались полированного дверного дерева, шея была крепкой и сильной, кожа — смуглой.

Марта отвела глаза.

Где этот чертов лифт? Никогда его не дождешься!

— Или я сам позвоню, — неожиданно сказал Данилов, — заберу машину и позвоню. Пока, Мартышка!

— Пока.

Что-то он расщедрился на «Мартышку», такое с ним редко бывало.

Данилов вернулся в квартиру, показавшуюся очень пустой и тихой, поставил кофе и сам себе подал завтрак — йогурт, сыр, хлебцы из холодильника.

«Какого черта я держу их в холодильнике? — вдруг подумал он. — Они холодные, противные, мокрые какие-то. Почему я не держу их в шкафу, вот вопрос».

Он засмеялся, охнул, задев дверцей холодильника по вчерашней ране, и переложил пакет с хлебцами на полку.

Вот и хорошо. Ничуть не хуже, чем в холодильнике.

Блокнот со вчерашними записями лежал на столе, и он сунул его в портфель. Фотография Марты — в черном свитере и толстых ботинках — была придавлена стопкой журналов. Данилов вытащил ее из-под журналов и снова прислонил к солонке. Нужно будет купить для нее рамку.

Еще нужно купить новый телефонный аппарат, подумал Данилов с удовольствием. Старый не работает. Он, Данилов, разбил его.

Думать об этом было приятно, как будто он совершил беспримерный подвиг, а не швырнул трубку об стену в истерическом припадке.

Все странным образом изменилось. Раньше он никогда не швырял трубок, не терял ключей от офиса, не промывал себе ран, не искал преступников. Он никогда не разговаривал с матерью так, как разговаривал вчера.

Прихлебывая кофе, казавшийся этим утром необыкновенно вкусным, он вдруг подумал, что все зависит только от него — очень актуальная и новая мысль для почти сорокалетнего мужчины!

От него зависит, как разговаривать с матерью, обижаться на нее или нет, от него зависит, удастся ли вычислить того, кто так его ненавидит, а потом найти и наказать его. И Марта от него зависит, и его сотрудники, и даже Катерина Солнцева, которой до смерти хочется получить свой дом!

Зря он выдумывал что-то душещипательное про собственное одиночество. Нет никакого одиночества. Есть люди — некоторые ближе, другие дальше, — которым нужен Андрей Данилов, которым без него не обойтись, и вовсе не потому, что его отца зовут Михаил!

Телефон зазвонил, когда Данилов уже надевал дубленку. Некоторое время он не мог сообразить, что именно звонит — его мобильный, вызывая его, кричал совсем другим голосом, а домашний аппарат он вчера разбил — опять всплеск самодовольства, как будто из-за угла выглянула ухмыляющаяся кошачья морда!

Он пошел на звук и понял, что Марта забыла свой телефон. Куда он теперь будет ей звонить?! Ее рабочего телефона он не знал, а мобильный заходился на диване писклявыми руладами.

Данилов еще подумал, отвечать или нет, но телефон настаивал, и он ответил:

— Да.

— Утро доброе, — сказал телефон сдобным голосом, — мне Мартину Владимировну.

Голос был женский, и Данилов подумал, что ему повезло. Мог ведь и Петрысик поинтересоваться, где его любимая провела ночь.

— Она уехала на работу и оставила телефон, — сказал Данилов. — Что-нибудь передать?

— Ой, это из женской консультации беспокоят, —

заторопился голос и стал менее сдобным, — вы ей передайте, пожалуйста, что в понедельник мы ее ждем на прием. Почему она анализы не сдала? Должны были сегодня прийти, а их нет! Вы не знаете, она сдавала?

Данилов понятия не имел, сдавала Марта анализы или нет.

— Ну что же вы! — Голос стал еще чуть более постным. — Как же вы не знаете! Вы кто? Муж?

Данилов хотел было сказать, что не муж, но решил, что это вызовет новые вопросы, и признался, что муж.

— Тогда тем более! Она в таком возрасте, когда требуется повышенное внимание, не девочка все же!

Почему-то упоминание о том, что Марта «не девочка», Данилова задело.

— Она и так очень поздно пришла, — тарахтел голос в трубке, — почему так долго ждала? Пятый месяц, а у нас только первый осмотр! Мы понимаем, что она работает, занята, но ребенок-то важнее! У вас это первый?

Данилов подтвердил, что первый.

— Тем более, тем более! Вы ей передайте, пожалуйста, что в понедельник мы ее ждем к восьми часам, и чтоб натощак, тогда сразу возьмем кровь из вены. Передадите?

Тут что-то произошло у Данилова в голове, как будто щелкнул выключатель и зажегся свет.

— Подождите, — сказал он, остановив тарахтенье, — как пятый месяц? Какой пятый месяц?

— Обыкновенный, — удивился голос, — а что такое?

В трубке зашелестело бумажками, у Данилова взмокла спина.

— Все правильно. У меня записано. Семнадцать недель. Вот, черным по белому. Вы что, неправильно считали?

Он, Данилов, считал неправильно. Он считал совершенно неправильно и только теперь понял это. Вернее, он не понял, ему об этом сказал сдобный голос из трубки.

Он мог бы так ничего и не узнать, если бы не этот голос, черт его побери!

— Так что ждем, ждем. Передадите, не забудете?

— Нет, — сказал Данилов чужим голосом, — не забуду.

Словно опасаясь за судьбу и этого телефона, он осторожно положил его на стол, распахнул дверцу посудомоечной машины, вытащил стакан и налил себе воды из-под крана. Выпил и подумал — какая противная, теплая вода.

Семнадцать недель, пятый месяц.

Он замычал, сел за стол и застегнул дубленку на все пуговицы.

Четыре месяца назад было лето, жара, Ярославль, и не было никакого Петрысика. Был он, Данилов.

Они так потом и не поняли, почему оказались в постели, что такое с ними случилось? Жара виновата или веселое летнее безделье, занесшее их в Ярославль?

Волга была под боком, широкая, вольная, пахнущая чистой водой. Изумрудные газоны поднимались к ухоженной набережной, оркестр играл, визжали дети, прогуливались парочки, пароход гудел басом, здороваясь. Невозможно было вернуться в Москву, и они не стали возвращаться, прошатавшись весь вечер по волшебному городу, полному вечернего воздуха, голубей, туристов и как будто речного отблеска. У них был один номер на двоих, зато шикарный, двухкомнатный — ничего, кроме «апартаментов», в гостинице не осталось. Их нисколько это не смущало, они прекрасно уживались в «апартаментах» Данилова в Последнем переулке и в кратовских «апартаментах» уживались тоже.

Они ужинали в ресторане, куда Марту поначалу не хотели пускать, потому что она была в шортах. Пока

Данилов выяснял отношения с охраной, Марта отошла за угол и повязала на бедра расписной мусульманский платок, привезенный с Бахрейна. Платок был громадный, очень тонкий, почти прозрачный, весь его можно было спрятать в кулак. Марта его обожала и иногда накручивала на голову — от солнца, как она говорила. Платок очень шел ей и делал в самом деле похожей на мусульманку. Импровизированная вечерняя юбка полностью удовлетворила охрану, и в ресторан они были допущены и полвечера хихикали как идиоты над этим платком, повязанным на бедра, и над тем, как они всех провели.

В этом ресторане, который чуть было не уплыл из-под носа, было так вкусно, и они сидели долго, упиваясь вечером, свободой и близостью друг друга, что было так приятно и так никого ни к чему не обязывало!..

Дальше...

Дальше Данилов ничего не помнил. За своим шикарным ужином они выпили только одну бутылку вина, но он все равно ничего не помнил.

Помнил только, что он ничего не мог с собой поделать. Совсем ничего. То ли из-за этого платка, сквозь который просвечивали ее загорелые сильные ноги, то ли от того, что, когда они сидели на набережной, над черной водой, кое-где политой светом фонарей, тонкая рука с широким и странным золотым кольцом лежала у него в руке, то ли от того, что она смеялась и он видел ее стройную энергичную шею, и белые зубы, и крепкую грудь под тонкой майкой.

Когда они оказались в своих «апартаментах», все произошло само собой. И это было так легко, так правильно, так не похоже на «идеальный секс» из кино, который хорошо удавался им с Лидой!

Марта была агрессивной и требовательной, сильной и очень соблазнительной. Как-то сразу он понял, что с ней он может не следить за собой и не думать о том, какое впечатление производит. Она хотела его, именно его, и ей не было дела ни до каких впечатлений.

Не было неловкости первых минут и отчаяния последних. Пламя гудело — ровно, сильно, долго, и оно поглотило все. «Неужели мы с тобой столько лет знакомы?» — вдруг спросила она с изумлением. Ее нога скользила по его ноге, а локти упирались в грудь. Руками он держал ее спину, влажную и подвижную, как у молодой лошади. Она взяла его за волосы, сильно оттянула его голову назад и впилась в шею, как будто укусила. Он тоже делал с ней все, что хотел, и утром, рассматривая красные отметины на бледной коже, гордился и восхищался ими!

Это была самая долгая ночь в его жизни. Вернувшись из душа, он обнаружил Марту на балконе, все в том же мусульманском платке, завязанном теперь на груди. Ветер теребил и вздувал его, открывая все, что он только что видел, трогал, держал в руках, рассматривал и присваивал жадно, как голодный. Волосы у нее были взлохмачены, щеки горели, странное кольцо сияло на тонком пальце, и Данилов решил, что теперь-то он точно умрет.

Потом он лежал, а она рассматривала его, совершенно голого, и ничего не стеснялась, и трогала, и пробовала на вкус, и отступала, и наступала снова.

Данилов вытер ладонью потный лоб и понял, что ему так жарко потому, что он сидит в дубленке. Через некоторое время он догадался ее расстегнуть, но почему-то так и не снял.

Утром они дружно сделали вид, что ничего не произошло.

Как в детской игре. Словно совсем ничего не было. Почему?! Зачем?!

Он не знал. Потом он убеждал себя, что он очень боялся ее потерять, и не знал, смогут ли они быть такими же хорошими любовниками, как друзьями, и, кажется, такой же или подобной глупостью утешалась и Марта, и все это было неправдой.

Чего он тогда испугался? От чего отказался?

Он отказался от Марты — той, которую не знал. Он отказался от того, что она тогда предлагала, — и она отказалась от того, что предлагал он! — чтобы не усложнять, не запутывать отношений, не поверить ненароком в то, что все возможно, даже это горячее, страстное, вечное — возможно! Он не выбрался бы из-под обломков, когда все рухнуло бы, а не рухнуть не могло, — все, к чему он прикасался, оборачивалось против него, кроме любимой работы, которая никогда его не подводила. Куда безопасней было остаться с тем, что у них уже было, пусть не так хорошо, не так горячо, зато логично и по правилам, установленным давно, когда он сам посадил ее в будку с табличкой «старый друг» и прикрутил цепью, чтобы, не дай бог, не сбежала.

Тогда ей было шестнадцать, а ему двадцать три, полжизни прошло с тех пор, и единственное, что в ней было постоянным и неизменным, — это она, с ее готовностью мчаться к нему, слушать его, жалеть его, запекать ему форель, вникать в его нравоучения, хвастаться перед ним повышением и кольцом с Бахрейна.

Это его ребенок, и уже пятый месяц она врет ему, оставаясь все такой же.

Она врала ему, она заманила его в ловушку, ему не выбраться теперь, он пропал, совсем пропал!..

Негнущимися пальцами он взял ее фотографию — в черном свитере и тяжелых ботинках, — за уголок, как будто боялся испачкаться, и кинул в мусорное ведро. Фотография спланировала и легла вверх лицом. Данилов не мог смотреть на это лицо.

Он взял ее телефон, портфель, вышел из квартиры и тщательно, на все замки, запер дверь.

Весь день в офисе пахло грозой так явно, что казалось, будто потрескивает электричество, переполнившее тесное пространство. Странно, что компьютеры не вылетали от перенапряжения.

Таня, только завидев, что шеф поднимает голову от бумаг, немедленно пряталась за что-нибудь — за открытую дверцу шкафа, за монитор или даже за пепельницу. Ира шелестела в телефон едва слышно. Саша то и дело с задумчивым видом отбывал в коридор курить.

Данилов их всех ненавидел.

Марта не звонила. Он боялся, что она позвонит, и не знал, что станет тогда делать.

В три часа неожиданно явился Веник.

— Я расплатился, — объявил он, хотя Данилов его ни о чем не спрашивал, — мне теперь ничто не угрожает!

— Веник, ты просто козел, — сказал Данилов равнодушно, и тот едва не свалился со стула.

Андрей Данилов не мог, ну просто не мог никому сказать, что он — козел. Он никогда не произносил таких слов. По крайней мере, Веник никогда не слышал.

— Ты что, — спросил он осторожно, — заболел?

— Заболел, — согласился Данилов и раскрыл блокнот, где были записаны «подозреваемые и вещественные доказательства». Ему было совершенно наплевать и на подозреваемых, и на доказательства.

Марта его обманула, вот в чем дело. Марта ни слова не сказала ему о ребенке. Марта заставила его думать, что это чей-то чужой ребенок, а ребенок был его, Данилова. Был и остался.

— Слушай, Данилов, — заговорил Веник, придвигаясь к нему вместе со стулом. Перчатки лежали у него на колене, как в кино про бизнесменов. — Я тут вот что подумал. Ты ведь на бирже не играешь?

Данилов смотрел на него и молчал.

— Ну так вот. Данилов, ты должен попробовать. Есть возможность выиграть кучу денег. Это я тебе говорю как профессионал. Сто процентов. «Газпром» сейчас как раз упал, самое время покупать, и «Телеком» падает, сейчас бы прикупиться побольше. Давай, Данилов, ты же на этом миллионером можешь стать!

— Ты мне лучше скажи, как профессионал профессионалу, — чеканя слова, произнес Данилов, — когда ты отдашь мне мои деньги?

— Какие деньги? — перепугался Веник.

— Американские. Десять тысяч американских долларов. Ты получил их в понедельник. Когда ты мне их отдашь? Когда твой «Телеком» еще упадет? Или, наоборот, возрастет? Или что там он сделает?

— Данилов, я так сказать не могу, — забормотал Веник, — ты же понимаешь... Я еще об этом не думал, потому что мне нужно... не сразу, хотя пока... Рынок падает, но... довольно твердо, я как профессионал...

Данилов слушал и молчал, и это было очень странно. Почему-то Веник позабыл закричать на него, что он виноват: сгубил его сестру и чуть не загнал в могилу мать.

— Где ты был утром в субботу? — спросил Данилов, когда Веник достаточно набормотался.

— Нигде, — тут же ответил тот, — я спал дома.

— Хорошо, — сказал Данилов, — значит, так. Ты говоришь мне, где был утром в субботу, и говоришь так, чтобы я смог это проверить, а я прощаю тебе эти американские деньги. Я покупаю у тебя информацию. Не согласен — отдашь деньги через неделю.

— Как? — ахнул Веник и даже позеленел немного. — Как через неделю?

— Стрелять в тебя я не буду, — продолжил Данилов монотонно, — но у меня есть клиент, его зовут Тимофей Ильич Кольцов. Я дружу с его службой безопасности. Они окажут мне любую услугу, о которой я их попрошу. Это ясно?

Веник молчал. Зелень заливала его все пуще, уже подступала к вискам.

— Ясно, — подытожил Данилов, — когда созреешь, позвони, а сейчас прошу прощения. Я занят.

— Данилов, ты что?!

Тот не ответил, разглядывая эскиз на экране ноутбука.

— Так нельзя, ты что, сдурел?!

— Уходи, — не отрываясь от эскиза, посоветовал Данилов, — сейчас же!

Веник с силой швырнул что-то на свободный стол, на котором обычно лежали чертежи, — Данилов даже не посмотрел что, — подхватил свои перчатки и бросился вон. Сотрудники проводили его скорбными и сочувственными взглядами. С шефом творилось нечто.

Данилов долго смотрел на эскиз, понимая, что ничего нового там не высмотрит, и игнорировал телефон, который звонил не переставая. Ира куда-то вышла вслед за Веником, а Саша с Таней трубку не брали, поскольку они — «не секретарша». Обычно трубку брал Данилов, а тут решил, что не возьмет ни за что, даже если телефон будет звонить до завтрашнего вечера.

Он ни с кем не хотел разговаривать. Он боялся, что ему придется разговаривать с Мартой.

Первой не выдержала Таня. Полив Сашу презрительным взглядом, она сорвала трубку и сказала несколько громче, чем требовалось:

— Алло! Я, — проворковала она затем, и это воркование так отличалось от ее прежнего тона, что Данилов за стеклянной перегородкой поднял голову. — Да. Нет. Спасибо, хорошо. А вы?

Данилов, отвлекшись от своих мрачных мыслей, смотрел и слушал с интересом.

— С удовольствием. — Щеки у Тани зажглись, и маленькие уши стали похожи на розовые раковины.

Она взглянула на шефа, вытянувшего от любопытства шею, и отвернулась. — Когда хотите. Во сколько? Хорошо. Да, сейчас переключу.

Данилов успел еще удивиться, что кто-то из ее горячих поклонников спрашивает его, как она перевела звонок.

— Да, — сказал он, глядя, как мигает красная лампочка.

— Привет, Данилов, — поздоровалась трубка голосом Марка Грозовского, — что это ты вчера с торжественного мероприятия смылся?

Таня любезничала с Грозовским, проявил Данилов чудо сообразительности.

Его сотрудница и еще один старый друг. Если у них роман, значит, Таня могла рассказать Марку все, что угодно. И про Кольцова, и про Рижское шоссе. Грозовский мог разгромить дом, мог подсунуть рубашку, когда приходил тем вечером за компьютером, мог ударить его машиной.

Грозовский, конкурент, умница, молодая акула, подходил на роль злодея идеально.

— Марк, что тебе нужно?

— Ничего, — удивился Грозовский, — я хотел сказать, что компьютер могу вернуть. Новый сотрудник мне не подходит.

— Почему? — Данилову наплевать было на его сотрудника. Он хотел знать, зачем Марку вообще понадобился компьютер, если через два дня он готов отдать его обратно.

— Он в первый же день вечером на рабочем месте стал пиво кушать, — сообщил Марк раздраженно, — мне это не подходит. У меня работа с материальными ценностями, причем с чужими. Уволил к фигам. Уступи сотрудника, Данилов.

— Сотрудницу могу, — сказал Данилов осторожно, — хочешь?

— Хочу, — засмеялся Грозовский, — вот сотрудницу я давно хочу, но она все что-то никак... У тебя на нее никаких личных видов не имеется? А то ты вчера Лиду кинул, смылся, странно даже.

— Видов не имеется. И Лида тут совсем ни при чем.

— Ни при че-ем? — протянул Марк. — А кто при чем?

При чем была одна Марта, которая врала ему так долго и так успешно, что он поверил в то, что с ней ему нечего бояться.

— Слушай, — продолжал Грозовский, становясь озабоченным, — вчера что-то про тебя разговоров было много, и все говорили, что ты какой-то странный. Что у тебя вид больной и вообще черт знает что с тобой творится. Это из-за чего? Из-за того дома, что ли?

— Марк, откуда ты знаешь про дом?

— Что?

— Ты прекрасно все слышишь. Откуда ты знаешь про дом? Про него никто и ничего знать не должен. От кого ты узнал?

— Данилов, это не имеет никакого значения, и если тебе неприятно...

— Мне приятно. От кого ты узнал про дом?

— Да не имеет это значения!

— Для меня имеет.

— Тогда точно не скажу.

— От Тани?

Марк вздохнул.

— Ну, конечно. От кого же еще! Мы в понедельник ходили в «Маму Зою», она мне и рассказала, что ты мрачный и хмурый, потому что у тебя дом разгромили. А дом не простой, а золотой. Тимофею Кольцову принадлежит. Вот и все. Ты ее теперь уволишь?

«Таня знала про дом, — подумал Данилов быстро. — Откуда она узнала, что его разгромили?» Он никому не говорил.

— Когда ты ходил с ней в «Маму Зою»? Вечером ты у меня компьютер брал и про дом уже все знал.

— Обедали мы там, — ответил Марк, усмехнувшись, — Шерлок Холмс хренов. Обедали. В два начали, в три закончили. С ужинами пока не идет. Я наступаю, она обороняется. Нет, правда, тебе наплевать и ты на нее личных видов не имеешь?

— Что это за ерунда, что я плохо выгляжу?

— Все так говорили. Вроде у тебя с работой проблемы, и вообще ты какой-то странный. Я помалкивал, конечно. Я хоть и конкурент, но мы с тобой все-таки в одной школе учились. А сейчас решил, что надо тебе про это сказать. Может, ты отдохнуть куда съездишь... Тарасов вон по три раза в год отдыхает.

— Тарасов музыкальный гений.

— Ни фига он не гений! Мы с тобой такие же гении, как Тарасов.

— Ты тоже по три раза в год отдыхаешь?

— Я по одному, — объявил Грозовский весело, — и все больше на реке Волхов. Как-то с Волховом у меня лучше получается, чем с Индийским океаном. Вот ты прославишься, Данилов, возьмешь меня к себе на работу, а то ведь совсем пропаду.

Где он был утром в субботу, думал Данилов, слушая болтовню Грозовского в трубке и чувствуя себя отвратительно от того, что думает об этом. Как узнать, где он был? Как проверить, если он скажет, что мирно спал дома? И Веник спал, и Грозовский спал, и Знаменская оперировала в Кардиоцентре, и все это было вранье.

Жалкое, неуклюжее, глупое вранье. Как Мартино про ребенка.

Так и не спросив про субботнее утро, Данилов попрощался с Грозовским и позвонил Лиде. Просто так позвонил, чтобы напакостить Марте и доказать себе — хоть на три минуты, — что в его жизни ничего не изменилось.

Лида была вялой, грустной и тоже сообщила ему,

что он вчера «плохо выглядел», — сговорились они, что ли!

— Меня Олежка домой отвез, — сообщила она и деликатно зевнула, — после того, как ты бросил. С тобой невозможно, Данюсик. Ты стал какой-то ужасный. Раньше ты был не такой. Ты был чу-удный, до-обрый. Помнишь, как в Большом театре я уронила кошелек, а ты нашел?

— Нет, — сказал Данилов. Он и вправду не помнил.

Что-то туманное опять проплыло в голове, когда она сказала про кошелек.

Она потеряла, а он нашел.

Марта сказала, что, если бы она уронила помаду, он подобрал бы ее и сунул в карман... Подобрал бы и сунул в карман.

Нет, ничего не вспоминалось.

— Пойдем куда-нибудь сегодня?

— Я не могу пока, — отказался Данилов виновато, — у меня сейчас работы полно. Я позвоню тебе, как только станет полегче.

— Когда же? Через неделю? — спросила Лида с мягкой насмешкой.

— Нет, — заторопился Данилов, — конечно, раньше. Дня через... два. Ладно?

— Ну хорошо, — согласилась она. — Мама тебе передает привет, а Светлана Сергеевна вчера сказала, что мечтает о внуках, представляешь?

Светлана Сергеевна получит внука гораздо раньше, чем могла себе представить, подумал Данилов мрачно. Она и не знает, что в повестке дня вопрос о внуке идет первым номером.

Вернулся Саша, прятавшийся от шефа и работы в коридоре, и Данилов поманил его за свою перегородку.

— До свидания, Лида. Я позвоню.

— Пока-а!

Саша вошел и остановился в некотором отдалении.

— Вы меня звали, Андрей Михайлович?

Данилов смотрел в компьютер, зная, что такая тактика действует лучше всего. Шеф очень занят. Шеф деловой человек. Шеф всегда на посту и работает по десять часов в сутки. Всем, кто работает меньше и хуже, должно быть «мучительно больно».

— Саш, по-моему, я еще не переносил наш офис в коридор. Или вы сами его перенесли?

Саша молчал. Молчал как-то так, что становилось понятно, что он, Данилов, самодур и бурбон и привязался зря, просто от плохого настроения. В общем, так оно и было.

— Саш, я не знаю, говорила вам Таня или нет, но с этой недели мы работаем по субботам. Что вы делаете по субботам?

— Когда что, — ответил Саша осторожно, и Данилову не понравилась его осторожность, — по-разному.

— В прошлую субботу вы что делали?

— Я не помню, — выпалил Саша поспешно. Так поспешно, что Данилов не поверил тому, что он не помнит, и посмотрел на сотрудника поверх компьютера.

— У вас склероз? — осведомился Данилов.

— Да вроде нет...

— Тогда почему не помните?

— В субботу? — переспросил Саша. — В субботу выходной был, стало быть, я спал.

Ну да. Он тоже спал.

Саше Корчагину от роду было двадцать четыре года, и Данилову казалось, что он видит его насквозь.

— В одиночестве спали?

— Ну... да. А что? Что-то случилось, Андрей Михайлович?

Данилов понял, что теперь нужно отступить. Преимущество внезапности было использовано и упущено. Саша пришел в себя, и теперь заставить его ответить, где и с кем он спал, было невозможно. До этого момента он отвечал по инерции — раз начальник спрашивает, значит, ему нужно, а теперь сообразил, что вопросы эти ни к работе, ни, соответственно, к начальнику никакого отношения не имеют. Можно и не отвечать.

Как узнать, что делал Саша? Что на этот счет думают ловкие детективы из кино?

Данилов сидел, думал и листал свой блокнот с записями «вещественных доказательств и подозреваемых», когда позвонила Марта.

— Слушай, Данилов, — сказала она, как будто прикрывая трубку рукой, — я в метро купила книгу. Называется «Ваш ребенок». В метро вообще продается очень много ценных вещей. Начальника нет, и я ее читаю. Знаешь, что пишут?

— Нет.

— Пишут, что, для того, чтобы ребенок не орал, его надо носить привязанным к себе и вообще не спускать с рук. Написано, что доктор Спок дурак, и по новой теории ребенок плакать не должен. Никогда. Слышишь?

— Да.

— Я не могу его носить привязанным к себе, — сказала Марта быстро, — я тогда ума лишусь. Я не трудящаяся женщина Республики Бангладеш и не работаю на чайной плантации, а если я приду в офис с ребенком, привязанным к груди, начальник меня уволит.

Данилов молчал.

— Еще написано, что его нужно класть с собой в постель, а если вы хотите устроить романтический ужин, ребенка на время ужина можно привязать на спину матери. Написано, что он там уютно устроится, как в колыбели. А я придумала, что во время секса ребенка можно привязывать на спину отцу. Заодно он будет его укачивать. Ну как? Может, мне написать в издательство?

— Марта, — произнес Данилов голосом, скрученным в спираль, — через час я подъеду к твоему офису. Спускайся, нам надо поговорить.

— Что-то случилось? — встревоженно спросила Марта.

— Да, — ответил Данилов и повесил трубку. Через минуту зазвонил его мобильный телефон, но он не взял трубку.

— Я уезжаю, — сообщил он сотрудникам, — сегодня не вернусь. Если что-то срочное, я на мобильном телефоне.

Проходя по большой комнате, он задержался у Таниного стола и, нагнувшись, тихо спросил у Тани, которая уже улыбалась освобожденной улыбкой, предвкушая конец дня без бурбона и самодура:

— Откуда вы узнали про неприятности в доме на Рижском шоссе?

— Что?!

— Таня.

Она опустила глаза и стала внимательно рассматривать его руку в перчатке, лежавшую на краю ее стола.

— Откуда, Таня? Я обещал Грозовскому не применять к вам никаких санкций.

Ничего подобного он не обещал, но это не имело значения. Тонкие пальцы, в которых она держала какую-то бумажку, вздрогнули и сжались. Бумажка смялась.

— У вас на столе лежал блокнот. — Ее глаза налились слезами. Ира со своего места смотрела с любопытством. Казалось, что от любопытства у нее сейчас оторвется ухо. Оторвется и припрыгает по полу к Таниному столу. — Я посмотрела. Там было написано...

Но, Андрей Михайлович!.. Я никому, кроме Марка Анатольевича...

— Все понятно, спасибо.

Она промолчала.

«Вот дура, — подумал Данилов безнадежно. — Никому, кроме Марка Анатольевича!..»

Он уже спускался по лестнице, когда в его конторе вновь зазвонил телефон.

— Девушки, — весело спросили в трубке, когда Ира ее сняла, — начальник все еще на месте?

— Нет, — кокетливо отозвалась Ира. Она всегда кокетничала по телефону, когда Данилов не слышал. — Портфель остался, а начальник отбыл!

— Портфель — это хорошо, — отозвался голос, — но мне начальника бы.

— Что передать? — спросила Ира.

— Ничего. — И трубку положили.

Потом, вспоминая этот разговор, она никак не могла понять, кто это звонил. Голос был знакомый, а вот чей он, Ира так и не вспомнила.

На улице опять шел чертов снег, от которого Данилов не знал, куда деваться.

Он остановил первую попавшуюся машину и попросил отвезти его в Воротниковский переулок, а там долго грел и откапывал «Ниву», которую должен был доставить Марте.

Он не знал, что скажет ей, когда увидит.

Марта уже поджидала его на расчищенном тротуаре, притоптывала ногами в ботинках. Наверное, давно стояла и замерзла. «Ей нельзя простужаться, — подумал Данилов равнодушно. — Она беременная».

— Ты что такой ужасный? — спросила она, когда он притормозил рядом и выбрался наружу. — Опять что-то стряслось?

— Стряслось, — произнес Данилов, не глядя на нее. — Почему ты мне не сказала, что это мой ребенок?

Галки кричали в верхушках голых деревьев, собирались спать. Небо темнело на глазах. Мимо прошла женщина с мальчишкой, снег скрипел под их ногами, как на деревенской улице.

— Откуда ты узнал? — буднично спросила Марта.

Данилов пожал плечами.

— Позвонили из женской консультации, или как там она называется. Ты забыла у меня телефон.

— Да, — сказала Марта.

— Ты… собиралась мне сказать? — спросил Данилов, как будто это имело значение.

— Не знаю, — ответила Марта и отвернулась, пряча нос в воротник шубы.

Они еще постояли молча. Галки все кричали, не могли устроиться.

— Возьми. — Данилов сунул ей в руку телефон. Она взяла.

— Андрей.

— Я не хочу тебя видеть, — сказал он сквозь зубы, — ясно?

Она кивнула, и он пошел по тротуару. Снег скрипел под ногами и летел в лицо. Он отошел довольно далеко, а потом не выдержал и оглянулся.

На тротуаре было пусто, Марта ушла. Совсем замерзла, наверное.

К девяти часам вечера Данилов понял, что битву с самим собой он проиграл.

Когда он учился в школе, газеты много писали про всякие битвы. Каждый год была «битва за урожай». Эту битву неизменно проигрывали. Еще была «битва двух систем», и она тоже окончилась бесславно. Вот и он столь же бесславно проиграл свою битву.

Он забыл на работе портфель с блокнотом, в котором были «вещественные доказательства и подозреваемые», и злился на себя за это. Впрочем, напрасно он злился. Все равно он не мог ни о чем думать, только о том, что это его ребенок.

Что он станет с ним делать? Как он станет его растить?

Он не хотел иметь никаких детей. С женой он сразу договорился, что с ребенком они... подождут. Жена согласилась легко — ей тоже не нужен был ребенок.

А теперь поздно, теперь он уже есть, есть, и изменить ничего нельзя, и Марта даже не собиралась говорить ему о ребенке, как будто Данилов какой-нибудь совсем пропащий или и вправду сумасшедший, от которого нужно скрывать ребенка.

В квартире было тихо, так тихо, что Данилов время от времени включал телевизор, чтобы убедиться, что еще не оглох. Телевизор взрывался автоматной очередью, или заходился душераздирающим пением, или высказывался сочным и значительным голосом, и Данилов его выключал.

Марта не приедет.

Не приедет сегодня, и завтра не приедет, и, может быть, вообще не приедет. Раньше он тоже думал об этом, и ему становилось тошно, но раньше в этом был виноват Петрысик — с его салом, брутальной внешностью и слезливым пением, — а теперь Данилов был виноват сам. Один.

Он думал и курил, курил и думал, а потом курить уже стало невмоготу. Хорошо бы, если б можно было так же — раз, и перестать думать и вытряхнуть все старые тревожные мысли, как он вытряхнул переполненную пепельницу.

Марта врала ему, и он не хочет ее видеть. Все так. Все так.

На широком пледе, покрывающем диван, были светлые и темные квадраты. Темных было сто тридцать три, а светлых сто тридцать четыре. Он подсчитал. Может, он все-таки свихнулся?

Телефон не звонил, потому что Данилов разбил его об стену, а новый не купил, хотя и собирался.

Ребенок уже есть.

Он сидит внутри у Марты, скрюченный, маленький, Данилову казалось почему-то, что он непременно похож на мышонка. Голого страшного мышонка со сморщенным мышиным животом и лысым мягким черепом. Наверное, у него мягкие уши и крохотные, только прорисовавшиеся пальчики.

Марта не собиралась рассказывать ему о мышонке, как будто заранее знала, что он его не захочет.

Все так. Все так.

Он был абсолютно свободен, так же, как сегодня утром, когда еще ничего не знал. Он освободил себя, когда сказал Марте, что не хочет ее видеть. Она гордая, и храбрая, и очень решительная, и просить ни о чем не станет. И навязывать ему мышонка тоже не станет, это уж точно. Можно жить дальше так, как он жил до этого, но от одной мысли о том, что он будет жить, как жил, Данилова тянуло немедленно удавиться.

Марта так говорила. Она раскладывала перед собой многочисленные справочники, включала компьютер, смотрела с тоской и спрашивала Данилова: «Нешто удавиться?»

Выпить бы водки, но всю водку он выпил, когда нашел на своей постели окровавленную рубаху.

Когда зазвонил мобильный телефон, он так обрадовался, что не сразу ответил. Нужно было сначала несколько секунд подышать.

Конечно, это была не Марта.

— Андрюшик, — позвала Знаменская интимным басом, — как вы там, мой мальчик? Что-то давненько я не руководила строительством моего дома. Сегодня в Думе я купила прелестный журнальчик. Называется «Ваш балкон». Вы знаете, оказывается, на балконе вовсе не обязательно сушить фиолетовые одесские подштанники, а можно устроить прелестный дортуар!

— Что устроить? — переспросил Данилов, продираясь к ее басу сквозь ломоту в голове.

— Андрюшик, что с вами?

— Мне плохо, — неожиданно для себя сказал Данилов, — я... болен.

— Ни черта вы не больны! — вдруг резко сказала Знаменская. — Это вы мамочку, что ли, наслушались вашу? Она все скулила, что вы больны! Что за бред! Молодой мужик, какие, на х..., болезни!

— У меня проблемы, — пояснил Данилов. Ему показалось, что рык Знаменской как-то утихомирил его голову. — Серьезные.

— Вы напились? — осведомилась Знаменская.

— Нет, — ответил Данилов.

— С ума сойти, — удивилась Знаменская. — Сейчас я приеду, и вы напьетесь. Диктуйте адрес.

И она в самом деле приехала.

Данилов ни одной минуты не сомневался в том, что академик Знаменская и не подумает тащиться к нему в Последний переулок со своей академической дачи то ли в Усове, то ли в Моженке. Когда позвонили в дверь, он был уверен, что явился Иван Иваныч с какими-нибудь счетами.

— Здрасьте, — пропыхтела Знаменская, вламываясь в дверь. Шапка съехала ей на глаза, она нетерпеливо задрала ее, как папаху. — Вы не могли бы взять мои сумочки, Андрюшик? Я как-никак девушка на выданье, а вы известный джентльмен.

Данилов перехватил пудовые сумки, стараясь не таращиться на нее.

Что она выдумала? Решила проявить нежную заботу? Излечить его раненую душу? Стать ему родной матерью, как Карлсон предлагал Малышу?

Между прочим, Малыш мечтал иметь собаку, и маленький Данилов тоже мечтал иметь собаку и долго не мог понять, чем же Карлсон лучше собаки.

— Вы надолго, Ариадна Филипповна? — спросил Данилов сухо.

— Тянет ответить, что навсегда, — сказала Знаменская, швыряя свою папаху на вешалку.

Папаха ударилась о крючок и непостижимым образом осталась висеть. Данилов со Знаменской некоторое время смотрели на нее с удивлением, ждали, когда она упадет. Она не упала, и они уставились друг на друга.

— Я приволокла вам ананас, — сообщила Знаменская и, не обращая на Данилова внимания, двинулась в глубь квартиры. — Ничего, — проговорила она оттуда, — все ничего, миленько. Живенько. Здесь вы работаете, да? А здесь спите. Здесь едите и сидите. Все ясно, — заключила она, как будто поставила диагноз.

Данилов ходил за ней «с сумочками» и чувствовал себя идиотом.

— Да, и водку! — спохватилась Знаменская. — Ее нужно в холодильник. Или теплую хотите?

— Никакую не хочу, — мрачно заявил Данилов.

— Напрасно, — пробасила Знаменская, — теплая водка, какая вкуснота!

Оттеснив Данилова, она ловко ввинтилась в ванную и стала мыть большие красные руки, сильно и равномерно их намыливая.

— Ванночка тоже ничего себе, — заключила она, выходя, — стеклянных кирпичей нет, но более или менее. Совет Федерации не утвердил мораторий на исследования в области клонирования. Сейчас я достану ананас, и мы тяпнем водки.

— Ариадна Филипповна, зачем все это? — Данилов поставил «сумочки» на пол. — Я правда сейчас не в настроении. У меня был очень трудный день.

— Пойдите вы!.. — отмахнулась Знаменская. — Вы кто?

— Кто я?

— Вы архитектор, а я ваш наниматель. Если наниматель изволит пьянствовать с вами водку, вы должны подобострастно соглашаться и принимать посильное участие. Вам понятно?

— Нет, — сказал Данилов, — непонятно.

— Эти козлы в президиуме Академии наук считают, что исследования в области получения стволовых клеток в Штатах сейчас затормозятся, следовательно, и нам можно не спешить! — сообщила Знаменская и кинула в рот сигарету. — Я ни хрена не смыслю в молекулярной биологии, но уверена, что они сейчас еще больше денег бросят на это дело. Конечно, мы отстанем и через десять лет кинемся вылезать из жопы. А как же! Только так. Я сегодня на президиуме думала, что Самойлову в рожу вцеплюсь! Что вы стоите, Андрюшик? Я привезла «Ваш балкон», в смысле мой балкон. Сейчас будем планировать дортуар.

— Какой еще дортуар? — сквозь зубы спросил Данилов. — Не будем мы планировать никакой дортуар!

— И черт с ним, — энергично сказала Знаменская, — мойте руки и садитесь.

Оказывается, пока они препирались, она накрыла стол — огурцы, помидоры, жареная курица, похожая по размерам на небольшого слона, грибы, салаты в пластмассовых мисках, хлеб толстыми ломтями и в самом центре — распроклятый ананас и бутылка водки.

— Да не пяльтесь вы, а садитесь, — приказала Знаменская.

— Я не ем так поздно.

— Вы не старый дед, — отрезала она, — ничего такого не будет, если вы поедите. Если у вас сделается несварение, я вас спасу. Я врач. Вы что-нибудь об этом слыхали?

Данилов засмеялся и сел за стол.

— Наливайте, Андрюшик. Так, за здоровье присутствующих. — Она ловко опрокинула в себя водку, отломила кусок курицы, примерно половину, и положила на тарелку перед Даниловым. — Ешьте. Вам надо поесть, у вас голодный вид. Где салфетки? Ага, вот они.

Она проворно обглодала ножку, налила еще по стопке и закурила.

— Давайте, — сказала она и откинулась на спинку стула. Стул жалобно пискнул.

— Что давать? — не понял Данилов.

Знаменская вздохнула, от чего ее бюст еще более возвысился над столом и стал неправдоподобно огромным.

— Говорите, — пояснила Знаменская, — вам же страсть как охота поделиться со мной душевными переживаниями. У вас на морде написано.

Данилов засмеялся:

— Мне неохота. Правда.

— Что это за хрень о том, что на вас лица нет и вид душевнобольного? — спросила Знаменская и решительно стряхнула пепел с сигареты. — Ваша маман на своем банкете что-то мне про это толковала, и Циммельман подключился. Вы что? Жалуетесь на что-то?

— Да ни на что я не жалуюсь, — с досадой сказал Данилов, — глупости какие!

— А в чем дело?

— Спросите у Светланы Сергеевны.

— Не хочу. Хочу у вас.

Данилов выпил еще водки и вдруг спросил:

— Почему вы мне наврали, что оперировали в субботу?

— В субботу? — удивилась Знаменская. — В какую субботу?

— В минувшую. Я спрашивал, где вы были. Вы сказали, что оперировали в Кардиоцентре с вашим учеником Васей Бестужевым. Вы там не оперировали.

Знаменская смотрела на него внимательно. Выражения глаз было не разобрать за толстыми стеклами очков.

— Это имеет значение? — спросила она, помолчав.

— Да, — сказал Данилов, — огромное.

— Андрюшик, — задушевно начала Знаменская, — не волнуйтесь вы так. Вы все неправильно поняли. Я не говорила, что оперировала в Кардиоцентре. Я сказала, что Вася из Кардиоцентра. Вася Бестужев действительно там работает. Профессор Бестужев. Оперировали мы в Институте сердечных болезней на Пироговке. Можете позвонить и уточнить. Это вы звонили в Центр и сказали, что вы мой ассистент, а я потеряла сумку?

Данилов кивнул. Не выйдет из него сыщика. Никогда.

— Хе-хе-хе, — произнесла Знаменская бодро. — Они эту сумку уже неделю ищут, найти не могут, с ног сбились. Как вы думаете, может, сказать им, чтоб перестали? Они так стараются потому, что я ведь не какой-то там профессор! Я, черт возьми, академик и лауреат! Давайте еще по одной! За меня.

И они выпили.

— Дальше давайте, — приказала Знаменская. — Ну, рассказывайте, рассказывайте. Зачем вам нужно было проверять, где я была?

И Данилов рассказал. Знаменская слушала и непрерывно курила, и пепельница уже была полна, а она все курила и курила.

— Да, — согласилась она, когда он договорил, — странно. И действительно похоже на проблему. Я даже так сразу и не знаю, как ее решить.

Данилов улыбнулся. Он решал ее непрерывно несколько дней подряд, а эта самоуверенная бабка говорит, что не может «решить сразу»!

— Покажите мне этот ваш янтарь, — приказала она, — и записки.

Данилов пожал плечами.

Крохотное деревянное блюдечко с горкой янтарной крошки и самую первую, полученную с почтой записку он положил в старинную японскую шкатулку, которую сто лет назад ему подарила бабушка. Шкатулка была «с секретом» и внутри дивно пахла деревом. Маленький Данилов ее обожал, одно время даже спать с ней ложился, но это был «дурной тон», и шкатулку быстро отобрали. Открывалась она в три приема, и Данилов открывал ее несколько дольше, чем обычно. Все-таки водки он выпил прилично.

Ни записки, ни блюдечка в шкатулке не было.

— Что же вы, — спросила Знаменская, наблюдая за ним, — забыли, куда сунули?

— Сюда, — сказал Данилов, — точно сюда, ничего я не забыл.

— Стало быть, украли, — констатировала Знаменская.

Данилов был так поражен, что еще раз посмотрел в шкатулку и даже потряс ее, но ни блюдечко, ни записка из нее не выпали.

— Черт, — сказал он с тоской, — черт, черт!..

— Сдали бы в банк, — посоветовала Знаменская, — оттуда тоже украли бы, но, может, не так быстро.

— Да кто мог это украсть?!

— Тот, для кого это представляет опасность, — сказала Знаменская и стряхнула пепел с очередной сигареты, — ваш черный человек. Злодей.

— Ка... какой черный человек?

— Который следит за вами, караулит вас, который не дает вам покоя. Тот, кто написал эти записки и растоптал янтарь. Что тут непонятного?

— Откуда он мог узнать, что в шкатулке?! Когда он мог это оттуда вытащить?!

— Вытащил, когда приходил к вам надписи писать. Вы входную дверь тоже не запираете. Придете в один прекрасный день, а у вас не то что всякое дерьмо из шкатулки, у вас гардероб вынесут. Так-то, Андрюшик. Давайте наливайте.

Вот что я посоветую вам, Андрюшик, — продолжила она, закусив грибом, — вы, конечно, можете ко мне без внимания, но я все-таки посоветую. Найдите во всех ваших бедах повторяющийся элемент. Это просто. Этот элемент и будет причиной.

— Какой элемент? — спросил Данилов. Он уже плохо соображал.

— Такой. Повторяющийся. Персонаж или событие, которое присутствует в каждом из актов вашего маленького детективного спектакля. Найдете — и получите своего черного человека.

— Моя девушка беременна, — пожаловался Данилов, — и неожиданно выяснилось, что от меня.

— Поздравляю вас, — пробасила Знаменская.

— До сегодняшнего дня я не знал, что от меня, — продолжал Данилов жалобно, — и не знал, что она моя девушка. И не знал, что я ее люблю.

— А как ее зовут, вы знали?

— Марта.

— Прекрасно, — оценила Знаменская, — просто прекрасно! Пусть принимает «Маттерну», и у вас родится здоровый ребенок. Знаете, что такое «Маттерна», Андрюшик? Это витамины. Если нужно ее кому-то показать — всегда пожалуйста.

— Ее нужно показать мне, — прохныкал Данилов, — я обошелся с ней ужасно.

— Переживет, — утешила Знаменская и потрепала его по плечу, — девушки, они живучие. Взять хотя бы меня. Чего я только не пережила! А ведь вся такая нежная, как цветок.

Всю ночь Данилов проспал богатырским сном, а когда проснулся, то ничего не понял. Неподалеку кто-то отчетливо и выразительно рычал, и он сонно думал, что это соседи купили собаку и почему-то держат ее на лестничной клетке. Собака сторожит их дверь и рычит. Потом он сообразил, что спит на диване в кабинете, а не в спальне, и все вспомнил.

Ну, не так чтобы все, но визит Знаменской вспомнил очень отчетливо. По крайней мере, его начало.

Он быстро поднялся, понял, что умирает от жажды — ясное дело! — и вышел в гостиную.

Никаких следов вчерашнего ночного банкета — ни объедков, ни стаканов, ни затхлой сигаретной вони. Чистота, красота и стерильность, как в операционной.

Вчера с ним пил водку великий врач. Вернее, пила.

Данилов полез в холодильник за водой и чуть не уронил бутылку, потому что рык ударил с новой силой. Поставив бутылку на стол, он осторожно пошел по коридору, пытаясь установить источник странного звука, заглянул в спальню и понял, что этот рык означает сладкий сон академика Знаменской. Она спала, накрывшись с головой одеялом, и от души храпела.

Какие разные женщины ночуют в последнее время в его квартире! Уму непостижимо!

Данилов посмотрел на часы — полдесятого.

Черт побери, полдесятого! Он проспал все на свете! В это время он обычно уже был на работе — привык приходить первым — и даже успевал выпить первую за день чашку гадкого растворимого кофе!

Он прикрыл дверь к Знаменской, опрокинул в себя полбутылки воды, включил чайник — или не завтракать, что ли? — и кинулся в ванную.

Мобильный зазвонил, когда он намыливал под душем голову. Очевидно, Ира пришла на работу, не обнаружила шефа за стеклянной перегородкой и решила выяснить, где он. Данилов зашарил рукой, что-то роняя со стеклянной полки, вытер мыльное ухо полотенцем и рявкнул:

— Да!

Это и в самом деле была Ира. У нее был такой голос, что Данилов промахнулся мимо вешалки и уронил полотенце в ванну, себе под ноги. И не стал его поднимать.

— Андрей Михайлович, где вы? — Она чуть не плакала. — Приезжайте скорее. У нас в офисе... убийство. Скорее, Андрей Михайлович, пожалуйста!..

— Вы начальник, да?

— Да, — согласился Данилов.

— Сколько людей?

Данилов оглянулся. До этого он все время смотрел в окно.

— Каких людей?

Милицейский пояснил мрачно:

— У вас? Сколько у вас людей?

— Работает?

— Вы что, — спросил милицейский оскорбительным тоном, — тупой? Ну, конечно, работает!

— Три. Нет, четыре. Вместе со мной — четыре.

— Давайте.

— Что?

Милицейский чуть не зарычал.

— Называйте их, что, что!.. Вы думаете, я тут с вами в игрушки, что ли, играю?! Так мне играть некогда, мне работать надо! Развели бардак, понимаете ли, а мы — давай, приезжай, ищи! Давайте паспорт, ну!..

Данилов положил перед ним паспорт и снова стал смотреть в окно.

Милицейский сидел в его собственном кресле. Нелепая облезлая шапка с ушами лежала сверху на компьютерном мониторе, и почему-то именно эта шапка, а не то, что милицейский сидит в его кресле и с толстых его ботинок уже натекла на белый ковер небольшая мутная лужица, и не то, что в соседней комнате курят и смеются чужие люди, и пахнет бедой и казармой, и распахнута обычно плотно прикрытая дверь на лестничную клетку, и уборщица торчит тут же, хотя обычно она уходила еще до появления Данилова и его сотрудников, — почему-то именно шапка оскорбляла Данилова до глубины души, так, что он едва сдерживался.

Нечего оскорбляться. Прав милицейский. У тебя сотрудника убили, а он теперь должен валандаться!..

— Так, у вас тут что? Компьютерная контора?

— Нет, — сказал Данилов, — у нас архитектурное бюро. Хотите посмотреть документы?

— Документы налоговой инспекции покажете. Мне они не нужны. Сядьте здесь, на стульчик. Мне с вашей спиной разговаривать неохота.

Данилов хотел сказать, что ему тем более неохота разговаривать хоть со спиной, хоть с лицом, но знал, что это очень глупо.

— Петрович, — гаркнул милицейский, как только Данилов сел, — за понятыми сходил?

— Сходил.

— Тогда давай начинай, не тяни время!

Милицейский плюхнулся обратно в кресло и сказал:

— Ну? Чего?

— Чего? — переспросил Данилов.

Какой-то странный у них получался разговор. Секунду они смотрели друг на друга.

— Меня зовут Андрей Данилов, — произнес Данилов отчетливо, — я архитектор. Это моя контора и мои сотрудники. Как вас зовут?

— Меня? — почему-то удивился милицейский. — Меня зовут Патрикеев Владимир Иванович. Капитан Патрикеев. Там, — он ткнул рукой в сторону стеклянной перегородки, за которой толпился народ и всхлипывала Ира, — мои сотрудники, а моя контора на Басманной. Удостоверение хотите?

— Хочу, — признался Данилов и улыбнулся, и милицейский улыбнулся тоже. Покрутив перед носом у Данилова красной книжечкой, от которой почему-то тянулась толстая металлическая цепь, капитан

Патрикеев спрятал ее в карман и вытащил ручку из высокого стакана.

Вытащив, он посмотрел на ручку и спросил у Данилова:

— Можно?

Данилов засмеялся:

— Да. Может, кофе хотите или чаю?

Капитан с тоской посмотрел в сторону перегородки, и Данилов понял, что ему до смерти хочется чаю, но он уверен, что ничего не дадут, — народ толпится, секретарша рыдает, тело только унесли, какой там чай!

— У меня свой чайник есть, — сказал проницательный Данилов, — и свой чай, и свой кофе. И сахар даже. Поставить?

— Поставьте, — скромным тоном Альхена из «Двенадцати стульев» попросил капитан.

Данилов поднялся, налил воды из громадной перевернутой канистры, установленной на постаменте, включил чайник и достал чашки. По пути он как бы невзначай переложил милицейский малахай со своего монитора в соседнее кресло. Капитан сделал вид, что ничего не заметил.

— Ну, так, — сказал он, когда Данилов вернулся на место, — это кто? В смысле... потерпевший?

Какой же он потерпевший, подумал Данилов. Он не потерпевший. Он труп. Терпеть ему больше никогда и ничего не придется.

От этой мысли Данилову стало тошно.

— Его зовут Корчагин Александр... Викторович, по-моему, точно я не помню, нужно посмотреть в бумагах. Он мой сотрудник.

— Что значит — сотрудник? Он кто? Бухгалтер, охранник, начальник?

— Начальник я. Он два года назад закончил Архитектурный институт. Он архитектор. Я поручал ему всякие мелкие дела, на которые у меня времени не оставалось. Ну, посчитать что-нибудь, съездить в архитектурную комиссию, какие-нибудь пролеты посмотреть, все в этом роде.

— Архитектурный институт — это в котором Макаревич, что ли, учился?

Данилову стало смешно.

— И Макаревич тоже.

Архитектурный институт гордился Макаревичем, как будто тот построил храм Артемиды в Афинах, и порой казалось, что только вышеупомянутым песнопевцем это учебное заведение и знаменито.

— Таня Катко работает два года. Ее отчества я точно не помню. Саша, если не ошибаюсь, два с половиной. Ира только что пришла, три месяца назад. Ирина Геннадьевна Разуваева. Она секретарша. Звонки, бумаги, письма, договоры.

Чайник вскипел, Данилов разлил кипяток в две большие белые кружки и смотрел, как вода наливается густым янтарным цветом, поднимающимся от чайного пакетика.

Он чай собирается пить, а Сашку только что унесли на дерматиновых носилках, как тогда его жену. Больше Саши не будет. Никогда.

Как странно. Как неправдоподобно.

— Во сколько вчера вы ушли с работы?

— Рано. Около четырех.

— Обычно вы позже уходите?

— Да. Как правило, после шести, если я провожу целый день в конторе. Но до десяти никогда не сижу, если вы об этом спрашиваете.

— Почему до десяти, — нацелился милицейский, — что вы имеете в виду?

— Я не работаю здесь допоздна. Никогда. У меня дом рядом, дома все есть, чтобы работать. Если я не успеваю с делами, продолжаю работу дома.

— Сколько у вас клиентов?

— В данный момент четыре. Три дома строятся, и один пока только на бумаге.

— Так вы строитель, что ли, — спросил капитан подозрительно, — или нет?

— Я архитектор, — объяснил Данилов терпеливо, — я готовлю проект. Рисую дом или квартиру, показываю заказчику, делаю так, как он просит, или не так, как он просит, предлагаю какие-то детали, планирую и так далее. Строю не я. То есть я не кладу трубы, не подвожу фундамент, стены не ставлю. Когда дом строится, вношу в проект исправления, смотрю, как дом выглядит не на бумаге, что-то меняю, согласовываю.

Черт побери, в его изложении все звучало очень глупо. Капитан смотрел с недоверием.

— То есть вы рисуете — вот стена, вот крыша, тут три метра, а там пять, — и вам за это платят?

— Да, — признался Данилов таким тоном, как будто ему только что открылось, каким недостойным делом он все это время занимался.

— И потерпевший тоже этим занимался?

— Он мне помогал.

— Понятно, — протянул капитан. — Вчера вы в четыре ушли и больше не возвращались?

— Нет.

— Дома были? С супругой?

— Сначала один, — сказал Данилов, — а потом...

Потом приехала Знаменская, привезла ананас и литровую бутылку водки, которую они выпили на двоих. Он не знал, можно упоминать о Знаменской или нет.

— Что потом?

— Потом ко мне гости приехали и... ночевать остались.

— Это хорошо, — похвалил Данилова милицейский, — хорошо, что остались, нам возни меньше. Адресочки? Фамилии?

— Чьи? — не понял Данилов.

— Да гостей ваших! Они должны подтвердить,

что вы дома ночевали! Должны! Откуда я знаю ваши дела! Может, вы взяли да и стукнули по башке вашего... как его... Корчагина! Может, мешал он вам или физиономия его не нравилась!

— По башке? — переспросил Данилов.

Охранник на даче Тимофея Кольцова лежал лицом в луже густой черной крови — его собственной. Рана на голове тоже была черной, только вылезали сломанные острые белые кости.

— Ну? Я жду.

— Да, — согласился Данилов, — конечно. Знаменская Ариадна Филипповна. Она приехала после десяти. Точно не знаю, но если вам нужно, можно спросить у нее. Она время тоже никогда не знает, но у нее водитель, а он...

— Это какая же Знаменская? — спросил капитан и перестал писать. — Которая депутат и профессор каких-то наук?

— Академик она, — поправил Данилов тоскливо, — член президиума Академии наук. Она приехала после десяти и осталась ночевать. Когда позвонила Ира, Ирина Разуваева, она еще спала.

— Так ей сто лет! — неожиданно удивился капитан.

— Семьдесят четыре, — поправил Данилов, — а-а... нет, у меня не было романтического свидания. Знаменская — мой клиент, она приезжала поговорить об оформлении балкона в ее квартире. Когда мы закончили, было уже поздно, и она пожалела водителя, не стала вызывать. И осталась у меня.

— Та-ак, — протянул капитан зловещим тоном, — какие еще у вас клиенты? Это так, на всякий случай, а то мне пальцем в небо попадать неохота.

— Кольцов, — сказал Данилов хмуро, — Тимофей Ильич. Дом на Рижском шоссе. Стешко Сергей Владимирович, квартира на Маросейке. И еще...

— Кольцов, значит, — перебил капитан задумчиво, — хорошо знаете его?

— Он тут ни при чем! — возразил Данилов.

Еще не хватало втягивать в свои дела Кольцова. Он и так оказался втянут, и еще неизвестно, чем это Данилову откликнется!

— Конечно, конечно, — подхватил капитан, у которого волшебным образом изменился тон — с кислого на сладкий. Странно, но Данилов предпочел бы предыдущий, — ни при чем! Тимофей Ильич — фигура всем известная и... Так, значит, никого не подозреваете?

Это было неожиданно.

— Я даже толком не знаю, что случилось, — сказал Данилов.

— Так никто не знает, — сообщил ему капитан Патрикеев. — Почему-то этот ваш Корчагин ночью пришел на работу. Он за компьютером сидел. Потом еще кто-то пришел. Увидал нашего потерпевшего, да и дал ему по голове.

— Ночью? — переспросил Данилов.

— Ну да. Время смерти, конечно, точно установят, но Боря сказал, что примерно после двенадцати, но до двух. Так где-то. Он что, по ночам работал?

— Нет.

Почему-то именно в этот момент — даже не тогда, когда капитан сказал ему, что бедолагу Сашку убили, ударив по голове, — у Данилова в мозгах произошло какое-то движение, как будто сдвинулись льды, сковавшие разум. До этой секунды он никак не связывал Сашино убийство с собой.

С собой и черным человеком, как сказала Знаменская.

— А... дверь? — спросил Данилов, чувствуя, что во рту у него сухо и никакой чай не помогает.

— Что дверь?

— У нас дверь закрывается сама. Захлопывается. Она была открыта?

— Ключи снаружи были вставлены. Вот эти самые. Не знаете, чьи это? На дубликаты не похоже.

— Это мои, — сказал Данилов, — у меня вчера ключи пропали. Я не мог найти. Я никогда не теряю ключей, а тут вдруг потерял.

— Ваши, значит, — тоном обреченного на каторжные работы заключил капитан, — ясно. И вы их, значит, потеряли. И где и когда — не знаете. Правильно?

Данилов кивнул.

— И что ваш сотрудник по ночам на работу ходит, тоже не знали.

— Нет. У нас нет охраны и камер никаких нет, у всех свои ключи. При мне он никогда не задерживался, как правило, я уходил последним. Редко уезжал раньше — по делам.

— И первым приходили, — подсказал капитан Патрикеев.

— Это подозрительно? Да, если не было дел с утра вне офиса.

— Нет, что вы. Как же, хозяин, на себя работаете! Вам положено первым приходить, последним уходить.

Данилов не понял, хвалит его капитан или осуждает.

Зачем Саша Корчагин пришел ночью в контору?! Что ему могло понадобиться?!

Значит, он сидел за компьютером, и дверь была закрыта, и с улицы не разглядеть, что в конторе кто-то есть, потому что немецкие жалюзи плотно прикрывают каждую щель, и непонятно, горит за ними свет или нет.

— Владимир Иваныч, — сунулся в дверь кто-то из милицейских, — выйди-ка на минуту.

Как только капитан вышел, Данилов встал и подошел к окну — в своей комнате он жалюзи никогда особенно не законопачивал.

Ничего такого не пришло ему в голову, когда он обнаружил, что у него пропали ключи от офиса. Он решил, что потерял их, как люди обычно теряют ключи, — вытряхнул из кармана или вытащил вместе с сигаретами.

Он понял, что ключей нет, и долго метался по квартире, искал, а искать он не умел, потому что никогда и ничего не терял, а Марта стояла у входной двери совсем готовая и посматривала на часы, а потом поехала одна и купила в метро книжку «Ваш ребенок».

Это было только вчера.

В понедельник и вторник ключи у него были. В среду он приехал в офис в середине дня и сразу же уехал в квартиру Знаменской — ключи ему были не нужны. Значит, они исчезли или во вторник вечером, или в среду.

Кожа под водолазкой внезапно взмокла, и боль хлестнула чуть поджившую рану.

Во вторник у него были Грозовский, Тарасов, Лида, Веник и — с утра — Саша Корчагин, которому проломили голову.

У Саши были свои ключи, и вряд ли он украл еще и даниловские. Кроме того — Данилов мрачно усмехнулся, — смерть оправдывала его лучше всего.

Кто из оставшихся четырех?

Кто? Кто?!

— Странная штука получается, — раздраженно сказал за его спиной капитан Патрикеев, — вы вроде и ни при чем, и алиби у вас надежное, если не врете...

— Не вру.

— Это мы проверим. А штука-то странная. Это что такое?

— Что?

— Вот это. Сюда, сюда глядите!

Данилов посмотрел. Это были его очки. Стекла заляпаны чем-то бурым и неровным.

— Кровь, — сказал капитан, пристально глядя в лицо Данилову, — на стеклах-то кровь. Очки ваши?

— Мои, — подтвердил Данилов.

— Правильно, ваши, — согласился капитан с удовольствием, — вот и секретарша говорит, что они ваши.

— Да я от них и не отказываюсь, — пробормотал Данилов.

— Правильно делаете, что не отказываетесь! Очечки сверху на кровь упали. Прямо стеклами. Видите, на стеклах пятна? Убийца ударил, потерпевший упал, очки с убийцы слетели — и прямо в кровь. С кем, говорите, вы ночевали-то?

Данилов продиктовал номера телефонов.

Он не убивал Сашку, это точно. Он не настолько сумасшедший, чтобы не контролировать свои поступки. Он был не один, Знаменская подтвердит, что он спал дома, и все обойдется. Капитан Патрикеев поймет, что он не бил Сашку по голове и не ронял в его кровь свои очки!

Он совершенно нормальный человек, несмотря на то, что кто-то в последнее время очень старается убедить его в обратном.

И кто-то ведь уронил его очки в лужу Сашкиной крови!

Данилов дернул золоченые нелепые ручки на створке окна, распахнул его и глубоко вдохнул студеный воздух. Ветер надул штору и как будто обнял Данилова холодными лапами. Рана под горячей водолазкой стала остывать.

Очки.

У него только одни очки — два стекла и дужки, никакой оправы, модерн, очень понравившийся Марте. Она разбила его прежние очки — зачем-то цепляла на нос, оставила на сиденье, а потом сама же на них

274

села, и они поехали заказывать новые, и Марта выбрала именно эти — два стекла и дужки. Других у него нет.

Веник смотрел хоккей и кричал, что не видит.

«Дай мне очки, я ничего не вижу, а тут хоккей».

Потом Данилов его выставил и нашел на своей постели окровавленную белую рубаху, а очков с тех пор не видел.

Веник часто таскал у него всякие мелочи — дорогие брелоки, подарочные ручки, блокноты в кожаных переплетах, и вот теперь — очки?!

Значит, сегодня ночью у него в конторе был Веник? Веник застал Сашку и убил?! Совсем, до смерти?!

Вернулся капитан. Вид у него был задумчивый.

— Да, — сказал он и сел, но уже не в даниловское кресло, — подтверждается история ваша. А я уж было решил...

Данилов не спросил, что именно он решил. У него было сухо во рту, и глаза тоже казались очень сухими, как будто поднялась температура.

— Подтверждается! — повторил капитан неприятным голосом. — Знаменская Ариадна Филипповна сказала, что вы провели ночь у нее на глазах! Приезжайте, говорит, я все еще у него в квартире, моюсь в душе! Могу, говорит, предъявить бутылку из-под водки и ананас! — Он едва сдержался, чтобы не выругаться. — И время, когда она приехала, точно назвала!..

— Неужели? — удивился Данилов.

Капитан покосился на него.

— У нее чек из супермаркета в пакете остался. На чеке время. От супермаркета до вашей квартиры идти две минуты. Ехать от силы сорок секунд. Твою мать!..

Хозяин «архитектурного бюро» — выдумали себе работу тоже! — раздражал его без меры. Раздражали его пиджак, черная водолазка, стрижка, как у кинозвезды, самоуверенность, тихий голос, портфель, самодовольный, наглый и кожаный, так, по крайней мере, казалось капитану, и запах раздражал, и народная депутатша, подтвердившая алиби, — еще на ананас приглашала, зараза! — и вскользь помянутый в разговоре всесильный и знаменитый Кольцов.

«Глухарь», как пить дать «глухарь», капитанское сердце чуяло неладное.

— Как очки попали на место происшествия? — спросил он, ни на что не надеясь. — Не знаете, конечно?

— Наверное, я их забыл в конторе, и после того, как Сашку ударили по голове, они... упали.

— Откуда? С неба? Или их специально положили, чтобы ввести нас в заблуждение? А? У вас есть враги?

В последнее время у Данилова появился враг, черный человек, черт знает кто. Он понятия не имел, что это за враг.

— Я не знаю, — сказал он, — скорее нет, чем да. Какие враги? У меня вообще нет... близких людей. Ни друзей, ни врагов.

У него была Марта, которая заменяла всех друзей и близких, вместе взятых.

Он сказал ей — «я больше не хочу тебя видеть».

— Очки вы забываете, — сварливым тоном сказал капитан, — ключи теряете. А за вами ходит человек, который все подбирает и использует против вас. Это-то вы хоть понимаете?

— Понимаю, — согласился Данилов.

Ему нужно поговорить с Веником. Чем скорее, тем лучше. Капитан все равно ничего не поймет и ни во что не поверит, даже если Данилов сейчас примется рассказывать ему о своих несчастьях последних дней. Что он может рассказать? Что кто-то пытается отомстить ему за смерть жены, которая случилась пять лет назад? Подбрасывает ему в постель окровавленные рубахи и крадет блюдечки с янтарной крошкой?!

Он сам должен довести все до конца. Это только его дело.

Если он победит, значит, победит навсегда. Если проиграет — ничего на свете, даже разум, больше ему не понадобится.

— Ну и черт с вами, — сказал капитан, у которого была хорошо развита интуиция, — хотите со мной в молчанку играть, валяйте! Только если я чего раскопаю, никто вам не поможет — ни Знаменская ваша, ни Кольцов. Я мужик упертый, это каждый знает.

— Спасибо, — поблагодарил Данилов.

— Да идите вы!..

Он едва дождался, когда милиция уберется из его офиса.

Азарт его охватил, самый настоящий, горячечный, плохо контролируемый азарт. Говорят — охотничий, но это неправда.

Что за азарт, когда нечего терять? Кто против тебя зверь? Никто — кучка драного меха на худых костях. У тебя есть все, ты плотно позавтракал, а вчера на заимке еще и выпил хорошо, у тебя тулуп, лыжи, ружье, от которого нельзя спастись, ведь ни один зверь так и не придумал себе бронежилета! Ты развлекаешься, стреляя в шерстяной свалявшийся бок или оскаленную от страха и ненависти морду. Ты не умрешь с голоду, если промахнешься, и куцая шкурка нужна тебе только для самоутверждения, а не для того, чтобы укрыть замерзающих детей.

Данилов не верил в азарт, когда один с ружьем, в тулупе, веселый от мороза и стопочки, а второй — голодный, напуганный, ненавидящий, на жилистых лапах, из оружия у него только зубы, но что зубы против патронов, сражающийся за жизнь и проигравший уже тогда, когда этот румяненький и крепкий только грузился в свою машину!..

Данилов знал, что борется за жизнь, как тот, на худых жилистых лапах, и азарт у него был самый что ни на есть неподдельный.

И Марта ушла из его головы, как тогда, из переулка.

— Мы все сейчас пойдем по домам, — холодно сказал он зареванным девицам. — Вы слышите меня?

Девицы горестно и вразнобой закивали. Ира начала было причитать, но Данилов прикрикнул на нее, и она моментально остановилась, глядя на него испуганно.

— Мы должны быстро проверить, что у нас пропало. Если пропало. Милиция у вас спрашивала об этом?

— Да, — шмыгая носом, сказала Таня, — но мы... у нас ничего... совсем ничего...

— Вроде все на месте, — подтвердила Ира.

— «Вроде» мне не подходит, — сказал Данилов, — мне надо не вроде, а наверняка. Что Саша мог делать ночью на работе? Кто-нибудь из вас знал, что он приходил в офис по ночам, или он в первый раз пришел?

— У нас милиционеры спрашивали, — жалобно пропищала Ира, — мы не знаем. Он нам ничего не говорил.

Они обе старательно отводили глаза от темного пятна на полу. Толку от них не было никакого. Из разговора с капитаном Патрикеевым Данилов не понял, опечатают комнату или нет, но в любом случае нужно было действовать быстрее.

— Идите в мой кабинет, — приказал Данилов, — я посмотрю его компьютер, а вы проверьте, может быть, оттуда что-то взяли.

Он не смог заставить себя сесть в Сашино кресло, развернул монитор на сто восемьдесят градусов, сел за Танин стол и пристроил клавиатуру себе на колени.

Он был уверен, что Саша сидел в Интернете, и не ошибся. Он быстро пошел по его следам, но скоро запутался — он вовсе не был компьютерным гением и не подозревал, что Сашка мог забредать в такие дебри. Зачем? Голых красавиц было полно и поблизости, а на всякие модные чаты Сашка не заходил. Данилов тыкался в разные стороны, его раздражало, что картинки меняются так медленно. Ему нужно было, чтобы менялись быстрее.

— Андрей Михайлович, — позвала Ира, — а ваш портфель?..

— Что — портфель? — спросил Данилов, не отрываясь от монитора.

— Где он?

Он понятия не имел, где его портфель. Что-то непонятное с ним происходило в последнее время. Он стал нарушать собственные правила.

— Вы его вчера здесь оставили, я точно помню. Вы его не забирали?

— Нет, — сказал Данилов и оторвался наконец от монитора, — не забирал. А что?

— Его нет, Андрей Михайлович. Мы все осмотрели. Нет. Наверное, его этот забрал, который Сашку...

Портфель?! Кому мог понадобиться его портфель?!

В портфеле была папка с договорами и еще одна папка с распечатками предполагаемых интерьеров квартиры нового заказчика, какие-то ничего не значащие счета, которые он собирался передать своему бухгалтеру, и блокнот. Все. Больше в портфеле ничего не было.

«Блокнот, — подумал Данилов отчетливо, даже как-то по слогам. — Блок-нот».

В блокноте были «подозреваемые и вещественные доказательства». Перечень на несколько страниц. Его школьная привычка записывать все подряд, даже то, что нужно купить хлеба, стоила жизни несчастному Сашке, который бродил по Интернету и не ждал никакой беды.

«Ты, ты виноват, убийца, иуда!»

Конечно, он, опять он. Кто же еще, если не он?!

Он не нажимал на курок, когда застрелили его жену, и не заносил над головой Саши «тяжелый тупой металлический предмет», как сказано в милицейском протоколе. Но он ничего не сделал для того, чтобы отвести беду. Ему всегда было наплевать на людей.

Что он знал о своей жене, кроме того, что однажды она согласилась выйти за него замуж? Что он знал о Саше, кроме того, что у него диплом подходившего Данилову института?!

С женой ему было невыносимо скучно, и соскучился он уже на второй день. Она была красивой, избалованной, вздорной и очень молоденькой, а ему очень быстро стало на все наплевать. Она скандалила, требовала внимания, какой-то необыкновенной любви, на которую Данилов был в принципе не способен, развлечений, гостей — а ему было наплевать. Он даже не жалел ее, хотя она ни в чем не была виновата, просто человек, называвшийся ее мужем, был патологически равнодушен к ней, а она была обыкновенной девчонкой, и ей нужны были обыкновенные девчачьи радости вроде новых туфель или вечеринки с пивом, громкой музыкой и «кавалерами».

Он терпеть не мог пива и не выносил громкой музыки.

Ни разу ни в чем он не сделал ни шага ей навстречу. Он предпочел забыть о ней, сделав вид, что очень занят — он и вправду был занят. Ему хватало самодовольства и эгоизма думать, как ему не повезло с женой. Он перестал ее замечать, и она погибла.

Конечно, он виноват. Кто же еще?

Он забыл на работе этих идиотских «подозреваемых» вместе с «вещественными доказательствами», и черный человек пришел за ними. Пришел и убил Сашку, попавшегося на пути. Вовсе не Сашка ему был нужен, ему был нужен Данилов и его блокнот.

Значит, что-то могло быть в этом блокноте, что показалось ему угрожающим? Или не так? Может, он просто знал про этот блокнот и решил подстраховаться?

Если так, значит, время надписей на стенах и окровавленных рубах в кровати прошло. Значит, настало время действовать по-настоящему. Значит, следующий труп будет его, Данилова.

Или... Или...

Марта.

Единственная из всех.

Сердце стремительно и неудержимо разбухло, как воздушный шар, надутый гелием, поднялось и остановилось в горле.

«Это невозможно», — сказал он себе, чувствуя, как сердце шевелится и перекатывается в горле, очень горячее и большое. Сказал, потому что испугался. Так испугался, что даже вздохнуть не смог, и разбухшее сердце не пропускало воздух.

«Возможно», — возразил ему его собственный разум.

Тот человек ненавидит тебя. Ненавидит, ненавидит, мерно повторяло сердце. Что нужно, чтобы уничтожить тебя — так, чтобы ничего не осталось? Не убить, а именно уничтожить?

Марта.

Данилов осторожно поставил клавиатуру на стол и вытер висок. Паника нарастала неудержимо, и он знал — еще чуть-чуть, и он не сможет ее контролировать. Вытащил из кармана телефон и нажал кнопку — только одну. Номер Марты был записан в телефонных мозгах, как сама Марта — в даниловских.

Возьми трубку, мысленно приказал он ей, как только начались гудки. Он знал, что ее телефон уже определил номер его телефона и теперь она раздумывает, отвечать или не отвечать. Если только с ней все в порядке и она еще может раздумывать.

Возьми сейчас же.

Гудки продолжались, и сердце уже разрывалось, и все труднее становилось дышать.

«Абонент не отвечает, — прервав гудки, доверительно сообщил ему из трубки чужой голос, — или временно недоступен. Попробуйте...»

— Я уезжаю, — сказал Данилов в сторону своего кабинета и поднялся. Таня вышла из стеклянной двери, посмотрела на него и вдруг сделала шаг назад, как будто собиралась убежать, и с размаху плюхнулась на стул. — Если что-то срочное, я на мобильном. У вас есть телефон капитана Патрикеева?

— Андрей Михайлович, что случилось? — пробормотала Таня.

— У вас есть телефон Патрикеева?

— Не-ет.

— У меня на столе записка с номером. Ира, пожалуйста, позвоните ему и уточните, будут ли они опечатывать дверь и кто из нас должен при этом присутствовать. Я думаю, что не станут. Таня, позвоните мне вечером, я скажу, будем ли мы завтра работать. Ира, свяжитесь с Сашиными родственниками и спросите, не нужна ли наша помощь. Не финансовая, а... человеческая. Финансовую я предложу сам. Все понятно?

В первый раз в жизни ему было все равно, понятно сотрудникам или непонятно. Не глядя он натянул пальто и вышел из офиса.

Руки были мокрыми и неприятно скользили по рулю, и на светофоре он старательно натянул перчатки. Мать всегда сердилась, что у него влажные руки. Как у лягушки.

«Что такое с твоими руками? Что ты ими делаешь? Разве можно играть на рояле такими руками?»

Маленький Данилов часто рассматривал свои ладошки, пытаясь понять, почему они не нравятся матери и что он должен сделать, чтобы они ей понравились. Он стал вытирать их о штаны, и, заметив это, мать всякий раз шлепала его по рукам. До сих пор в ее присутствии ладони иногда начинали сильно гореть.

Когда он перестал играть, они стали сухими, и он даже забыл, как это — влажные ладони.

До Марты было далеко — много светофоров и пробок в центре Москвы. Он еще раз набрал ее номер и еще раз выслушал предложение перезвонить позже.

«Если с ней что-то случилось, я перестану существовать, — подумал Данилов спокойно. — Я не умру, конечно, что за глупости. Меня просто больше не будет».

В машине было холодно, а он позабыл про отопитель. Дыхание оседало на стекле, как будто стягивало его белесой пленкой, и время от времени он тер стекло, разрывая пленку.

Если с ней все в порядке, господи, я в тебя поверю. Правда. Я никогда в тебя не верил, и очень гордился этим, и знал, что, кроме физики, химии и биологии, на свете нет ничего, во что можно было бы уверовать, но если с ней все в порядке, я поверю. Я знаю, что меня не за что любить, господи, и ты, наверное, тоже меня не любишь, но она ни при чем. Пусть с ней все будет в порядке. С ней и с лысым и мягким мышонком, о котором я не знал, что он — мой. Не ради меня. Ради нее самой. Пожалуйста.

Он просил и ужасался тому, что просит, и ничего не мог с собой поделать. Он знал, что одному — без того, с кем он разговаривал и кого просил, — ему не справиться.

Поставить машину было, конечно, негде, и, не думая ни о чем, Данилов бросил ее посреди дороги, включив аварийную сигнализацию.

За чистым стеклом раздвижных дверей, дико и нелепо пристроенных к крылечку старого отреставрированного особняка, угадывалась просторная умиротворенная приемная, со стойкой из мрамора, с кожаной мебелью и всеми необходимыми символами достатка и процветания.

— Как мне увидеться с Мартой Черниковской? — спросил Данилов пиджачно-официальную барышню, восседавшую за стойкой. Сильно пахло кофе и духами, и искусственная елка сияла в середине чистого плиточного пола — маленький плезир всем работающим здесь иностранцам, привыкшим ждать Рождества с апреля.

— Вы договорились о встрече? — спросила барышня деловито.

— Нет. У нее не отвечает мобильный телефон, и я не смог с ней связаться.

— Одну минуточку, пожалуйста.

Охранник с заправленным за ухо витым шнуром микрофона пил кофе и смотрел в чистое стекло. Данилов воспринимал все окружающее так остро, что у него болели глаза. Он не знал, найдет ли барышня Марту. И не знал, что станет делать, если не найдет.

И не знал, сможет ли он ждать, пока она наконец ее разыщет!..

Он шевельнулся, и барышня подняла на него любезный взгляд.

— Еще минуточку, пожалуйста.

Барышне было наплевать, на месте Марта или нет.

Она еще послушала, кивнула и положила трубку.

— Она уехала в банк на проверку, — сказала она Данилову, — должна сейчас вернуться. Может быть, вы подождете или оставите ей сообщение?

— Передайте, пожалуйста, чтобы она перезвонила Андрею Данилову, — выдавил он сквозь перехваченное спазмом горло, — это очень важно. Пожалуйста.

— Конечно, — с некоторым удивлением произнесла барышня и вдруг пристально на него взглянула. — Может быть, все-таки подождете?

— Нет, — отказался Данилов, — спасибо.

Он прошел вестибюль и вышел на улицу, стараясь дышать глубже. Дышать было трудно.

— Данилов, ты что? Опупел? — бросила в лицо

ему Марта. — Ты зачем машину посреди дороги оставил? Ни пройти, ни проехать!..

Она стояла на тротуаре прямо перед ним в длинной белой шубе. У нее были короткие волосы и розовые щеки. В одной руке она держала коробку с тортом, а в другой портфель. Данилов увидел все это словно со стороны.

— Как твоя проверка? — спросил он, как будто за этим только и приехал.

— Нормально, — настороженно ответила она, — а что такое? Ты думаешь, что я плохо работаю? Зарабатываю мало трудодней?

— А торт? У вас что? Праздник?

— У меня праздник, — буркнула Марта, — я празную, что ты меня бросил. Да что тебе надо-то?!

Не говоря ни слова, Данилов ухватился за торт и поволок ее за собой. Доволок до своей машины, впихнул в салон, она закричала:

— Торт, торт! Осторожней! — но он не слышал.

Он обошел машину, завел мотор и отъехал за угол. Какой-то мужик на стоянке, очевидно, водитель, потрясенный даниловским способом парковки, весело покрутил ему вдогонку пальцем у виска.

— Ну что, — спросила Марта злым голосом, — развлек общественность? Выпусти меня, Данилов, мне на работу надо!..

— Я тебе звонил, — сказал Данилов, — ты не отвечала.

— Я телефон в машине забыла.

Что надо говорить дальше, Данилов не знал.

Господи, спасибо тебе, она жива, с ней все в порядке, у нее розовые щеки и она «празднует, что я ее бросил».

Что мне сделать? И как мне это сделать?

— Как ты себя чувствуешь?

— Данилов, ты кретин, — сообщила Марта, — почему я раньше не догадалась, что ты самый обычный кретин? Теперь наконец все открылось, и я пошла. Пока.

— Марта.

— Что — Марта! — И тут вдруг она в первый раз посмотрела ему в глаза. И перепугалась. — Данилов, ты что? Что случилось? Что-то ужасное? Зачем ты приехал?

Он молчал, боялся, что заплачет и опозорится перед ней.

— Данилов, в чем дело? Почему ты молчишь?! — Она отпихнула свой драгоценный торт и взяла его за руку.

— Я не молчу, — сказал он, разглядывая ее тонкие наманикюренные пальчики, — я не знаю, как это нужно говорить.

— Что говорить?

Он вздохнул.

— Никогда не говорил, — признался он и улыбнулся, — черт его знает. Просто не всегда получается так, как хочешь... Я никогда не мог и даже с матерью ссорился... Ты знаешь, что у меня характер плохой, и я привык... и лет мне...

— Тридцать девять, — подсказала Марта. — Это все о чем, Данилов?

— О ребенке, — выпалил он, — я был не прав, прости меня.

— В чем ты был не прав?

— Во всем. Просто я не знал, как к этому отнестись. Я никогда об этом не думал. И не хотел никогда.

— Данилов, я не стану делать аборт, — сказала Марта холодно и выпустила его руку, — во-первых, уже поздно, а во-вторых, я не девочка. Это мой первый и последний шанс.

— Какой аборт!.. — перепугался Данилов. Он представил себе мышонка со сморщенным животом и мягкими ушами. — Я совсем не про это!.. Просто ты ничего мне не сказала, а я был уверен, что ты мне доверяешь.

И тут она так разозлилась, что он даже назад подался, к подернутому морозной пленкой стеклу.

— Я тебя, козла, люблю всю свою жизнь! «Доверяешь!» Пойди у своей Лидочки выясни, доверяет она тебе или нет! А потом целуйся с ней, если хочешь! А нас оставь в покое! По-моему, я тебе не навязывалась и ребенка тоже не навязывала! Я даже тогда, в Ярославле, решила, что не стану ничего осложнять, а то ты испугался бы до смерти и прогнал меня! Мне не надо никаких твоих милостей, Андрей! Я отлично проживу и справлюсь, вдвоем с мамой справлюсь!! И пошел вон от меня! И я тебя не обманывала! Я не часовой механизм, у меня всякие сбои бывают, не часто, но бывают! Я думала, что это... опять сбой, потому что так уже было раньше, и ничего! Я узнала, что беременна, тогда же, когда и ты, — в прошлую пятницу и скрывала от тебя, что это твой ребенок, всего три дня!

На глазах у нее показались слезы, и Данилов с ужасом подумал, что она плачет, плачет из-за него! В последний раз она плакала — он отлично это помнил — на втором курсе института, получив несправедливую двойку.

— Марта, подожди!..

Но она уже выскочила из машины и побежала по переулку.

— Марта!..

— Нет, Андрей. — Она глубоко дышала, стараясь успокоиться. — Мне ничего не нужно.

— Мне нужно, Марта.

— И тебе тоже ничего не нужно. Я знаю, что ты благородный сверх всякой меры. Мне на твое благородство наплевать.

Тут у него зазвонил телефон, и он ответил, потому что, как только он увидел Марту — живую, невредимую и с тортом, — моментально вернулось все остальное, включая убийство, милицию и темную лужицу на полу.

— Да.

— Все это было только начало, — проскрипел голос в трубке, — хочешь посмотреть, как горит твой дом? На этот раз от него ничего не останется, даже стен. Если ты поедешь прямо сейчас, может, еще успеешь к представлению.

— Ты подонок!! — заорал Данилов так, что от него шарахнулись какие-то люди на тротуаре. Марта оглянулась и быстро пошла обратно, к нему, а потом побежала.

— Продолжение следует, — сказал голос, — все только начинается.

— Подожди!

— Кто это? Андрей, кто звонил?!

— Не знаю. Он сказал, что горит дом на Рижском шоссе. Мне надо ехать, Марта.

— Я с тобой.

— Нет.

— Я поеду с тобой.

Он знал, что не возьмет ее с собой, что бы она ни говорила.

— Ты узнал голос?

— Нет. Совсем. Или это кто-то, кого я не знаю, или голос... изменен.

Он остановился у своей машины и чуть не застонал.

«Фольксваген» упирался гладким рылом в бампер впереди стоящей машины. Сзади его так же плотно прижимала невесть откуда взявшаяся «Газель». Справа был высокий бортик тротуара.

Все. Приехали.

— Заперли? — спросила из-за плеча запыхавшаяся Марта. — Поедем на моей! Пошли. Быстрее!

Размахивая тортом, она добежала до своей

«Нивы», проворно забралась на высокое сиденье и запустила мотор.

— Ты не поедешь.

— Поеду, Данилов. У тебя же нет доверенности! Куда ты поедешь? До первого поста?

Она была права, и он знал это.

Оглядываясь через плечо, она сдала назад, посигналила, развернулась перед носом у запыхавшейся красной «четверки» и махнула рукой водителю, который возмущался за замерзшим стеклом.

— Данилов, как нам проще всего выехать?

— На Ленинградский проспект, а потом на Волоколамку. Здесь направо, а под светофором по стрелке налево.

— Сейчас, наверное, пробка на Соколе...

— Сейчас везде пробки.

— Что он тебе сказал?

— Что все это было только началом. Самое интересное впереди или что-то в этом роде. Сказал, что на этот раз от дома ничего не останется.

— Звони в милицию, Данилов. Уже пора.

— Смотри на дорогу, — сказал он сквозь зубы. — Какая еще милиция! Это дом Тимофея Кольцова, а он сам себе милиция.

— Тогда звони ему. Или его жене. Пусть приезжает их охрана или они сами.

Марта посигналила и бесцеремонно влезла в узкое пространство между двумя рядами машин. Данилову показалось, что она даже растолкала их немного.

Вечерело, и опять пошел снег. В свете фар, упиравшемся в чей-то багажник, косо сыпались белые шарики. Стая птиц упала с сумрачного неба, пронеслась над шоссе и исчезла над стадионом «Динамо».

— Что нам делать, Данилов, — спросила Марта негромко, — ты знаешь? Что нам делать, чтобы совсем не пропасть?

— Найти его, — сказал Данилов, — больше ничего не остается. Или я его, или он меня.

— Ты найдешь?

Он промолчал.

Пока они стоят в пробке, его дом горит. Лопаются стекла. Трещит крыша. Голос в трубке назвал это «представлением».

— Сегодня ночью убили Сашку Корчагина, — сообщил Данилов, — прямо в офисе. Я не знаю, что он там делал по ночам, но, по-моему, потрошил какие-то базы данных — то ли Центробанка, то ли администрации президента.

— Как убили? — мертвым голосом переспросила Марта. — Совсем? До смерти?

— Может, он думал, что он компьютерный гений? Или передач каких-нибудь насмотрелся? Он сидел за компьютером, пришел человек, увидел его и убил. Ударил по голове. Человек пришел за моей записной книжкой. Помнишь, ты говорила, что у каждого настоящего горца должен быть меч, а я сказал, что у меня есть блокнот. Он пришел за моим блокнотом. Откуда он знал про него? Я писал всегда один. Или с тобой. Ты никому не рассказывала... обо мне?

— С ума сошел, Данилов?

— Из моей квартиры пропали крошки янтаря, которые я подобрал в доме Кольцова. Кто и когда их взял? Откуда узнал, что они в шкатулке? Почему не взял шкатулку целиком?

Данилов вдруг осекся и замолчал, и Марта, на миг отвлекшись от темной дороги, на него взглянула. И не стала спрашивать — что с тобой, Данилов?

Когда они свернули с пустынного Рижского шоссе, было совсем темно. Метель усилилась, и Марта сразу сбросила газ. Под колесами был снег, с двух сторон лизавший узкую шоссейку, а по бокам лес. Ни огонька, ни просвета.

— Никакого зарева нет, — настороженно сказала Марта. — Может, он пошутил просто?

— Нам не видно, потому что у нас фары. — Данилов отстегнул ремень и потер перчаткой стекло. — Там, куда свет не достает, нам ничего не видно.

Марта посмотрела в зеркало заднего вида. Освещенное многополосное шоссе пропало за поворотом, и их как будто отрезало от окружающего мира, устойчивого, привычного, нормального, в котором по шоссе едут машины, светятся огоньки заправки и в любую минуту можно вернуться домой.

— Данилов, позвони охране Кольцова!

— Я уже звонил Катерине. У нее телефон не отвечает, а никаких других телефонов я не знаю.

Марта переключила свет с «ближнего» на «дальний» и резко нажала на тормоза. Данилов ткнулся носом в панель.

— Ты что?!

Поперек дороги лежало дерево. До него было метров пятьдесят. Оно было тонкое и не слишком внушительное, но объехать его было нельзя.

Марта посмотрела на Данилова.

— Не нравится мне все это, — пробормотал тот и открыл дверь.

— Нет, — быстро сказала она и схватила его за руку, — не выходи, Андрей!

— Мы не проедем, — он вырвал руку, — кругом сугробы. И даже «Нива» через дерево не перелезет. Я оттащу.

— Не выходи!

— Марта, нам нужно доехать до дома.

Мотор урчал, метель заносило в распахнутую дверь, тьма вокруг была плотной и угрожающей. За расширяющимся снопом света ничего разглядеть было нельзя.

Данилов выпрыгнул из машины — длинное пальто развевалось, как в фильме ужасов. Марта напряженно и пристально смотрела на него, почти прижавшись носом к лобовому стеклу.

Вот он прошел полпути. Вот две трети. Вот дошел до темного ствола и нагнулся. Марта перехватила руль.

Внезапно сзади вспыхнули фары и, отразившись в зеркале, ударили ей по глазам. Она зажмурилась и закричала что было сил:

— Андрей!!!

Вместе с ее криком близко хлопнул выстрел, негромко и очень страшно. Потом еще один.

Марта видела, как Данилов зачем-то встал на колени, а потом уткнулся лбом в дерево. Очень медленно, как будто не хотел этого, но ему пришлось.

— Андрей!!

Не понимая, что делает, она что есть силы вдавила газ, машина прыгнула вперед и оказалась рядом с Даниловым. Ее занесло, и распахнутая дверь задела его по плечу. Он поднимался, держа правую руку в левой, как будто это была не рука, а что-то чужое и лишнее.

— Сейчас, — прохрипел Данилов, — я сейчас...

Перегнувшись через сиденье, путаясь ногами в белой шубе, Марта двумя руками взяла его за пальто и стала тащить и, кажется, даже втащила в машину, потому что он вдруг оказался совсем рядом с ней. Рукав его пальто был совершенно мокрый.

Почему он промок? Откуда здесь вода?

— Назад, Марта. Давай. Скорей.

Но назад было нельзя. Чужие фары слепили их, став еще ближе.

Следующий выстрел выбил фонтанчик из укатанной белой дороги под распахнутой правой дверью.

Выворачивая руль, Марта нажала на газ, колеса бешено завертелись в снегу, нащупывая твердую землю, и наконец нащупали, вцепились, раскидывая снег, и машина, перевалив через сугроб, бросилась вперед и направо.

Под колесами была какая-то дорога, но Марта не знала, что это за дорога и куда она ведет. Фары преследовали их, и Марта все прибавляла и прибавляла скорость.

— Туда нельзя. — Данилов тяжело дышал, и над верхней губой у него блестел пот, зеленый от призрачного света приборной доски. — Там котлован. Дорога упирается в котлован. Я не знаю, сколько до него. Не много.

Он что-то говорил ей про какие-то заброшенные лесные разработки или песчаный карьер, когда в первый раз привез ее сюда, чтобы похвастаться домом. Тогда оттуда выехала темная машина, и Марта подумала, что с романтического свидания.

Теперь ее гнали к этому карьеру, как охотники гонят волчицу, и ей некуда, некуда было деться, потому что она была беззащитна и не готова к нападению. Потому что ее было видно в свете приближающихся мощных фар, а она не знала, как спастись, и неслась на красные флажки, потому что ей некуда больше нестись.

Нет. Она не кинется грудью на вороненое дуло, хоть больше ей ничего не остается. Ей есть что терять. И есть что защищать.

В голове стало холодно, и жизненный счет пошел не на минуты и даже не на секунды, а на мгновения.

Марта стиснула руль. Она не даст загнать себя за красные флажки. Она не разобьется вместе с Даниловым в темном лесном котловане только потому, что какой-то придурок с больным воображением уже все решил за них!..

Зарычав, она вжала в пол педаль газа. «Нива» взревела и подалась вперед, и фары сзади сразу как будто приотстали.

Раз, два, три, считала она про себя. Только бы дорога не кончилась обрывом прямо сейчас. Только бы еще чуть-чуть.

Мне нужно совсем немного. До десяти.

На сколько еще хватит дороги? В какой момент под колесами провалится земля и машина сорвется и рухнет в котлован — грудью, как загнанный зверь на красные флажки?

...пять, шесть, семь...

Деревья, не проглоченные тьмой, бешено мчатся назад, как в дурном сне.

Еще чуть-чуть. Совсем чуть-чуть.

— Марта!!

Она ничего не слышала. Кажется, зубы крошились с противным песочным звуком. Она сбросила газ и одновременно нажала сцепление и тормоза, до предела вытянув ручник. Машину занесло, развернуло поперек, пронесло еще немного, и она вывернулась — лицом к преследователю.

Марта дернула ручку, включая блокировку дифференциала, отпустила ручник и что было сил вдавила в пол газ. Колеса мертвой хваткой держались за лед. Куски льда и снега веером летели из-под шипов.

Ей есть что терять. Просто так она не сдастся.

Свет ненавистных фар вынырнул из-за поворота и оказался очень близко. Так близко, что ей пришлось зажмуриться.

Ничего, мы еще посмотрим, кто кого.

— Марта!!!

На узкой дороге было не разъехаться. По обеим сторонам в зимнем лесу лежали сугробы. Марта неслась в лоб встречной машине, и снег белой королевской мантией летел следом за ее машиной.

Ощерившись, как волчица в последнем смертельном прыжке на вороненое дуло, она жала и жала на газ, и ее нельзя было остановить.

И она поняла, волчьей своей сутью уловила миг, когда тот, кто желал ей смерти, дрогнул во встречной машине.

— Ногу с газа!! — орал кто-то рядом с ней. — Ногу с газа!!!

Она не знала, сколько метров — или сантиметров — осталось до столкновения, когда ослепляющие фары вдруг сбились, вильнули, она взяла чуть вправо, отслеживая каждое движение своих колес и готовая выправить тяжелый корпус, если только он начнет сползать в кювет, но машина держалась. Она держалась и во всем помогала Марте, словно понимала, что ей тоже пропадать, если Марта ее не спасет!..

Почти чиркнув бортом по борту другой машины, она проскочила между ней и метровыми сугробами и увидела в зеркале, как та машина, потеряв связь с дорогой, подалась вбок, вильнула еще раз и наконец съехала совсем, почти по крышу утонув в снегу.

— Убери ногу с газа! — приказал Данилов. — Марта, ну!!!

Она не сразу сообразила, кто это и что ему нужно, а сообразив, моментально отпустила газ. Стрелка спидометра стала стремительно падать к отметке в сто километров. Господи, какая же скорость у нее была?!

— Еще, — приказал Данилов, — еще. Ты слышишь меня, Марта?

Странно. Оказывается, в машине было очень тихо, только Данилов хрипло и коротко дышал. Ей казалось, что вокруг все грохотало и рвалось, как при артобстреле, и она не сразу сообразила, что это кровь грохочет у нее в ушах.

Стрелка упала за сто километров, и впереди показалось освещенное цивилизованным мирным светом Рижское шоссе. По нему шли машины.

— Аудиторша, твою мать!.. — с усилием выговорил рядом Данилов. — Аудиторша хренова!

— Данилов, — спросила Марта удивленно, — ты что, материшься?!

Он наклонился к ней и поцеловал, сильно прижимая ее голову левой рукой.

И когда он ее поцеловал, она заплакала и плакала до самой Москвы.

Из больницы Данилов позвонил капитану Патрикееву.

— Что? — спросил капитан из трубки, и Данилов страшно удивился, услышав его голос. Он был уверен, что на дворе глубокая ночь. Дотянувшись, он посмотрел на свои часы. Оказалось полшестого.

— У нас опять... чрезвычайное происшествие. Мне позвонили и сказали, что горит дом Тимофея Кольцова.

— Кто позвонил? — перебил капитан.

— Не знаю. На моем телефоне нет определителя, а голос я не узнал. Мы поехали, и там...

— Что?

— Сзади оказалась какая-то машина. Из нее выстрелили, по-моему, три раза. Попали мне в руку.

— И что вы от меня хотите?

— Ничего, — сказал Данилов, — просто ставлю вас в известность. Я пока в больнице. Здесь милицию вызвали, по-моему, собираются протокол писать, может, вы скажете, что не надо? Или надо?

— Какая у вас опасная работа — архитектор! — съязвил Патрикеев. — Убивают, стреляют! Дайте трубку... кто там? Лейтенант?

— Я не знаю, — признался Данилов.

— А дом-то сгорел?

— Нет, — ответил Данилов весело, — не горел дом. Тимофей Ильич охрану усилил, там все в порядке. Я разговаривал с его женой.

— У Тимофея Ильича всегда все в порядке, — сказал капитан неприязненно. — Ну, давайте лейтенанта! А завтра утречком, кстати, я к вам зайду. Вопросы задам.

— Хорошо. У вас есть мой телефон, вы позвоните сначала. Вдруг я опоздаю.

— Болит? — вдруг спросил капитан.

— Болит, — признался Данилов.

— Навылет?

— Да.

— Быстро пройдет. Правая рука?

— Да.

— Значит, месяцок левой придется рисовать.

— Я и так левой рисую, — сказал Данилов, — я левша.

— Где лейтенант-то?

Данилов протянул кому-то трубку, вовсе не уверенный, что это лейтенант. Марта маялась под ободранной дверью, он знал, что она там мается, и ему хотелось скорее к ней.

Как будто она могла куда-нибудь от него деться.

Лекарства делали свое дело — Данилов отдыхал от боли, плохо соображал и чувствовал себя прекрасно. Остаться на ночь в больнице он отказался наотрез.

— Ты как? — спросил он у Марты, наконец затащив себя в машину. — Может, теперь тебе надо в больницу?

— Мне не надо, — сказала Марта. — Данилов, ты уверен, что тебе можно ехать домой? Может, останешься все-таки? Смотри, у тебя рука совсем не двигается!

— Я не собираюсь сегодня ни копать погреб, ни косить луг, — возразил Данилов, — езжай. У меня сил нет.

— Можно подумать, у меня есть, — фыркнула Марта.

— А... ребенок? — спросил Данилов и закрыл глаза. — Как ты думаешь, с ним все в порядке?

Марта сбоку посмотрела на него. В неверном машинном свете выражения его лица было не разобрать.

— Думаю, что ничего. Я же не прыгала с парашютом!

— Ты спасла нас, — сухо сказал Данилов, — он загнал бы нас в этот карьер, если бы не ты и твоя машина. Я не знал, что ты такая сильная. И храбрая. Вернее, я знал, но никогда не видел этого своими глазами.

— Данилов, — предупредила Марта, — я сейчас зареву.

— А торт? — спросил Данилов.

— Торт? — удивилась Марта и оглянулась по сторонам как бы в поисках торта. — Он где-то здесь. А что?

Торт она нашла под своим сиденьем, когда остановилась на светофоре. Он был странной, неправильной формы.

— Я его соскребу ложкой с коробки, — решила Марта, — не пропадать же добру, правда?

— Конечно. Ты позвонила Надежде Степановне, что не приедешь?

Марта опять посмотрела на него.

— Да.

— Хорошо.

Дома она стащила у него с плеч пальто и сказала с сожалением:

— Такая вещь пропала. И пиджак.

— Черт с ними, — отозвался Данилов рассеянно. — Марта, тебе придется снять с меня водолазку. Она вся в крови, а руку я поднять не могу.

— Сейчас, — прокричала она из глубины квартиры, — только чайник поставлю!

Он зашаркал в спальню, сонно думая о том, что снимать придется еще и брюки, а он так хорошо пристроил руку — она совсем не болела и вообще как будто не существовала.

— Я здесь. Давай.

Она вытащила его из водолазки, кинула ее на пол и стала расстегивать ремень.

Он вдруг так смутился, что загорелись уши.

— Марта, я сам.

— И эти снимешь, и другие наденешь — все

сам? — спросила она с сомнением в голосе. — Или будешь голый ходить? Он был голый и свободный! — зачем-то добавила она, рассматривая его.

Она сто лет его не рассматривала.

Ей редко удавалось его порассматривать, и только один раз в жизни она делала это открыто.

— Ты что? — спросил он, насторожившись.

— Ты похож на иллюстрацию к брошюре «Передвижной военный госпиталь в Луге в 41-м году». — Она потрогала нашлепку у него на груди. — Болит?

— Почти нет, — сказал Данилов и улыбнулся, — но я научился материться, как раз когда отдирал от себя пластырь.

— А кто тебя снова заклеил?

— Знаменская. Она проснулась, когда я матерился. Она у меня ночевала. Я жаловался ей на свою судьбу.

Он был высокий и худой, как будто облитый смуглой чистой кожей. Под кожей бугрились хорошие мужские мышцы. Марта помнила, какие они на ощупь. Может, он и не образец мужской красоты и стати, но ей он так нравился, что она старалась пореже смотреть на него, чтобы не оказаться в идиотском положении. Теперь — то ли оттого, что он был «раненый боец», то ли оттого, что он приехал среди дня к ней на работу и что-то долго и невнятно мямлил, а потом их чуть не убили, — Марта рассматривала его во все глаза и ничего не стеснялась.

Он вытянул из гардероба свитер, оглянулся, увидел, как Марта смотрит на него, и опять спросил:

— Ты что?

Свитер он держал в левой руке.

Марта подошла и взяла у него свитер.

— Давай. Вот сюда голову, а сюда руку. А правую как мы засунем? Или так оставим?

Ее руки потрогали его шею, здоровую руку, а потом грудь — по мере продвижения свитера. Потом Марта обняла его.

— И прижаться-то к тебе как следует невозможно, Данилов, — пробормотала она, — кругом одни бинты и раны!

— Черт с ними, — негромко сказал Данилов, — не обращай внимания.

— Как же мне не обращать, если ты — мужчина моей жизни!

— Я? — удивился Данилов.

Левой рукой он взял ее за затылок и прижал к своему плечу — с той стороны, где не было нашлепки, — и засмеялся от того, что надо было сначала выискать место, к которому ее можно прижать, не кривясь от боли!

— Не получается у нас романтических объятий, — посетовал он и опять засмеялся. — Черт знает что!

— Ты слишком часто стал поминать черта.

— Жизнь такая.

— Какая?

— Странная. — Он хотел спросить ее о чем-то важном и никак не мог вспомнить, о чем.

— Давай я сниму с тебя штаны, Данилов. Не пугайся, я не буду к тебе приставать.

— Ко мне сейчас хоть приставай, хоть не приставай, — пробормотал он, — толку никакого.

Она стала расстегивать его брюки, и тут он вспомнил, о чем хотел ее спросить.

— Слушай, — сказал он и перехватил ее руки, — ты сказала, что всю жизнь меня... любила, — слово выговорилось с таким трудом, как будто он внезапно заговорил по-китайски, — это... что?

— Что?

— Ты только сейчас придумала?

— Я ничего не придумала, Данилов! — возразила она с досадой и перестала стаскивать с него брюки. — Ты же большой мальчик, а все утешаешься какими-то сказками! Конечно, любила. Я в тебя влюбилась, когда мы в Риге в теннис играли! Это было пятнадцать лет назад. Почти шестнадцать.

— А по-моему, когда в кафе ходили, — произнес Данилов задумчиво.

— Нет, когда играли. Я на лавочке сидела, а ты ко мне подошел и спросил, почему я не играю, а я ответила, что мне не с кем, а ты сказал, что с тобой...

— А ты сказала, что играешь не слишком хорошо и боишься, что мне с тобой будет неинтересно, а я ответил, что это не имеет значения, — подхватил Данилов.

— А в кафе мы потом пошли, дня через три. Я уже в тебя была влюблена как ненормальная, а ты все таскал за собой свою девицу, и она была такая взрослая, красивая, белые волосы до попы...

— Постой, как же ее звали? — перебил Данилов.

Он стоял в своей спальне в кое-как натянутом свитере и без штанов — почти! — и предавался воспоминаниям, и его нисколько это не смущало, а Марта гладила осторожной ладошкой его спину у самого позвоночника, и там, где она гладила, спине становилось горячо и щекотно, и Данилов вдруг подумал, что если бы на спине у него была шерсть, она непременно встала бы дыбом.

— У нее было какое-то странное имя... Ирэна или Карэна... нет, не помню.

— А я так из-за нее страдала, потому что мне было шестнадцать лет, и у меня не было волос до попы, и я была с родителями, и они, когда гуляли, всегда заходили на корт, чтобы посмотреть на меня, и я этого стеснялась ужасно, а папа говорил — дурочка. Ты меня и в кафе повел просто потому, что твоя девица куда-то на экскурсию поехала и ты без нее скучал.

— Неужели? — удивился Данилов. — Не помню.

— Конечно, ты не помнишь, — сказала Марта и неожиданно шлепнула его пониже спины, — еще бы ты помнил! Ты же не был в меня влюблен!

— Не был, — признался Данилов, — никогда.

Все правильно. Она сама это отлично знала. Но

он сказал — и все потеряло смысл. Даже то, что она так боролась за них обоих на темной дороге. Одна. Никто не мог помочь.

— Давай все-таки наденем штаны, — предложила она, и он моментально заглянул ей в лицо, чтобы понять, почему у нее так изменился голос, — и пойдем чего-нибудь поедим. Ты покупал еду?

— Нет, — ответил Данилов, — я забыл.

— Мясо, по-моему, еще осталось, — буднично заметила она и присела, стягивая с него брюки, — я сейчас посмотрю. Тебе бы тоже хорошо поесть, пока ты не ослаб совсем.

— Марта, посмотри на меня, пожалуйста.

— Я смотрю.

— Нет, — сказал Данилов и здоровой рукой за волосы потянул ее вверх. Нагнуться он не мог. — Ты смотришь не туда. Ты же обещала не приставать!

— Я стараюсь. Но ты такой сексуальный мужчина, Данилов, особенно без штанов, что я за себя не отвечаю.

— Замолчи, — велел Данилов.

Теперь она сопела рядом, но в глаза не смотрела и старательно делала вид, что ей все равно.

«А нам все равно, а нам все равно, станем мы храбрей и отважней льва!..»

Как стать храбрей и отважней льва? Где взять силы? В книгах об этом не писали, а весь жизненный опыт Андрея Данилова был почерпнут в основном из книг. Считается, что женщины любят сильных, уверенных в себе, опытных, грубоватых, властных мужчин, в меру романтических, в меру бесшабашных, умеющих кидать к ногам «миллион алых роз» и в то же время держать на коротком поводке.

Ни одно из этих ценных качеств не было свойственно Андрею Данилову.

Никогда в жизни он не был уверен в себе, грубость презирал, в романтике ничего не понимал, театрализованных прсдставлений с демонстрацией страстей терпеть не мог. Сентиментальные штуки выводили его из себя.

Он не знал, получится у него на этот раз или нет. Даже если он очень захочет, ему никогда не измениться и не стать таким, каким должен быть мужчина мечты.

Имеет это значение или нет? Он не знал.

Он не знал даже, справится ли со своим «черным человеком» и что будет с Мартой, если он не справится.

С Мартой и с их общим ребснком, которого они привезли из Ярославля, из жаркой, темной, воробьиной ночи, разорванной всполохами дальней грозы, так и не перешедшей за Волгу, как в сказке.

Вот вам и мужчина мечты.

— Марта, я правда никогда не был в тебя влюблен, — начал он быстро, боясь, что начнет копаться в себе, по своему обыкновению, и тогда сказать совсем ничего не сможет, — я вообще ни в кого не был влюблен. Никогда. Наверное, я как-то не так устроен. Неправильно как-то.

— Это мы уже слышали, — пробормотала Марта с раздражением, — ты неправильно устроен и поэтому всех подвел, особенно мамочку. Ожидалось, что гениев будет два — отец и сын, как мило, — а сын в гении не вышел. Ну а раз не гений, значит, вообще ни на что не годен!

— Марта, ты мне мешаешь.

— Тогда я лучше пойду, — объявила она и не двинулась с места.

Внезапно он забыл, о чем говорил.

Марта смотрела с интересом.

— Ты остановился на том, что никогда меня не любил и любить не будешь, — подсказала она и моментально от этого расстроилась, — вообще-то ты можешь не продолжать. Сейчас ты мне предложишь некоторую часть себя и стабильный брак, чтобы ребенок не рос без отца. Я подумаю, Андрей. Ничего, что я не выражаю восторгов?

— Я не могу без тебя жить, — бухнул Данилов мрачно, — а ты несешь сама не знаешь что. Я... подозревал что-то в этом роде уже довольно давно. Ты — главное, что у меня есть. Единственное, что у меня есть, — поправился он, подумав. — Лида как-то сказала мне, что она вышла бы за меня замуж, а мне было все равно. Ну, замуж так замуж. Тогда я в первый раз подумал, что со мной будет, если не станет тебя. Если ты перестанешь приезжать, или звонить, или приставать ко мне со своими экзаменами или с Гариком Сукачевым. В последнее время это стало как-то особенно понятно. Я думал, что мне придется отбить тебя у Петрысика вместе с его ребенком, чтобы оставить тебя себе, или придушить Петрысика, что ли.

Он мельком глянул на Марту. У нее приоткрылся рот.

— Только я не знаю, как нужно отбивать женщин, и никогда и никого не смогу придушить. Это от того, что я малодушный, понимаешь?

Марта молчала, только смотрела на него.

— Конечно, я идиот, — неожиданно признался Данилов, — но я только сейчас понял, что в моей жизни никогда не было никакого шекспировского одиночества, потому что ты... была всегда. Почти всегда. Все хорошее, что я помню, так или иначе связано с тобой. Сейчас мне кажется, что мама так на меня сердилась именно потому, что по-настоящему мне не было никакого дела до ее... инсинуаций. Я всегда знал, что есть ты и ты — на моей стороне.

— Я на твоей стороне, — медленно подтвердила Марта.

— Конечно. — Он улыбнулся, в этом у него не было никаких сомнений. — Так что я не стану предлагать тебе часть себя, а стабильный брак, по-моему, отличная штука. Я просто все слишком затянул, как обычно. Тогда мне надо было жениться на тебе, а не на Нонне.

— Ты еще вполне можешь успеть на мне жениться, — пробормотала Марта.

— Да, — согласился Данилов, — я и хочу успеть. Конечно, я не знаю, смогу ли я быть хорошим отцом...

— Стоп, Данилов, — прервала Марта, — что ты опять заныл! Конечно, ты будешь хорошим отцом! Ты ведь не станешь делать из него великого живописца или второго Энрике Карузо!

— Нет, — испуганно сказал Данилов, — конечно, нет! И никому не дам.

— Даже мне? — уточнила Марта. Она наслаждалась ситуацией и тем, что Данилов стоит без штанов и печальным голосом рассказывает, что не может без нее жить — господи Иисусе, неужели правда?! — и тем, что они уже обсуждают будущее их ребенка, и тем, что все стало наконец на свои места, а она уж было решила совсем пропадать.

— Даже тебе. Тебе тем более. Ты не знаешь, что это такое, когда родители ждут, что ты станешь вторым Сергеем Рахманиновым, а ты не можешь. Не можешь, и все тут.

Примерившись, Марта поцеловала его в губы и заставила замолчать. Левой рукой он обнял ее покрепче и прижал к себе, к кое-как надетому свитеру, к голым ногам, к марлевой нашлепке на груди, и она радостно прижималась.

— Я тебя так сильно люблю, — пожаловалась она, когда он чуть отпустил ее, потому что ему стало больно, — просто ужасно.

— Ничего, — утешил Данилов, — я переживу. Только первую брачную ночь придется отложить.

— Если не на пятнадцать лет, то я согласна.

— Нет, — сказал Данилов, — не на пятнадцать лет. Все у меня как-то неправильно, Марта. Первую брачную ночь приходится откладывать, брюки я сам надеть не могу, и вообще романтики никакой.

— Шут с ней, с романтикой, — решила Марта. Глаза у нее блестели. — Сейчас я натяну на тебя штаны, и мы пойдем есть. Ты сказал мне правду, Данилов?

— Да.

— Ты на самом деле на мне женишься?

— Да.

— Не только затем, чтобы дать ребенку свое честное имя?

— Затем, что я без тебя не могу, — произнес Данилов недовольно, — ты это прекрасно знаешь.

— Мне требуются подтверждения.

— Ты получишь сколько угодно подтверждений, как только я смогу самостоятельно снимать и надевать штаны.

— Ого, — сказала Марта, — что-то у тебя и чувство юмора прорезалось. Это подозрительно.

Она застегнула на нем ремень и осторожно просунула правую руку в рукав свитера. Данилов морщился и пыхтел.

— Спать будешь в нем, — велела Марта, — снять мы его не сможем.

Сигарету ему она тоже зажгла сама.

— Теперь ты сиди и думай, а я буду тебя кормить.

Думать Данилову не хотелось. Раненая рука начинала потихоньку наливаться болью, и он знал, что, когда боль нальется до краев, он не сможет ни сидеть, ни лежать, и поэтому все тянул и тянул эти мгновения, почти без боли и почти без мыслей, и смотрел на Марту, и курил, и ждал еды, хотя есть ему не хотелось, но в ожидании была какая-то домашняя мирная прелесть, свидетельство того, что у него теперь — семья, Марта и малыш, маленький, лысый, мягкий мышонок, сидящий у нее внутри, и он станет любить его так, как ему всю жизнь хотелось, чтобы любили его самого, и никто не сможет ему помешать.

306

Даже его «черный человек».

— А что ты писал в своем блокноте? — вдруг спросила Марта. — По-моему, ведь ничего особенного. Только какие-то фамилии.

— Я перечислял фамилии тех, кто мог быть замешан.

— Ну и что? Разве это так важно, что из-за этого можно убить человека?

— Он не собирался убивать, — сказал Данилов, — он хотел забрать блокнот, а Сашка попался ему под руку.

— Откуда он знал, что блокнот у тебя на работе? Данилов пожал плечами.

— Не знаю.

— Откуда он вообще знал про блокнот?

— Не знаю.

— Может, у него подзорная труба и он за тобой в нее все время подсматривает?

— Не знаю.

— Да что такое! О чем ни спросишь, ничего не знаешь. Вот твое мясо. Подожди, я тебе сейчас его порежу.

— Спасибо, — сказал Данилов.

— А на дороге? — спросила Марта. — Он вправду хотел нас убить?

— Ну конечно.

— Нас обоих?

Данилов посмотрел на нее. У нее был спокойный, почти безмятежный голос, который насторожил его.

— Я думаю, он не знал, что ты будешь со мной. Вернее, он был совершенно уверен, что я буду один. Он позвонил мне и сказал, что горит дом. Я должен был кинуться его спасать, что я и сделал. Ты оказалась со мной совершенно случайно. Конечно, я поехал бы один. Но ты спасла мне жизнь. Правда.

— Он собирался тебя застрелить?

Данилов опять на нее посмотрел. Она жевала мясо и выглядела заинтересованной.

— Возможно. Или загнать обратно в машину, а потом в карьер. Проделать на «Фольксвагене» такую штуку, что ты проделала на своей «Ниве», невозможно. Он не ожидал, что ты... победишь его.

— То есть сегодня вечером ты должен был погибнуть в неизвестном карьере в лесу, — подвела итог Марта, — тебя могли проискать сколько угодно. Даже если бы нашли, ничего понять было бы нельзя: машина сгорела, тело тоже.

— Поэтому и блокнот ему понадобился так срочно. Он был уверен, что сегодня убьет меня, а в блокноте какая-то запись его беспокоила.

— Надо было тебе писать под копирку. Тогда мы бы сейчас узнали, в чем дело. Жаль, что у тебя нет привычки писать под копирку.

— Марта, — сказал Данилов, встревоженный ее тоном, — все обойдется. Я знаю совершенно точно.

— Ничего не обойдется! — крикнула она, и глаза у нее налились слезами. — Нас сегодня чуть не убили! Если бы ты был там один, ты ничего не смог бы с простреленной рукой! Он же... он даже не просто собирается тебя убить, он издевается над тобой, потешается, Данилов! Ему любопытно. Он наблюдает, что ты будешь делать, куда поползешь, в какую щель забьешься, если тебе, например, прострелить руку. Или ногу. А мы даже приблизительно не можем себе представить, кто это!

— Капитан Патрикеев нашел очки.

— Какой капитан Патрикеев? Какие очки?

— Очки мои, а капитан из милиции. В луже Сашкиной крови сверху лежали очки. Мои. Помнишь, мы с тобой покупали?

— Помню, — сказала Марта быстро, — конечно, помню.

— Эти очки у меня просил Веник, когда приехал в понедельник вечером. Он сказал, что Ася собирает вещи, а он не может ее видеть и что-то в этом роде.

308

Он смотрел хоккей и попросил у меня очки. После этого я их не видел.

— Веник просто дурак, Данилов, — крикнула Марта, — у него нет ни характера, ни мужества, ничего!..

— Но он наврал мне про субботу и про то, что ночевал дома, и так и не сказал, где ночевал на самом деле! Он был у меня на работе и видел мой портфель и блокнот, кажется, тоже видел, потому что я разговаривал с ним и смотрел в этот блокнот. И у него дома голубая краска. Он собирается красить ею ванную. Грозовский сказал, что он готов вернуть мне компьютер. Он ему больше не нужен. Зачем он его брал? Сашка ночью что-то делал с компьютером. Может, это как-то связано с Грозовским?

— Почему? — удивилась Марта. — С тобой ведь никак не связан магазин «Техносила», а там компьютеры, и у тебя на работе компьютеры тоже.

— Потому что у меня паранойя, — злобно ответил Данилов, — я подозреваю всех. Знаменская мне сказала, что оперировала где-то на Пироговке, а вовсе не в Кардиоцентре, и я забыл это проверить. Теперь я сижу и думаю, наврала она мне или не наврала!

Они помолчали.

— Надпись на зеркале в моей ванной была сделана губной помадой. В моем окружении пять женщин — ты, Знаменская, Лида, Таня Катко и Ира Разуваева. Таня и Ира никогда у меня дома не были. Ты ни при чем. Значит, Знаменская и Лида. Знаменская не красит губы. Значит, Лида?

— Это еще менее правдоподобно, чем Веник, — пробормотала Марта. — Лида ударила по голове твоего сотрудника и убила?! Это глупости, Данилов. Если бы ей был нужен твой знаменитый блокнот, она бы вытащила его у тебя из портфеля, когда ты принимал душ после очередной сексуальной партии.

— Тогда получается, что никто ни при чем! — заорал Данилов так, что на полке звякнули бокалы. — Нет человека, который мог бы все это! И самое главное — зачем?! Зачем?! У меня нет состояния, и я не завещал никому скрипку Страдивари! Грозовский узнал от Тани про Кольцова, про дом и про то, что его разгромили. Таня узнала про разгром все из той же записной книжки! Тарасов мог узнать все от Грозовского, но ему-то зачем?! Он в пятницу прилетел с гастролей, а в субботу побежал громить дом?! Кто и когда вытащил у меня ключи? Это вообще непонятно! Моим сотрудникам ключи не нужны, они у них и так есть! Значит, остаются Веник, Марк, Тарасов и Знаменская. Марк мог взять у Тани, она ничего бы не заметила! Знаменская?! Веник?! И все сначала! А янтарь?! Этот чертов янтарь откуда?! Кто его вытащил? Когда?! Кто знал о том, что он в шкатулке?!

На этом месте Данилов вдруг замолчал, как будто ему заткнули рот.

— Ты что? — осторожно спросила Марта. Такого Данилова она никогда не видела. — Тебе больно? Плохо?

— На приеме, — забормотал Данилов, — все говорили, что я не в себе. Марк позвонил и сказал, что я какой-то странный, мать позвонила, Знаменская приехала, чтобы выяснить, что со мной.

— А что с тобой?

— Ничего. — Он вдруг улыбнулся и взялся за лоб, но спохватился — ничего такого, что можно было бы расценить как театральные эффекты, не допускалось. — В том-то и дело, что ничего. Со мной все в порядке. И было все в порядке, но почему-то все решили, что я не в себе.

— Да почему все решили-то?!

— Ты знаешь, — сказал Данилов, — мне кажется, что я понял — почему.

Спать он не мог, а Марта уснула на удивление быстро — измучилась за этот длинный и трудный день, начавшийся, казалось, много лет назад. Данилов знал, что реакция еще даст о себе знать и будут слезы, плохое настроение, страх, депрессия, но пока она спала, и он был рад, что она отдыхает.

Она спала у него под боком, а он курил и думал — и все о том, что это так странно, что она спит рядом с ним, несмотря даже на то, что «первую брачную ночь» пришлось отложить на неопределенный срок, и странно, что все так хорошо устроилось. Это было непривычно для Данилова, и он все выискивал подвохи и возможные препятствия на пути к безоблачному счастью, но они что-то пока не находились.

Для безоблачного счастья, сказал себе Данилов, нужно только одно: постараться, чтобы завтра меня не убили.

Он закрыл глаза и снова увидел свое личное черно-белое кино — белая дорога в зализах метели, черные елки, белый снег и белый свет фар, темный ствол поперек белой дороги и, как недостающее шумовое оформление, негромкий хлопок выстрела. Моментальная боль, от которой разрывается мозг и вылезают из орбит глаза. Страх. Ночь. Впереди заброшенный карьер — и больше ничего.

У него Марта, а внутри у нее маленький, мягкий, пузатый, скрюченный ребенок. Их с Мартой ребенок. Данилов ни разу не подумал, девочка это или мальчик. Ему было все равно. Он так и думал об этом — ребенок.

Тот человек готов был убить всех троих, и Данилову теперь ничего не остается, как только победить его.

Руку дергало болью, как будто кто-то включал и выключал секундомер — три секунды боли, пять секунд покоя. Потом стало наоборот. Когда секундомер включился и больше не выключался, Данилов встал.

Он выпил две таблетки анальгина, подумал и выпил еще две. Сварил кофе. Зажег сигарету.

Потом вспомнил, что непременно должен был сделать. Он подошел к кухонному столу и очень медленно нагнулся. В мусорном ведре все еще лежала фотография Марты — лицом вверх. Данилов вытащил фотографию из ведра и вернул на стол, прислонил, как давеча, к солонке.

Ему показалось, что вид у Марты стал чуть более ехидным, возможно, именно потому, что она побывала в мусоре.

Детали, детали, которых накопилось так много, что в них можно было зарыть не одну, а две собаки. Или даже целую стаю собак.

Растоптанный в пыль янтарь на даче у Кольцова и Лида, которая говорит, что потеряла брелок.

«Ну, тот самый, из янтаря, ты привез мне из Прибалтики, неужели не помнишь?»

Голубая краска, которой было написано «Это только начало», и голубая краска у Данилова на ботинке. Веник собирался красить ванную в голубой цвет.

Ключи от офиса. Очки, брошенные на кровь. Кассета на полу в машине Тарасова. Губная помада, которой написано: «Ты виноват». Записки — ему и Марте. Окровавленная рубаха.

Почему Веник соврал? Где он мог быть утром в субботу, и почему это такая страшная тайна? Если все это — его рук дело, разве нельзя придумать что-нибудь убедительное, красивое, правдоподобное, легко проверяемое? Почему не придумал? Потому что ничего не боялся? Потому что не имеет к этим делам никакого отношения?

Как понять, что из всего этого важно, а что — просто мусор? Как стать таким же ловким и сообразительным, как детективы в кино?

Повторяющийся элемент, сказала Знаменская. Знать бы, как его найти, этот элемент, если головоломка никак не складывается и кусочков все время недостает, а те, что есть, кажутся лишними?

Данилов потянул к себе телефонную книжку и вытащил из нее ручку. Он не мог думать без блокнота и ручки, и эта его привычка погубила Сашку.

Он столбиком выписал имена и таким же столбиком — все кусочки головоломки. И провел стрелки от имен к кусочкам и обратно. Стрелочек получилось много, они пересекали друг друга, и разобраться в них было невозможно.

Нет никакой логики, сказала однажды Марта, только ненависть и злость! Данилов был уверен, что логика есть, нужно только правильно думать. Думать как-то не так, как он, Андрей Данилов, архитектор, зануда, несостоявшийся музыкант, а как тот, хитрый, безжалостный, ненавидящий убийца.

«Что ему от нас нужно? — жалостливо подумал Данилов. — Что привязался?»

Данилов снова взялся за ручку и нарисовал еще немного стрелочек.

Самым главным ему казалось то, что на приеме все говорили, что у него нездоровый вид и вообще он выглядит как-то странно. И еще шкатулка.

Он написал на чистом листке: «прием» и «шкатулка».

Шкатулка стояла в стенной нише, и Данилов побрел к нише, держа левой рукой правую, потянулся, морщась и охая, и достал ее. Открыл — в три приема — и снова закрыл. Ее легко было сломать. Открыть непросто.

Выходит, «черный человек», написав на его зеркале губной помадой «Ты виноват» и залив его чем-то грязно-бурым, отправился сюда и стал медленно — в три приема — открывать шкатулку.

Данилов закрыл глаза и представил себе, как это было — как за его столом сидел чужой человек и открывал шкатулку, которую бабушка подарила, когда

Данилову исполнилось четыре года. Нет, пять. Нет, пожалуй, четыре.

Как чужой человек смог открыть шкатулку? Зачем он ее открывал, когда ее проще сломать? Проще и быстрее!

Он опять посмотрел на имена, на стрелочки, на шкатулку, сиявшую белым лицом изображенной на крышке японки, и в этот момент все понял.

Он все понял сразу и до конца. Ему даже холодно стало от этой отчетливой и неумолимой догадки.

Знаменская была права, он нашел повторяющийся элемент. Вернее, не нашел, а просто увидел.

Нужно только кое-что проверить, чтобы убедиться, что он все понял правильно, но и так он был уверен, что прав.

Он понятия не имел, что станет делать, когда все подтвердится.

Как только Марта вышла из ванной — свежая, но довольно сердитая, — Данилов заявил ей, что она должна уехать в Кратово и не приезжать, пока он не позвонит.

— Ты что, — спросила Марта и зевнула, — с ума сошел? Мне на работу надо. И вообще ты теперь от меня не отвяжешься никогда, не надейся даже.

— Я не собираюсь от тебя отвязываться, — сказал Данилов терпеливо, — но на работу ты позвонишь и скажешь, что заболела.

— Я здорова как бык.

— Знаменская выдаст тебе справку.

— Не надо мне никаких справок, Данилов! Я иду на работу, и точка. Что ты станешь без меня делать? А если тебе прострелят еще одну руку или ногу, кто понесет тебя на спине, чтобы ты смог до конца выполнить свой долг?

— Какой долг? — спросил Данилов мрачно.

— Такой, — ответила Марта гуманно. — Ты совсем не спал?

— Спал, — соврал Данилов. — Марта, ты должна уехать в Кратово. Или я позвоню Надежде Степановне, скажу, что тебе плохо, она примчится и устроит скандал. Хочешь?

— Надежда Степановна не устраивает никаких скандалов, — назидательным тоном сказала Марта. — А что случилось-то? Почему я должна куда-то ехать?

— Потому, что у меня должна быть свобода действий. Пока я за тебя боюсь, никакой свободы у меня не будет.

— А для чего тебе нужна свобода?

Данилов так толком и не придумал, что будет делать, когда все подтвердится, поэтому ответить на этот вопрос не мог.

— Мне нужно довести все до конца, — раздраженно сказал он, — сегодня я это сделаю.

— Сделай при мне.

— Нет. Слушай, перестань со мной спорить, а?

— Разве я спорю? — удивилась Марта и куда-то ушла.

Данилов посмотрел в окно.

— Марта! — крикнул он и прислушался. — Ты выйдешь за меня замуж?

— Выйду, — сказала она очень близко. Он вздрогнул и оглянулся. Она стояла у него за спиной и улыбалась. — Конечно, выйду. Хоть ты и не танкист.

— Не... кто? — переспросил Данилов.

— Не танкист, — пояснила Марта охотно, — у тебя мама педагог, а папа пианист. Какой из тебя танкист!

— Это о чем?

— О тебе, балда! — Она взяла его за здоровую руку, притянула к себе и поцеловала в щеку. — Как же ты брился? Ногой?

— Рукой, — ответил Данилов. — При чем тут танкист, я не понял?

— Ты больше налегай на Шостаковича, вообще ничего тогда не поймешь. Это только знатоки «Русского радио» понимают, а знатокам Шостаковича это недоступно. Садись, завтрак готов.

На завтрак была огромная, как луна, яичница с толстой розовой полукруглой сосиской. Данилов съел яичницу, запил ее кофе, потом съел еще кусок у Марты и налил себе еще кофе.

— Слушай, я же ем на завтрак йогурт и сыр, — вдруг удивился он, — и никогда не ем яичницу. Что такое?

— Ничего, — отозвалась Марта, — просто ты проголодался. За столько-то лет!.. Позвони Тимофею Кольцову, — сказала она, помолчав, — позвони, Андрей. Ты не справишься один, это же ясно!..

— Позвоню, — согласился Данилов, — не знаю, станет ли он со мной разговаривать, но я позвоню. И не называй меня Андреем!

— Не буду, — пообещала Марта.

— Ты сейчас уедешь, — велел Данилов, — а вечером я позвоню. Или приеду, если все уже будет в порядке. — Он понятия не имел, будет ли что-нибудь в порядке. — Пожалуйста, Марта. Не осложняй положение.

В полном молчании они допили кофе и собрались.

— Я довезу тебя до твоей машины.

— Только потом уедешь. Ладно?

— Я уже пообещала, — сказала Марта раздраженно, — я не нарушаю обещаний.

— Я тоже. — Данилов взял ее за отвороты белой шубы, притянул к себе и поцеловал. — Прости, что я ничем не мог тебе помочь вчера на дороге. Я втравил тебя в эту историю и ничем не помог.

— Данилов, хоть на время засунь свое благородство куда-нибудь подальше, а? Оно меня пугает.

— Засуну, — пообещал Данилов, — пошли.

Как будто за дверью шел бой, в который им предстоит ввязаться, хоть страшно и совсем не хочется воевать, они постояли на пороге его квартиры, потом обнялись, и Марта его перекрестила.

В молчании они вышли из квартиры, вошли в лифт и спустились на первый этаж. Благожелательный Иван Иваныч выглянул из своей каморки и поклонился со спецназовской грацией.

— А ты куда поедешь? — спросила Марта уже в машине. — На работу?

— Я еще точно не знаю, — признался Данилов, — мне нужно с Веником повидаться, а потом я решу.

— Данилов, хоть бы ты рассказал мне, что надумал! Почему с Веником? Ты решил, что все дело в Венике?

— Все дело в том, что на приеме почему-то только и говорили о том, что у меня странный вид. И шкатулка. Шкатулку открывали долго, старательно. Ее открывали, когда ее можно было просто сломать, понимаешь?

— Нет, — сердясь от того, что она на самом деле ничего не понимает, сказала Марта, — я не понимаю!

— Я тоже понимаю еще не до конца, — признался Данилов, — для того, чтобы все понять, мне нужно встретиться с Веником.

— А краска? А помада? А рубаха с кровью? А надпись голубой краской? А янтарь?

— Не было никакого янтаря, Марта.

— Как — не было?! Что значит — не было?! Я же сама видела!

— И я видел. Но его не было.

— Данилов, — сказала Марта с тревогой, — ты что? Спятил? Или у тебя температура?

— Нет у меня температуры! — Как раз в этом он был совсем не уверен, потому что его знобило и мех дубленки казался холодным и колючим. — Я все тебе расскажу. Когда сам все пойму.

— Только ты постарайся к этому времени остаться живым, — пробормотала Марта, и в голосе у нее послышались слезы. — Заметь, Данилов, я не говорю — невредимым, потому что не ставлю невыполнимых задач...

— Смотри на дорогу, — посоветовал Данилов и улыбнулся, — хотя что тебе какая-то там дорога, когда ты на своей машине, как на истребителе, летаешь!

В переулке, за офисом Марты, дремал покинутый «Фольксваген», слегка присыпанный вчерашним снегом. «Газель», намертво подпиравшая его сзади, уже уехала по делам.

«Какие случайности», — подумал Данилов.

Если б не эта «Газель», вчера он поехал бы на своей машине, один, без Марты, и сегодня утром его уже не было бы на свете, и капитан Патрикеев называл бы его «потерпевший», и Марта искала бы его, изводясь от беспокойства и страха, и мышонок сжимался бы у нее в животе, а он ничем не мог бы им помочь.

Все. Конец истории. Если бы не «Газель»!

— А звонить тебе можно, — жалобно спросила Марта, — или тоже нельзя?

— Можно, — разрешил Данилов, — я приеду вечером. Или позвоню. Ты, самое главное, не волнуйся.

— Ты еще должен сказать — будь хорошей девочкой! Что ж ты?

— Марта, — сказал он настойчиво, — все будет хорошо. Я должен ехать, или я ничего не успею.

— Езжай, — сказала Марта и отвернулась.

— Ты сиди в Кратове и жди.

— Езжай, Данилов. — Марта шмыгнула носом.

Он неловко поцеловал ее в ухо и с трудом выбрался из неудобной «Нивы». И захлопнул за собой дверь.

Марта осталась по ту сторону, а он — по эту.

— Пока!

Не взглянув на него, она лихо развернулась в тесном переулке, нажала на газ и скрылась за поворотом, только мигнули красным тормозные огни.

Так. Она уехала и пока будет в безопасности. На ее слово можно положиться, значит, она действительно проведет день на участке в Кратове, где ей ничто не угрожает. По крайней мере, Данилову хотелось так думать.

Он посмотрел на часы — начало десятого. Веник должен быть на работе, биржа открывается довольно рано.

Включить зажигание нужно было правой рукой, и Данилов долго приспосабливал руку к этому действию — очень простому, если в руке нет пулевых ранений.

Он усмехнулся. Пулевые ранения, черт побери все на свете!.. Какая у него насыщенная, интересная жизнь!

Возле здания биржи было много машин и людей, и Данилов долго ездил вокруг, пытаясь найти место, чтобы припарковаться. Потом ему повезло — танкообразный черный джип «Мерседес» вылупился из тесного закутка между желтой стеной и боком ближайшей машины, побуксовал на месте, вырулил и победно помчался по тесной, заставленной автомобилями улице, пугая мирных граждан своим воинственным и зловещим видом. Данилов моментально зарулил в освободившийся закуток, оставив с носом водителя «Фиата», который караулил с другой стороны.

«Фиатчик» что-то произнес, долгое и неслышное за закрытым стеклом, и отправился дальше.

Данилова всегда поражала биржа — старинное здание со стеклянным потолком в самом центре Москвы. Все было «как у больших», как в Нью-Йорке и Токио, — ряды компьютеров, телефонный трезвон, легион мальчиков в белых рубашках и непременно без пиджаков, говорящих в три трубки сразу, ряды часов, показывающих «мировое время», электронные табло с загадочными символами, сменяющимися с такой быстротой, что разобрать ничего было нельзя, шумная толпа в центре зала, размахивающая руками, как дикари во время ритуальных танцев, — все дикари тоже были в белых рубашках и галстуках, — все правильно, похоже, воспроизведено с точностью до мельчайших деталей.

Данилову почему-то казалось, что это именно декорация и все, кто работает здесь, пляшут ритуальные танцы, говорят в три трубки, шикарно и очень по-американски закидывают ноги на столы, прохаживаются между рядами, закинув на затылок уставшие бизнесменские руки, — знают, что это декорация, поэтому так старательно добиваются правдоподобия, поэтому принимают такой нарочито деловой вид, поэтому говорят в три трубки, чтобы незримый хозяин увидел, оценил, милостиво кивнул — верю, верю...

Плохих актеров, как известно, в театре не держат.

Веник еще только приготовлялся выступить на сцену — закатывал рукава белоснежной рубахи, ослаблял галстук, окружал себя телефонами и кофейными чашками.

— Доброе утро, — сказал Данилов, заглядывая в стеклянную будочку, где помещалась «фирма» Веника. На него оглянулись взлохмаченный молодой человек, больше всего подходивший под определение «юноша бледный со взором горящим» — Марта так говорила, — и красавица с пышным бюстом и сердечком нарисованных губ.

— Доброе утро, — вразнобой поздоровались они. Веник, болтавшийся во вращающемся кресле туда-сюда, от неожиданности сделал резкое движение и чуть не упал.

«Фирма веников не вяжет», — подумал Данилов.

Рука болела и мерзла, и хотелось надеть на нее еще одну перчатку.

— Ты чего? — спросил Веник у Данилова. — Тебе... чего?

Вид у него был испуганный.

— Мне нужно с тобой поговорить, — сказал Данилов, — прямо сейчас.

— Через полчаса торги начнутся...

— За полчаса мы успеем.

— Ну давай, — согласился Веник неуверенно Было видно, что ему до смерти не хочется разговаривать с Даниловым. — Кофе будешь?

— Буду, — сказал Данилов.

Бледный юноша и фигуристая девица посмотрели друг на друга.

— Нам выйти? — спросила девица у Веника.

— Если можно, пожалуйста, — ответил за него Данилов.

— А что? — спросил Веник и улыбнулся жалкой залихватской улыбкой. — У нас секреты?

— Секреты, — согласился Данилов.

«Давно надо было его запугать», — подумал Данилов, глядя, как суетится Веник, ставший вдруг маленьким и жалким. Как это он раньше не догадался? Его так легко запугать — только прикрикнуть погромче, и на все вопросы давно нашлись бы ответы.

Дверь в будочку тихо притворилась за сотрудниками, и Веник бодро спросил у Данилова:

— Тебе с сахаром?

— Да, если можно.

Кофе был в щербатой белой кружке. На боку коричневые потеки. Данилов мерз, рука болела, в голове от недосыпа как будто толклось битое стекло, поэтому он взял кружку и отхлебнул, несмотря на потеки. Кофе был густой и очень горячий, очевидно сваренный, а не разболтанный из баночного суррогата. В нем было много сахара. Хорошо бы, если бы в нем был коньяк. Подумаешь — полдесятого утра! Сегодня у него очень трудный день.

— Веник, у тебя есть коньяк?

— Что?! Какой коньяк?

— Любой. Лучше, конечно, не подпольного производства.

— Сейчас утро, Данилов, — осторожно сказал Веник. Кажется, теперь он перепугался по-настоящему.

Данилов никогда и ничего с ним не пил.

— Ну и что? Есть?

— Где-то был. Сейчас... — Он нагнулся, пошарил в тумбочке, ничего не нашел и перебежал к шкафчику. — Вот, есть. Тебе в стакан налить?

Данилов взял у него из рук бутылку, посмотрел на этикетку и налил себе в кружку — прилично, — отхлебнул и едва сдержался, чтобы не закрыть глаза.

— Ты прямо в перчатках будешь сидеть? — спросил осмелевший Веник, который никак не мог понять, в чем дело и что такое стряслось с Даниловым.

— Да, — сказал Данилов, — в перчатках. Что ты надумал, Веник?

— Надумал? О... чем я надумал?

— Или ты говоришь мне, где ты был утром в субботу, или возвращаешь мне деньги, — сказал Данилов и еще отхлебнул, чувствуя, как коньяк глушит стеклянный морозный звон у него в голове. — Я тебе предлагал сделку. Ты забыл?

— Нет, — нервно сказал Веник, — не забыл.

Он с размаху сел на стул, пошарив, вытащил из тумбочки стакан, дунул в него и налил себе коньяку. Выпил тоже с размаху и задышал, приоткрыв жалкий ротик.

— Что ты ко мне привязался, Данилов? — начал он и, кажется, даже шмыгнул носом. — Ну что я сделал? Ты же знаешь, что я деньги тебе вернуть так быстро не могу, они у меня все в деле!

— В деле! — повторил Данилов. — В каком еще деле?

— Я не могу тебе сказать, где я был, — зашептал Веник, нервно оглядываясь по сторонам, — ну не могу, и все! Тебе все равно, конечно, ты весь чистенький, правильный, скучный, как газон, а у людей... Разные бывают ситуации!

«Почему газон? Какой еще газон? Неужели я похож на газон?»

— Ты как в целлофане живешь, ничего тебя не касается, а я... а мы...

— Веник, где ты был?

— Ты чистоплюй! — Веник старательно распалял сам себя, чтобы было не так страшно и чтобы потом он мог сказать себе, что сделал все, что мог, но пришлось «расколоться». В том, что он «расколется», Данилов не сомневался. — Я тебе ни слова! Ты, твою мать, думаешь, что, если у тебя бабки, ты можешь людьми вообще помыкать, да?! Ты меня, блин, в рабство взял этими деньгами, да?! А меня, между прочим, чуть не застрелили, и если бы застрелили, то моя смерть была бы на тебе, как и Нонкина!! На тебе кровищи, Данилов, как на киллере каком-нибудь, ты посмотри на себя!..

— Веник.

Кружка сквозь перчатку приятно грела руку, тепло поднималось вверх, и казалось, что ее дергает не так сильно, как раньше.

— Ну ладно!! Ну и черт с тобой!! Ну и подавись ты!.. На том свете!.. Ты еще узнаешь!.. Твою мать...

— Веник, хватит. Я все равно ничего не понимаю в цирковых представлениях. Давай говори, и я поеду.

— Хорошо, — воскликнул Веник трагическим голосом, — хрен с тобой!

Он упал на стул, со всего маху придвинулся и просвистел Данилову в лицо:

— Я был у бабы.

Такого сюрприза Данилов не ожидал.

— У какой бабы?

Веник отвел глаза.

— Аська, зараза... Короче, выгнал я ее. Она ушла. А я к бабе пошел.

— К какой бабе?!

Все в том же трагическом порыве Веник схватил свой портфель, покопался в нем, вытащил какую-то газетенку, перегнутую в четыре раза, и ткнул пальцем в середину страницы.

— Вот. — Глаза он отводил и вообще пытался отвернуться.

Очень заинтересованный, Данилов приткнул свою кружку на кучу бумаг и взял газетенку.

«Любовь втроем, — было написано в объявлении, — две очаровательные девушки ищут партнера, пылкого молодого человека б.к. для совместного досуга».

— Что такое б.к.? — спросил Данилов, таращась в газету с первобытным изумлением.

— Без комплексов, — буркнул Веник.

— А ты б.к.? — осведомился Данилов.

— Ну да, — неуверенно сказал Веник, и тут Данилов захохотал так, как не хохотал никогда в жизни. Даже кружка поехала с бумаг, и он подхватил ее. Немного кофе выплеснулось от того, что Данилов хохотал как сумасшедший, и он опять пристроил кружку на стол.

— А что такого? — задиристо спросил Веник. — Что ты ржешь? Я человек современный, пресыщаюсь быстро. Мне все время хочется чего-нибудь... надо же испытывать острые ощущения, пока еще...

— Ну, как ощущения? — спросил Данилов, перестав хохотать. — Достаточно острые? Ты пробыл там до утра?

— Да, — хмуро сказал Веник, — у меня деньги были, я сразу за ночь и заплатил...

— Ты по этому телефону звонил?

— А ты что, — вскинулся Веник, — проверять хочешь?

— Нет, — сказал Данилов, — не хочу. Что тут проверять, все и так понятно. Считай, что свои десять тысяч ты отработал. У меня еще один вопрос, бесплатный.

— Ну?

— Куда ты дел мои очки?

— Какие еще очки?

— Ты приехал ко мне, чтобы пересидеть, когда твоя Ася вернулась за вещами. Ты смотрел хоккей и взял у меня очки. Как они потом попали в мой офис?

— А-а... я же их тебе привез, когда на следующий день заезжал или через день, что ли. Ты ко мне пристал с этими деньгами, я очки на стол бросил и ушел. Я отдать хотел, а ты как начал наезжать, вот я их и бросил!

— Ясно, — подытожил Данилов, одним глотком допил кофе и с сожалением поднялся.

Уезжать — как уходить на войну — ему не хотелось. Рассказ Веника подтвердил все, о чем он уже догадался, и это означало только одно — самое худшее впереди.

— Хочешь, я тебе анекдот расскажу? — спросил он у Веника. — Институтских времен, как раз про тебя. Приходит мужик в бордель, смотрит прейскурант и видит — страстная испанка. Замечательно, думает мужик, это мне подходит. Платит денежки, поднимается в номер, глядь, а там сидит старая толстая еврейка. Где же испанка, вопит мужик, я за страсть заплатил! А бабка ему — ну, хочешь, я тебя укушу?

Веник моргнул.

— Это ты к чему, Данилов?

— К весне, должно быть, — ответил Данилов и вышел из стеклянной будочки.

В машине он сразу включил отопитель, потому что мерз все сильнее, и позвонил секретарше Ире.

— На работу можете сегодня не приходить, — сказал он, поздоровавшись, — а завтра я скажу.

— Андрей Михайлович, я звонила Сашиной маме, и она сказала, что похороны через три дня, и помощь им никакая не нужна, в смысле... в организации.

Похороны, подумал Данилов. Черт возьми, будут еще и похороны!..

— Ира, я понимаю, что вспомнить трудно, но все-таки постарайтесь. Накануне убийства я уехал довольно рано, часа в четыре, наверное.

— Да, я помню.

— Вы не помните, кто меня спрашивал в тот вечер? Кто звонил, что просил передать?

— Ой, господи, — пробормотала Ира, как нерадивая студентка, которая наконец поняла, что проваливается на экзамене, — как же тут вспомнить, когда после этого Сашу... убили! Тучков звонил, — это был прораб, возводивший апартаменты Знаменской, — из архитектурной комиссии звонил этот... как его...

— Лобов, — подсказал Данилов. Из решетки отопителя несло ровным теплом, и он грел над ней руку.

— Да-да, Лобов, точно! — воскликнула Ира радостно, и Данилов вдруг пришел в раздражение — зачем ему секретарша, которая не помнит никаких фамилий?! — Еще кто-то звонил, вот только вы ушли, но я по голосу не узнала. Я спросила, что передать, а там... ничего.

— Знакомый голос?

— Вроде да, — раздумывая, сказала Ира, — вроде знакомый. Он мне — начальник на месте? А я ему — портфель на месте, а начальника нет.

— Что?! — вскрикнул Данилов.

— Ничего, — испугалась Ира, — портфель, говорю, на месте, а начальника нет...

«Как все просто, — подумал Данилов. — Он позвонил и спросил. Секретарша ему сказала. Вопрос — ответ. Никаких трудностей».

— Хорошо, — пробормотал Данилов, — до завтра, Ира.

Мотор урчал, из отопителя все дуло усыпляющим теплом. Данилов держал телефон в руке. Сзади посигналили — будешь выезжать или нет? — он не обратил внимания.

«Ты не справишься один», — сказала ему Марта. Она права. Один он, пожалуй, не справится. Нужно было сделать еще один звонок. Данилов посмотрел на телефон, и, словно отвечая его мыслям, телефон зазвонил. Данилов помедлил и нажал кнопку.

— Да.

— У вас продается славянский шкаф? — доверительно спросила Марта.

— Где ты?

— Шкаф уже продан, — сообщила она, — могу предложить никелированную кровать.

— Где ты?

— Дома, Данилов. Я уже приехала. Навстречу потоку ехать всегда легко. А ты где?

— Марта, — попросил он, — ты мне не звони... пока. Я сам позвоню тебе, как только смогу. Ты меня отвлекаешь, а отвлекаться мне нельзя.

— Прости, Данилов, — быстро произнесла она, — я не нарочно. Просто я хотела сказать, что со мной все в порядке, я дома. Сейчас позвоню на работу и сообщу, что не приеду. Не беспокойся за меня.

— Я постараюсь не беспокоиться, — ответил Данилов и посмотрел на часы. Времени у него было мало. А может, наоборот, много. Он не знал, сколько времени ему оставил тот человек.

Черт побери, ему сейчас очень пригодился бы пистолет. Жаль, что у него нет пистолета. Он никогда не думал, что будет жалеть об этом.

«Я все равно не умею стрелять. Зачем мне пистолет?»

— Данилов, ты все-таки постарайся, чтобы с тобой ничего не случилось.

— Постараюсь, — пообещал он и добавил по привычке: — Не волнуйся.

Телефон пискнул, информируя о том, что разговор окончен, и Данилова это огорчило. Не осталось совсем ничего, чтобы еще потянуть время, хоть чуть-чуть.

Ты просто трус. Ты боишься.

Конечно, боюсь. Только герой боевика не боится, а я боюсь.

Меня знобит, у меня болит рука, и я боюсь так, как никогда и ничего не боялся, — за себя, за Марту и за мышонка, которого никто не защитит, кроме меня. Так получилось, что только я, я один смогу их защитить или хотя бы отвести беду.

Ну что ж. Надо звонить.

Он набрал номер, который знал наизусть, и некоторое время ждал, пока ответят. Только бы ответили.

— Да?

— Катерина?

— Здравствуйте, Андрей, — сказала она сердечно, — жаль, что нам так и не удалось поговорить на приеме. Как ваши дела?

— Катерина, мне нужна помощь. Я в двух словах расскажу вам, в чем дело и куда я сейчас поеду, а вы... оцените ситуацию и подумаете, сможете ли мне помочь.

— Хорошо, — согласилась она, помедлив, — я слушаю.

Он говорил недолго.

— Я не знаю, — ответила она, дослушав, — это несколько странно и неожиданно. Я должна поговорить с мужем.

— Конечно, — согласился Данилов.

Уже то, что она сразу не послала его подальше, было большой удачей. Жене Тимофея Кольцова не могло быть дела до проблем какого-то бедного архитектора!

— Я вам перезвоню, — пообещала она и повесила трубку.

Вот и все.

Данилов сунул мобильник в карман и стал осторожно выбираться со стоянки. Ехать ему было недалеко.

Он заметил знакомую машину возле знакомого дома на Кутузовском проспекте и не стал разворачиваться, решив, что просто перейдет где-нибудь дорогу.

Все правильно, она была там, где должна быть, но собственная подтвержденная догадка поразила Данилова.

Он подошел к машине, темной и грязной, и усмехнулся, увидев свежую царапину на левом борту. Марта задела ее своей «Нивой», когда неслась в лоб. Странно, что она вообще успела свернуть.

Данилов достал из кармана брелок, открывающий его собственную машину, и нажал кнопку. Фары мигнули и погасли, в дверях сухо щелкнуло — замки открылись. Наверное, треть машин открывается одними и теми же кнопками, подумал Данилов. Если бы она не открылась, он бы просто в нее не полез.

Зачем? Все и так было ясно и понятно. Он открыл ее просто для того, чтобы еще раз убедиться, что прав.

Он распахнул пассажирскую дверь и присел на корточки, рассматривая мокрый резиновый коврик. Стараясь не опираться на раненую руку, он нагнулся и посмотрел под сиденьем. Там было что-то довольно длинное и круглое, какой-то баллончик. Данилов сунул руку и вытащил баллончик с голубой краской. С одного боку баллончик был сплющен, должно быть, смялся, когда Данилов наступил на него ногой.

«Это только начало», — было написано голубой

краской на стене разгромленного дома, который Данилов так любил.

Вот уже и конец. Скоро финальные титры.

— Догадался, — прозвучал за его спиной язвительный голос, — молодец. Но очень долго думал.

— Что ж ты, Олег, — не поворачиваясь, сказал Данилов, — то кассету в машине бросил, то баллончик забыл. Ладно я, но дом-то Тимофея Кольцова. Он из тебя всю душу вынет.

— Не вынет, — ответил Тарасов весело, — не беспокойся. Пошли, Данилов. Мне некогда. Мне еще чай с твоей матушкой допивать.

Данилов поднялся с корточек и захлопнул дверь машины, оттягивая миг, когда ему придется повернуться и посмотреть в лицо Олегу Тарасову. Он очень боялся, что вообще не сможет посмотреть ему в лицо и тогда все будет кончено.

Кутузовский проспект ревел машинами. В скверике — несколько деревьев вдоль шоссе — бежал малыш в красном комбинезоне, и старик бросал палку собаке. Собака вскидывала лапы ему на грудь, припадала к земле, вскакивала, порывалась бежать и отчаянно гавкала от нетерпения. Старик смеялся и прятал палку за спину, а потом швырял — далеко.

«Хорошо быть собакой», — подумал Данилов.

— Пошли, Данилов, — повторил Тарасов настойчивей, — мне некогда. Болит ручонка-то?

— Болит, — ответил Данилов и посмотрел наконец ему в лицо. Лицо было ясным и радостным, как у человека, который вот-вот закончит надоевшую работу и освободится.

— Я тебе кисть хотел прострелить, — сказал Тарасов весело. — Помнишь, как ты над своими руками трясся? Я бы и прострелил, мне твоя сучка помешала. Ее-то ты зачем втравил? Жила бы дальше, горя не знала. А теперь все. Пошли, Данилов, поговорим по дороге. Кстати, я тебя предупреждаю, что у меня пистолет. Так что ты «мама!» лучше не кричи и «караул!» тоже. Я тебя на месте застрелю, а через три часа я в Италию лечу, так что меня никто остановить не успеет, никакие менты.

— Куда идти? – спросил Данилов.

— Тут недалеко. И давай поближе ко мне, с той стороны, где ручонка. Кто тебя знает, вдруг ты еще побежишь! Ты же трус, Данилов.

— Это я раньше был трус, — ответил Данилов холодно, — больше я не трус.

Тарасов засмеялся.

— Ты просто еще не знаешь, как я намерен поступить с тобой и твоей сучкой, — нежно проговорил он, — но я тебе расскажу. И мне приятно, и тебе полезно. Что ж просто так подыхать-то? Просто так подыхать неинтересно.

Начался двор, высокий и узкий, знакомый с детства. Снег скрипел, мальчишки кричали, пело радио в какой-то машине.

— Дальше, дальше, — сказал Тарасов, когда Данилов взглянул на подъездную дверь, в которую входил много лет и которую редко вспоминал. Ничего хорошего не было за этой дверью, только трудное, холодное, одинокое детство за роялем.

Лишь когда появилась Марта, кончилось одиночество.

— Сюда давай, — велел Тарасов и, быстро оглянувшись по сторонам, вдруг толкнул Данилова в раненую руку.

Данилов чуть не упал от боли, в голове что-то взорвалось, ударило по глазам, и в руке, кажется, лопнуло. Тарасов рванул его за отворот дубленки, проталкивая в узкий лаз заколоченного черного хода. Пахло старой штукатуркой, сырыми стенами, промерзшим бетоном. Тарасов лихо выудил из-за пояса пистолет. Сквозь боль в голове Данилов вдруг подумал, что он, наверное, очень гордится собой.

— На самый верх, — скомандовал Тарасов. — Сегодня ты научишься летать. А если не научишься, разобьешься.

— Как ты догадался, что я приеду? — спросил Данилов хрипло.

— Ну-у, — протянул «друг детства», — не настолько же ты тупой! Я знал, что в конце концов ты все поймешь, не можешь не понять! И знал, что поедешь выяснять отношения. Твои родители сегодня вечером улетают в Париж. Где еще я могу быть? Конечно, у них! Я и машину поставил так, чтобы ты сразу увидел. Ловко?

— Очень, — согласился Данилов. Под ногами хрустел песок и поднималась многолетняя пыль. На ступеньках кое-где был навален мусор, и Данилов переступал через него. — А мои родители? Если ты меня сейчас убьешь, у тебя не будет никакого алиби. Они скажут, что ты как раз в это время уходил из квартиры.

— Да не заботься ты обо мне, — весело заявил Тарасов и ткнул его в спину пистолетом, — все в порядке с моим алиби! Я все время смотрел в окно и, когда увидел, что ты подъехал, сказал Светлане Сергеевне, что пойду за сигаретами. Тебя ведь не сразу опознают. Документы я у тебя заберу. Пока проваландаются, родители твои уже и в Париж отбудут. А время я вперед перевел. Во всей квартире. Михаил Петрович, сам знаешь, на часы никогда не смотрит, а у Светланы Сергеевны я специально время спросил, когда за сигаретами пошел. И еще спрошу, когда вернусь. Потом я стрелки назад переведу, только и всего.

Данилов посмотрел вверх. Идти осталось совсем немного. Один пролет — и решетка последнего этажа.

— Направо! И без фокусов, Данилов! Ты ведь уже покойник. «Отче наш» знаешь? Читай.

За облезлой коричневой дверью с предусмотрительно снятой поперечной балкой было значительно холоднее, и свет здесь был другой. Не размытый серыми подъездными стеклами, а ясный, уличный. Снег залетал в выставленное окно, бесшумно падал на скрещенные доски.

«Как высоко», — подумал Данилов.

— Ну что, — все так же весело спросил Тарасов, — прочел молитву? Давай покурим, что ли! Знаешь, мне как-то даже жалко, все-таки ты мой друг, в один горшок писали! И не верится — неужели сейчас я от тебя освобожусь, а? Навсегда! На всю оставшуюся жизнь! Ты там будешь лежать, — и он показал пистолетом вниз, в узкий, как шахта, колодец двора, — мордой в помойке, с переломанной спиной, с вывернутой шеей, тебя ведь и узнают-то не сразу, а я пойду чай допивать и вечером в Рим улечу и вздохну наконец всей грудью!..

— Зачем? — спросил Данилов и медленно полез в карман за сигаретами. Тарасов следил за ним очень внимательно, даже пистолет у него в руке напрягся. — Зачем все это было нужно, Олег?

— Как зачем?! — поразился Тарасов. — Ты так ничего и не понял?!

— Нет, — сказал Данилов, — не понял.

Он снова полез в карман и достал на этот раз зажигалку. Тарасов должен увидеть это движение. Увидеть, запомнить и не бояться его.

Времени на то, чтобы Тарасов запомнил, было мало. Столько, сколько горит сигарета.

— Затем, что я тебя ненавижу, — выплюнул Тарасов ему в лицо, — ненавижу! Всегда! Всю жизнь! Вся моя жизнь состоит из ненависти к тебе! Кто ты? Богатый, тупоумный, ленивый недоносок! Ты даже играть не смог и заставил всех вокруг скакать перед тобой на задних лапах! Тебе было положено все, а мне ничего, а я ведь в миллион, в миллиард раз талантливее тебя! Кому я был нужен со своим талантом?! Никому! У меня не было родителей с фамилией Даниловы, ко мне профессора на дом не приезжали, я все должен был выгрызать, выпрашивать, выклянчивать! А ты... ты все бросил, когда не смог играть! Ты бросил и ушел. Так, как будто имел на это право. Так, как будто на самом деле чего-то стоил! А ты ничего не стоил! Ты ни на что не имел никаких прав! Ты просто был бесталанный, ленивый ублюдок, а с тобой носились, как с гением! Ну конечно! Данилов! Как же с тобой не носиться!

— Ну и что? — перебил его Данилов. — Что из этого? Я ведь не стал музыкантом. У меня обыкновенная работа и никакой мировой славы. Чему ты завидуешь?

— Я не завидую тебе, ты, жалкий червяк, придурок, мокрица! Я ненавижу тебя, и я убью тебя прямо сейчас, а вечером в Риме буду пить вино и щупать девчонок! Ты никто! Ты был и остался ничем, и я... победил тебя!!

— Тебе лечиться нужно, — сказал Данилов равнодушно, — и чем скорее, тем лучше. Может, вместо Италии ты в психбольницу устроишься?

Тарасов вдруг подскочил к нему, так что Данилов сделал шаг назад, к самому краю жестяной скользкой крыши, и спиной почувствовал неотвратимость и заманчивость бездны.

Из-под его ботинок сыпался снег и беззвучно исчезал в желтой холодной пропасти.

— Не-ет, — зашелся в истерике Тарасов и потряс у него перед носом пистолетом, — тебе меня не провести. Ты хочешь, чтобы я тебя пристрелил, да? Чтобы ты падал уже мертвый? Нет. Не выйдет. Я стрелять не стану. Ты умрешь, когда будешь падать, от страха, как умирают все свиньи! Или когда ударишься о мусорные баки! Да! — захохотал он, потому что эта мысль понравилась ему. — Последнее, что ты увидишь в своей дерьмовой жизни, будут внутренности помойки, с тухлыми тряпками, очистками и гнилью! Ты влетишь прямо мордой во все это!

— А зачем так сложно? — спросил Данилов. Сигарета почти кончилась, от нее осталась только четверть. — Можно было все сделать гораздо проще. Чего ж ты меня давно с крыши не скинул?

— Ты же полоумный, Данилов, — сказал Тарасов весело, — все знают, что ты полоумный! Ты же жену убил! Ты ненормальный, псих, придурок! Ты сам с крыши кинулся! Конечно, сам! Ты приехал поближе к родителям, которых ненавидишь, и кинулся с крыши! А?! Красиво?!

— Почему сейчас?

— Потому что у тебя помрачение, как у орангутанга! Потому что какие-то хулиганы разгромили дом, который ты строил, и ты помрачился! Тебе стали всякие видения мерещиться — кровавые рубахи там, надписи на зеркалах! Да я первый об этом расскажу! Я первый! Как у тебя башку снесло! Как я хохотал, когда подкладывал эту рубаху!! А кровь из американского набора для Хэллоуина?! Ты небось от страха штаны намочил, а кровь была даже не настоящая!! Ты же псих, пси-их!! Тебя твой Кольцов уволил, и ты чокнулся окончательно, потому что и так был чокнутый! Ты даже учиться не смог оттого, что чокнутый! Это самоубийство, самоубийство, понимаешь?! Это ведь ты в припадке ударил по башке своего сотрудника и убил его! Ты понимаешь? Это же очевидно! Твои очки...

— Очки тут ни при чем, — заявил Данилов сухо, — я ночевал не один. Человек, который был у меня, подтвердил, что я не выходил из дома. Не я убил Сашку. Не было у меня помрачения.

— Ты врешь, — взвизгнул Тарасов, — врешь, врешь!! Кто мог с тобой ночевать?! Твоя сука? Так я убью ее! Так убью, что никто никогда не найдет, а все решат, что ты ее замочил, прежде чем с крыши сигануть! Лидка была со мной, значит, с тобой могла быть только твоя сука!

— Лида вытащила у меня ключи от офиса?

— Ну конечно! Конечно, Данилов! Я начал спать с ней, как только ты стал с ней спать! Мне нравится трахать твоих баб, может, я и ту суку трахну, прежде чем закопаю!

— А помада? Тоже Лидина? Она тебе дала или ты украл у нее?

— Как же! Украл! Она уронила, а я подобрал! У нее вечно все падает, у идиотки! Знаешь, как это смешно, готовить тебе всякие сувениры и представлять, как ты бледнеешь, стекленеешь, не знаешь, что тебе делать и откуда это! Я всем на приеме рассказал, что ты окончательно спятил, даже мамочке твоей, я всех убедил, всех, всех!! Я и жену твою трахал! — вдруг сказал Тарасов и радостно засмеялся. — Почти что в первую брачную ночь начал. Ты жил с ней столько же, сколько и я! Она у нас была общая! Дура, конечно, но в постели ничего.

— Зачем ты ее убил? — Данилов слегка переместился от края крыши, так, чтобы Тарасов не обратил внимания. Он и не обратил.

— Она стала трещать, что все тебе расскажет, что жить с тобой больше не может, а меня одного любит и больше никого не хочет... Дура! — вдруг заорал он. — Конечно, я ее убил! Что мне оставалось делать?! Я еще тогда надеялся, что тебя расстреляют за убийство, Данилов, но ты отмазался! Как всегда! Как всегда!

Он как будто призывал Данилова посочувствовать ему, и тот даже кивнул, выражая сочувствие.

— Я думал, что загоню тебя в карьер! Я полдня строил декорацию к картине твоего самоубийства! Ты притащил с собой сучку, и ничего не вышло! Но ничего. Ничего, — он глубоко вздохнул, как будто утешая себя, — сейчас все получится. Сейчас наверняка. Ну...

— Откуда ты узнал о доме?

— В один из моих приездов в Москву на одном

приеме жена Кольцова при мне делилась с подругой восторгами по поводу дома, который им строит «талантливый архитектор Данилов», и назвала место. Я не мог допустить, чтобы ты выбрался из дерьма, но ждал, пока работа там почти закончится. Чтобы тебе больнее было! О том, что утром в субботу туда едешь, мне сказала Лида.

— Почему в тот раз тебя пустил охранник? И откуда ты взял телефон Катерины Солнцевой?

— С телефоном проще простого, Данилов! Ты же у нас все-е записываешь, как недоумок беспамятный! Я заходил к тебе на работу, как только ты получил этот заказ, и телефончик из книжечки списал!.. А пустил потому, что я ему, козлу, в переговорное устройство сказал, что ты меня прислал! По имени-отчеству тебя назвал, позвоните, говорю, ему на мобильный по такому-то номеру, проверьте, если хотите!.. Конечно, он не стал проверять!

— А янтарь? — спросил Данилов, весь подобравшись. — Зачем ты его утащил?

— Это не янтарь, — улыбнулся Тарасов, — это...

— Канифоль, — подсказал Данилов, — у тебя выпала из кармана канифоль, а у меня есть только один друг-скрипач. Ее обязательно надо было забрать. Все правильно.

— Давай документы, — приказал Тарасов, — что там у тебя есть? Права, паспорт. Давай.

Данилов медленно полез в нагрудный карман и вытащил толстый бумажник с правами и всеми автомобильными бумагами. Ему показалось, что шевельнулась створка окна, ведущего на крышу. Он посмотрел, но ничего не увидел.

— Теперь паспорт! Ну! Быстрей, Данилов! И шагай, шагай туда!

У каждого настоящего горца, вспомнилось Данилову, под плащом обязательно должен быть меч.

Под дубленкой у Данилова был зонт.

Самый обычный, складной автоматический зонт, забытый осенью в машине.

Левой рукой Данилов выхватил из-за ремня зонт и нажал кнопку.

Как в замедленном кино, он увидел изумленные глаза Тарасова, и распухающий купол зонта, ударивший ему в лицо, и увидел, как вздрагивает рука, сжимающая пистолет, и он конвульсивно дергается. Оглушительный звук бьет в уши, и Тарасов начинает падать назад, отчаянно перебирая ногами, и не может удержаться, и ничего не видит из-за зонта, закрывшего лицо, и какие-то люди бегут к ним, уже совсем близко, неожиданно близко, и Данилов смотрит только на Олега, зная, что больше уже ничего не будет.

Все. Конец истории.

Данилов шевельнулся, только когда почувствовал, что чьи-то руки оттаскивают его от края крыши.

— Андрей Михайлович, с вами все в порядке?

— Что?

В руках у него был зонт, который ему очень мешал. Данилов посмотрел на зонт и бросил его на крышу. Зонт завертелся, поехал, наклонился и остановился.

Охранник Дима, который был приставлен к Данилову еще в прошлую субботу, когда они остались одни на разгромленной даче, смотрел с сочувствием. Леша в кожаном пальто подобрал зонт, сложил его, скользя башмаками, заглянул вниз и присвистнул.

— Пошли отсюда, мужики! Нечего тут делать. Можете идти-то, Андрей?

— Могу, — ответил Данилов. — Наверное, нужно милицию вызвать. Объяснить как-то...

— Да уж мы сами, — сказал Леша, — без вас объясним. Пошли, пошли отсюда!..

— Нас Тимофей Ильич вызвал, — говорил Дима. Он шел и все время оглядывался, как будто боялся, что Данилов упадет. — Найдите, говорит, Данилова и помогите ему. Мы машину-то сразу нашли, у нас адрес был, а вот вас не сразу.

— Да, — согласился Данилов, — найти было трудно.

— Вы и без нас справились, — сказал Леша, — ничего. Обошлось.

— Обошлось, — согласился Данилов.

Он приехал в Кратово под вечер и остановил машину возле деревянных вороток, почти до половины засыпанных снегом. Чтобы въехать на участок, придется разгрести снег, а он только вчера обещал Марте, что не будет ни косить, ни рыть раненой рукой погреб.

Все-таки, видимо, придется рыть. Или одну ночь машина и за забором переночует?

Он толкнул тяжелую калитку, застрявшую в пазах, толкнул еще и открыл только с третьего раза. Окна в доме светились, прямоугольники веселого света лежали на сугробах и дорожках, и Данилов устало подумал, что там, внутри, должно быть очень тепло, и ему захотелось поскорее внутрь.

Однако, вместо того чтобы постучать в дверь, он почему-то уселся на узкое крылечко, подобрал полы дубленки и вернул на место упавший веник. Это слово напомнило ему что-то забавное, но он никак не мог вспомнить — что. Он долго и старательно шарил в карманах, искал сигареты. Карманов было всего два, но у него на это ушла уйма времени. Когда он их нашел, курить ему уже расхотелось, но он все-таки закурил. Дым застывал прозрачным облаком и медленно растворялся в свете фонаря над крыльцом.

К низкому штакетнику, разделяющему участки, подбежала большая собака, посмотрела на Данилова и вопросительно гавкнула.

— Ты чего, — спросил Данилов, — не узнаешь меня?

Собака удивилась и ушла, а он остался сидеть.

Внезапно за дверью, совсем близко, зазвучали шаги, и дверь распахнулась, чуть не стукнув его по спине.

— Андрей, — воскликнула Надежда Степановна, — вы с ума сошли! Почему вы здесь сидите? Вы замерзнете! Да еще без шапки! Марта, Андрей приехал и сидит на крыльце! Марта! Андрей, сейчас же идите в дом!

— Данилов, ты чего? — спросила запыхавшаяся Марта. — Что ты нас пугаешь? Все в порядке?

— Да, — сказал Данилов, — мне просто нужно... отдохнуть.

— Очень холодно, Андрей, — вступила Надежда Степановна, — сейчас зима, а не лето, на крыльце сидеть нельзя!

— Еще чуть-чуть, — попросил Данилов, — недолго.

Оттеснив мать, вышла Марта в длинном тулупе и валенках. На голове платок.

— Мам, иди, ты замерзнешь!

— Марта, пусть он голову тоже покроет платком. Можно легко заболеть менингитом!

— Мама, он не станет надевать на голову платок!

— Тогда ты ему надень! Я только час назад смотрела на градусник, было минус десять! Вот замечательный платочек, пусть он наденет.

— Мама!!

Данилов улыбался. Дверь проскрипела, закрываясь. Марта присела на корточки перед крыльцом и поцеловала Данилову руку.

— Ну что?

— Спроси меня о чем-нибудь, — предложил он и закурил следующую сигарету.

— Кто это?

— Олег Тарасов.

— Тарасов! — вскрикнула Марта.

— Он тогда застрелил мою жену, надеялся, что меня посадят, а меня не посадили. Он все это затеял,

чтобы представить, будто я покончил жизнь само-
убийством из-за того, что Кольцов меня уволил, и я
свихнулся.

— Кольцов тебя не уволил, — сказала Марта.

— Нет. Но Тарасов был уверен, что уволит. Не зря
же он старался, полдома разнес!

— Он был... любовником твоей жены?

Данилов посмотрел на Марту поверх ее кулачка,
сжимавшего его руку, и усмехнулся.

— И Лиды тоже. Он сказал, что ему нравилось
трахать моих женщин.

— Он больной, что ли?

— Не знаю. Но он всю жизнь ненавидел меня, а я
даже не догадывался.

— Почему ненавидел?

— Потому, что у меня было больше возможностей, и больше всего потому, что я смог начать все сначала, когда выяснилось, что музыкантом я не стану.
Его это взбесило. Еще я думаю, что он гораздо больше, чем я, хотел быть сыном моих родителей. Таких...
знаменитых и таких всесильных. Он считал, что, если
бы у него были такие родители, он был бы Паганини.
Не знаю. Может, он и прав. Мать к нему относилась
всегда лучше, чем ко мне.

— Просто она не возлагала на него никаких на-
дежд, а он все-таки чего-то добился, — пробормотала
Марта, и Данилов удивился ее проницательности. —
Когда ты узнал, что это он?

Данилов бросил сигарету, притянул Марту к себе
и прижал. Она была толстая и неуклюжая от овчин-
ного тулупа.

— Знаменская сказала — повторяющийся элемент. Во всех частях головоломки присутствовал Тарасов. Было много других людей, но зато он один
присутствовал во всех. Я понял, когда стал думать,
почему на приеме все говорили о том, что я плохо выгляжу? Кто-то настойчиво внушал всем, что у меня

больной вид и я, должно быть, скоро рехнусь. Зачем? Только затем, чтобы убедить всех, что если со мной что-то случится, то потому, что я не в себе. Из тех, кто входил в другие части головоломки, на вечере присутствовали Тарасов, Грозовский, Знаменская и Лида. И Знаменская, и Грозовский, и Лида сообщили мне, что все только и говорили про то, как я плох. Даже мать сказала. Если бы кто-то из них распускал эти слухи, то не стал бы говорить о них мне. Тот, кто говорил, что я спятил, знал, что со мной все в порядке. Значит, остался один Тарасов. И еще шкатулка.

— Что шкатулка?

— Только Тарасов знал, как ее открыть, и мог сделать это быстро. Мы в детстве ее сто раз открывали. Это было так... необыкновенно, шкатулка с секретом! Она ему страшно нравилась, даже больше, чем мне. Поэтому он и не смог ее сломать. Он всегда любил вещи. Очень любил. Были еще всякие мелочи. Я действительно сунул блюдечко в шкатулку, когда он был у меня. Я видел, что у Лиды все время раскрывается сумочка и что-то из нее падает, а когда я собрался уходить, она осталась с ним, и он вполне мог положить помаду себе в карман, если помогал ей подбирать все с пола. В его машине валялась кассета, и он сказал, что это концертная запись, но он скорее удавился бы, чем бросил свою запись на пол в машине! Я только никак не мог понять — зачем?! Зачем, да еще так сложно!

— И зачем?

— Он ненавидел меня. Очень сильно. Видишь, какую нагромоздил конструкцию! Ему мало было просто убить меня, ему нужно было, чтобы все вокруг и особенно родители решили, что я ненормальный, истерик, который разбивается на машине или, на худой конец, прыгает с крыши дома, в котором живут его родители!

— С крыши? — переспросила Марта.

— Да. С крыши. Он даже придумал мне галлюцинации — окровавленную рубаху, надписи на зеркале! Он был уверен, что никто не поверит мне, если я стану рассказывать, ведь и так считается, что я не в себе. Он чуть было не добился своего. Когда я увидел эту рубаху, я решил, что мне пришел конец. — Данилов помолчал и добавил: — А кровь была из набора для Хэллоуина! Представляешь?

— А голубая краска? Ты же думал, что это Веник!

— Веник в субботу утром занимался сексом на троих, — объявил Данилов и захохотал, — по объявлению в газете! Он начал в пятницу вечером и утром продолжил.

Марта посмотрела на него и тоже осторожно засмеялась.

— Кстати, краска мне помогла. В тот день, когда у меня на ботинке появилось пятно, я был только дома у Веника и в машине у Тарасова. Еще у тебя, но это не в счет. Если Веник ни при чем, значит, Тарасов.

Они помолчали, и Марта пошевелилась у него в руках.

— Может, хватит на сегодня, Данилов? Ты победил всех врагов, ты молодец, ты справился, а сейчас пойдем, я буду тебя холить, нежить, спать укладывать. Пойдем?

— Как ты думаешь, — спросил Данилов, — родится мальчик или девочка?

— Ну конечно, девочка, — сказала Марта и потянула его за руку, — мальчики бывают у сильных, самоуверенных, волевых мужчин. У тонких натур, вроде тебя, бывают только девочки.

Среди ночи Данилов вдруг проснулся, даже не проснулся, а огромным усилием воли спихнул с себя тяжелый каменный сон.

Было темно и так глухо, как может быть только

глубокой зимней ночью. Он полежал, прислушиваясь и не понимая, от чего проснулся. Прошли те времена, когда он мог не спать по целым ночам, курить, думать, рисовать экзотичные домики. Они прошли, и Данилов не жалел о них.

Сон наваливался откуда-то сверху, приятно тяжелый, теплый, похожий на круглый меховой шар, и Данилов улыбнулся, не открывая глаз, предвкушая, как через секунду его закрутит в этот шар — до утра.

До утра далеко. Можно спать, спать, спать...

Шар не долетел до него совсем немного. На этот раз он проснулся потому, что кто-то очень близко пихал его, весьма ощутимо. Он опять открыл глаза и бессмысленно уставился в темноту.

— Поросенок, — невнятно пробормотала рядом сонная Марта, — хрюкает. Твоя очередь.

Ну конечно. Вот отчего он проснулся.

Из распахнутой двери послышалась приглушенная возня, потом мышиный писк и наконец вопль, не слишком громкий, но требовательный.

— Сейчас, сейчас, — забормотал Данилов, скатываясь с кровати. Спросонья он никак не мог попасть ногами в пижамные штаны, брошенные на ковре. Штанины все время закручивались не туда, куда надо, путались между собой, Данилов скакал на одной ноге, напряженно вслушиваясь в темноту.

Вопль повторился — погромче и подлиннее.

Данилов наконец натянул штаны и ринулся в соседнюю комнату, бывшую спальню.

Теперь они с Мартой жили в бывшем кабинете, а бывшую спальню занимал восьмимесячный Степан, которого нежные родители именовали поросенком.

В бывшей спальне горел ночник — желтый месяц, помигивающий хитрым глазом, — шевелились и дрожали нитки «дождя» на невысокой елке, воздушные шары на стенах казались огромными и темными.

344

Пахло тальком, кремом и его, Данилова, ребенком.

Этот самый ребенок лежал поперек кровати — толстые ножки, обтянутые белой пижамой, торчали между прутьями деревянного заборчика. Одеяло было сбито и возвышалось неровным холмиком. Животом на холмике, головой вниз сын Данилова пытался спать.

— Ты мой хороший, — прошептал Данилов и, подхватив Степана под живот, привычно выдернул одеяло, — разве так спят?

Степан был увесистый — шеи нет, руки и ноги в младенческих перетяжках, живот вперед.

Когда Данилов высвободил из заборчика ножки, уложил как следует толстое тельце и накрыл одеялом, Степан приподнялся на локтях и стал тыкаться мордочкой по углам. Глаз он не открывал, но хмурил лоб и складывал губы — готовился зареветь. Данилов ловко сунул соску в херувимский ротик и тихонько похлопал Степана по спине. Ротик усердно заработал, нос засопел, и через две минуты Степан спал надежно и крепко.

Если повезет, проспит до утра.

Впрочем, подумал Данилов с некоторым удовлетворением, следующая очередь вставать — не его. Он свое «вставание» отработал с блеском.

Данилов еще постоял над Степаном — спать уже хотелось не так остро.

Какое счастье, что у него сын.

Еще год назад ничего подобного невозможно было себе представить, а сейчас у него сын. Его собственный сын — четыре зуба, восемь килограммов, толстые ноги, неловкие пальцы, заинтересованная, совсем младенческая мордаха, ночной колпак с кисточкой, купленный Мартой «для смеху», первые ботиночки, слюни ручьем, веселые глаза, так похожие на глаза

Марты. Если повезет, встать придется раза два за ночь. Не повезет — сколько угодно.

Елка посверкивала в углу.

Марта придумала эту елку. В гостиной стояла еще одна, громадная, под потолок, «для больших». Для Степана была куплена собственная елка, и подарки под ней собирались уже неделю, — как будто он мог хоть что-то понимать в подарках! — от Грозовского с Таней, от «бабки Знаменской», от Катерины Солнцевой, от бабушки Нади, от подруги Инки.

Данилов купил клоуна, похожего на Пафнутьича, который был у него в детстве и у которого как-то слишком быстро оторвалась голова. Маленький Данилов страдал ужасно, но голову так и не пришили — смешно! Кто стал бы пришивать голову его клоуну? Мать?

Этого клоуна, предназначенного Степану, Данилов долго и старательно тянул за голову, проверяя, не оторвется ли, и вызывая недоумение продавщиц. Голова была пришита надежно. В конце концов, если что и случится, все можно будет исправить, ведь у Степана есть он, Данилов.

Данилов так любил своего сына, что ему было немножко стыдно. Даже ночью, вставая к нему, — любил.

Утром он уходил, когда они еще спали, его жена и сын. Данилову было приятно, что они спят.

В дверях он столкнулся с Нинель Альбертовной, которая теперь приходила каждый день.

— Доброе утро.

— Доброе утро, Андрей Михайлович. Как сегодняшняя ночь?

— Нормально. — Данилов подхватил ее пальто и пристроил на вешалку. — Просыпались два раза.

— Андрей Михайлович, у нас хлеба нет, а я сегодня вряд ли успею...

— Я привезу.

Делать на работе было абсолютно нечего — в последние дни перед Новым годом никто по традиции не работал, — но Данилов заставлял сотрудников приходить и расчищать накопившиеся за год завалы. Он был нудный и требовательный начальник. На пять часов намечался «стол», о чем ему объявила нарядная до нелепости Таня.

— Можно, Андрей Михайлович?

Спрашивала она просто так, для соблюдения субординации — у них все давно было запланировано и готово, его разрешения не требовалось, но он, подыгрывая ей, все-таки разрешил.

— Будут какие-нибудь... гости?

— Марк Анатольевич, — призналась Таня, как будто в чем-то очень интимном, — и еще Лазарев с Полежаевой. И Кира Лаптева, из банка. — Эти интересовали ее гораздо меньше, и Данилов усмехнулся.

Часа в три он позвонил домой.

— Данилов, как хорошо, что это ты, — сказала Марта, — я только что собралась тебе звонить.

— Как вы там?

— Мы хорошо. Собираемся спать и бузим немного. Давай сдадим его в детдом, чтобы не бузил.

— Лучше мы тебя сдадим, — отозвался Данилов.

На заднем плане слышался какой-то отдаленный шум и уговаривающий голос Нинель Альбертовны.

— Пять минут назад звонила твоя мать. Они собираются к нам на Рождество.

— На какое Рождество? — перепугался Данилов. — Завтра тридцать первое число, Рождество прошло!

— На православное, — назидательным тоном сказала Марта, — на православное Рождество, то есть седьмого января. Нам угрожает матросский костюмчик от Армани и набор английских серебряных ложек. Переживем?

— Переживем, — согласился Данилов. Вдвоем с Мартой он мог бы пережить что угодно.

— Ты завтра работаешь?

— Нет, а что?

— Мама просила приехать пораньше. Она сказала, что возьмет на себя Степана, а мы сможем поспать и приготовить стол. Индейку она купила, а за вином мы в «Стокманн» по дороге заедем, ладно? Поедем прямо с утра, а? Они там погуляют по Кратову подольше. Давай?

— Давай, конечно.

Из трубки послышалось приблизившееся недовольное кряхтенье, а потом ровный трубный рев.

— Данилов, я хотела сказать, что у нас хлеба нет! — перекрывая рев, сообщила Марта. — Ты привези, пожалуйста!

— Привезу! — тоже отчего-то закричал Данилов, и она повесила трубку.

С сотрудниками Данилов попраздновал минут пятнадцать. Он был махровый индивидуалист и не любил корпоративных застолий.

В супермаркете на Лубянке он купил цветы — громадные желтые хризантемы. Марта любила хризантемы. Они пахли на весь салон странным зимним запахом.

Из-за двери его квартиры слышался приглушенный шум, и он вошел очень осторожно, стараясь не спугнуть этот шум. Он кинул в кресло портфель и как был, в пальто и перчатках, подошел к дверям гостиной и распахнул их.

— Тра-та-та, — пела Марта, лежа спиной на ковре, — тра-та-та, вышла кошка за кота. За кота-котовича, за Иван Петровича!..

Джинсы задрались, обнажив стройные щиколотки, которые Данилов обожал. Каждую ночь он как-то по-новому трогал их, гладил, целовал, дышал на них и клал себе на живот, согревая.

В руках у Марты барахтался Степан Андреич, его сын. Он был розовый, гладкий, толстый, в перепачканном фартуке. Марта то опускала его и бодала лбом чистый крутой лобик, то поднимала на всю длину собственных рук.

Вверх! — мордочка становилась восторженно-испуганной, кулачки сжимались. Вниз! — и Степан Андреич заливался счастливым смехом.

— Вот наш папочка пришел, — не переводя дыхания запела Марта, на тот же мотив, что и про кота-котовича, — вот и папочка пришел!..

Степан Андреич на папочку не обратил никакого внимания.

— Ты хлеба купил?

— Нет, — спохватился Данилов.

— Молодец, — похвалила Марта. — Раздевайся, не разводи тут у нас уличную заразу.

Данилов еще посмотрел на них, потом вернулся в холл и стал стаскивать пальто.

Не было и не могло быть в его жизни ничего лучше, чем возвращение домой.

Литературно-художественное издание

Устинова Татьяна Витальевна
ОДНА ТЕНЬ НА ДВОИХ

Ответственный редактор *О. Рубис*
Редактор *Т. Семенова*
Художественный редактор *Д. Сазонов*
Технический редактор *О. Куликова*
Компьютерная верстка *В. Фирстов*
Корректор *Н. Овсяникова*

На первой сторонке обложки использован рисунок
художника *Е. Шуваловой*

Подписано в печать с готовых монтажей 29.01.2003.
Формат 70x90$^{1}/_{32}$. Гарнитура «Таймс». Печать офсетная.
Бум. газ. Усл. печ. л. 12,9. Уч.-изд. л. 14,9.
Доп. тираж 40 000 экз. Заказ 6201.

ООО «Издательство «Эксмо».
107078, Москва, Орликов пер., д. 6.
Интернет/Home page — www.eksmo.ru
Электронная почта (E-mail) — info@ eksmo.ru

По вопросам размещения рекламы в книгах издательства «Эксмо»
обращаться в рекламное агентство «Эксмо». Тел. 234-38-00

Книга — почтой: Книжный клуб «Эксмо»
101000, Москва, а/я 333. E-mail: bookclub@ eksmo.ru

Оптовая торговля:
109472, Москва, ул. Академика Скрябина, д. 21, этаж 2
Тел./факс: (095) 378-84-74, 378-82-61, 745-89-16
E-mail: reception@eksmo-sale.ru

Мелкооптовая торговля:
117192, Москва, Мичуринский пр-т, д. 12/1.
Тел./факс: (095) 932-74-71

Сеть магазинов «Книжный Клуб СНАРК»
представляет самый широкий ассортимент книг
издательства «Эксмо».
Информация в Санкт-Петербурге по тел. 050.

Книжный магазин издательства «Эксмо»
Москва, ул. Маршала Бирюзова, 17 (рядом с м. «Октябрьское Поле»)

ООО «Медиа группа «ЛОГОС».
103051, Москва, Цветной бульвар, 30, стр. 2
Единая справочная служба (095) 974-21-31. E-mail: mgl@logosgroup.ru
contact@logosgroup.ru

ООО «КИФ «ДАКС». Губернская книжная ярмарка.
М. о. г. Люберцы, ул. Волковская, 67.
т. 554-51-51 доб. 126, 554-30-02 доб. 126.

ОАО «Тверской полиграфический комбинат»
170024, г. Тверь, пр-т Ленина, 5.